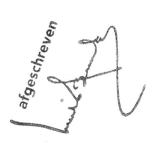

afgeschreven

DE KLEUR VAN VERRAAD

CRAIG RUSSELL

DE KLEUR VAN VERRAAD

DE FONTEIN

Van Craig Russell verscheen eveneens bij Uitgeverij De Fontein:
Adelaarsbloed
Broeder Grimm

Oorspronkelijke titel: *Eternal*
Oorspronkelijke uitgever: Hutchinson, The Random House Group Ltd, Londen
Copyright © 2007 Craig Russell
Copyright © 2007 voor deze uitgave:
Uitgeverij De Fontein, Postbus 1, 3740 AA Baarn
Vertaald uit het Engels door: Pieter Janssens
Omslagontwerp: Studio Eric Wondergem
Omslagillustratie: Corbis/Arsis
Zetwerk: V3-Services, Baarn
ISBN 978 90 261 2198 2
NUR 332

www.uitgeverijdefontein.nl
www.craigrussell.com

Opgedragen ter nagedachtenis aan Gabriel Brown

We zijn eeuwig.

Boeddhisten geloven dat elk leven, elk bewustzijn, als een enkele kaarsvlam is, maar dat er continuïteit bestaat tussen alle vlammen. Stel je voor dat je een kaars aansteekt met de vlam van een andere en die vlam vervolgens gebruikt om de volgende aan te steken, enzovoort enzovoort. Duizend vlammen, van de een op de ander doorgegeven in de loop der generaties. Elk ervan is een ander licht, elk ervan brandt op een heel andere manier. Toch is het dezelfde vlam.
Welnu, ik vrees dat het nu tijd is om jouw vlam te doven. Maar wees niet bang... de pijn die ik je bezorg, zal betekenen dat je aan het eind het helderst brandt.

PROLOOG

Fabel bedacht onwillekeurig hoe ironisch het was dat het treinstation van Nordenham een eindstation was. In vele opzichten eindigde hier hun reis. Van hieruit kon je nergens naartoe.

De koplampen van de politieauto's aan de overkant van het spoor verlichtten het perron alsof het een podium was. Het was een kristallen moment, scherp, helder en hard als diamant. Zelfs de geverfde gepleisterde gevel van het laatnegentiende-eeuwse station leek gebleekt en de contouren leken met kunstmatige klaarheid geëtst, als een bouwtekening of een toneeldecor waartegen zich de reusachtige schaduwen van de twee gedaanten op het perron aftekenden, de een staande, de ander op zijn knieën.

En niets was scherper of helderder dan de felle schittering van het mes in de hand die langs de zijde hing van de gedaante die, fel verlicht, achter de knielende man stond.

De duizend mogelijke manieren waarop dit alles kon eindigen schoten door Fabels hoofd. Wat hij nu ook zou zeggen: wat hij ook zou doen, het zou consequenties hebben, zou een reeks gebeurtenissen in beweging zetten. En een maar al te goed denkbare consequentie zou de dood van meer dan één persoon zijn.

Zijn hoofd deed pijn van het gewicht van die gedachten. Ondanks de tijd van het jaar voelde de nachtelijke lucht schraal en steriel aan in zijn mond en ze maakte grijze geesten van zijn ademhaling, alsof die door op dit moment bijeen te komen, in dit laaggelegen landschap, in feite een grote hoogte hadden bereikt. Het was alsof de lucht te ijl was om enig ander geluid te dragen dan de wanhopige, half snikkende ademhaling van de geknielde man. Fabel keek naar zijn medewerkers die, in de harde, gespannen houding van mensen die op het punt staan iemand te doden, hun wapen aanlegden. Op Maria lette hij het scherpst. Haar gezicht was wit weggetrokken, haar ogen glinsterden ijsblauw en de botten en pezen van haar handen spanden zich tegen de strakke huid terwijl ze haar Sig-Sauer omklemde. Fabel maakte een nauwelijks merkbare hoofdbeweging, in de hoop dat zijn team zijn teken om zich in te houden zou begrijpen.

Hij staarde strak naar de man die in het middelpunt van het verblindende licht stond. Fabel en zijn team hadden maandenlang geworsteld om de moordenaar op wie ze jacht maakten, een naam, een identiteit te geven. Hij bleek een man met vele namen te zijn. De naam die hij zichzelf in zijn verwrongen kruisvaardersideeën had gegeven was *Rode Franz*. De media, in hun enthousiaste vastbeslotenheid om zoveel mogelijk angst en onrust te zaaien, hadden hem de *Hamburgse Haarsnijder* gedoopt. Maar nu wist Fabel zijn werkelijke naam.

Vóór Rode Franz, in dezelfde richting gekeerd, zat de man van middelbare leeftijd die hij op zijn knieën had gedwongen. Rode Franz hield de geknielde man vast aan een vuist vol grijs haar en trok zijn hoofd achterover, zodat zijn bleke hals bloot lag. Boven de keel, boven het van angst verwrongen gezicht, was zijn voorhoofd over de volle breedte opengesneden in een strakke lijn, net onder de haargrens, en de wond gaapte enigszins doordat Rode Franz het hoofd aan de haren achterover trok. Een stroom bloed gutste over het gezicht van de geknielde man en hij slaakte een hoge, dierlijke kreet.

En al die tijd schitterde en blonk het mes langs de zijde van Rode Franz met boosaardige bedoelingen in de nacht.

'In godsnaam, Fabel.' De stem van de geknielde man klonk gespannen en schril van doodsangst. 'Help me... Alsjeblieft... Help me, Fabel...'

Fabel negeerde de smeekbede en hield zijn blik als een zoeklicht op Rode Franz gericht. Hij stak zijn hand op, alsof hij het verkeer tegenhield. 'Rustig... Kalm aan. Ik doe hier niet aan mee. Niemand hier. We zijn niet van plan de rol te spelen die je ons hebt toebedeeld. De geschiedenis zal zich vannacht niet herhalen.'

Rode Franz lachte verbitterd. De hand die het mes vasthield bewoog en opnieuw flonkerde het lemmet helder en schril. 'Je denkt toch niet echt dat ik wegga? Deze smeerlap...' Hij gaf opnieuw een ruk aan de haren en de geknielde man jankte weer door een gordijn van zijn eigen bloed heen. 'Deze smeerlap heeft mij en alles waarvoor we stonden verraden. Hij dacht dat hij met mijn dood een nieuw leven kon kopen. Net als de anderen.'

'Dit is pure fantasie,' zei Fabel. 'Het was niet jouw dood.'

'O nee? Hoe kwam het dan dat je begon te twijfelen terwijl je naar me zocht? Er bestaat niet zoiets als de dood, er is alleen herinnering. Het enige verschil tussen mij en alle anderen is dat ik het me mocht herinneren, alsof ik door een glazen zaal keek. Ik herinner me álles.' Hij zweeg even en de korte stilte werd slechts verbroken door het geluid van een auto die in de verte door het nachtelijke Nordenham reed, achter het station en een universum verwijderd. 'Natuurlijk zal de geschiedenis zich herhalen. Dat doet geschiedenis nu eenmaal. Ze heeft míj herhaald... Je bent er trots op dat je ooit geschiedenis hebt gestudeerd, maar heb je het ooit echt begrepen? We zijn allemaal slechts variaties op hetzelfde thema... wij allemaal. Wat was, zal opnieuw zijn. Hij die was, zal opnieuw zijn. Telkens weer. Geschiedenis gaat over beginnen. Geschiedenis wordt gemaakt, niet ongedaan gemaakt.'

'Maak dan je eigen geschiedenis,' zei Fabel. 'Verander dingen. Geef het op, man. Vanavond zal de geschiedenis zich níét herhalen. Vannacht zal er niemand sterven.'

Rode Franz glimlachte. Een glimlach die even snijdend en kil was als het mes in zijn hand. 'O nee? Dat zullen we wel eens zien, hoofdinspecteur.' Het mes flitste naar de keel van de geknielde man.

Er klonk een kreet. En het geluid van schoten.

Zomerzonnewende, 324 na Chr.

De hemel was licht en leeg en keek met onbewolkte blik neer op het vlakke, kleurloze moeras.

Hij liep vervuld van trots en waardigheid. Zijn naaktheid was niet beschamend of vernederend. Zijn dichte, pas gewassen en geparfumeerde haren glansden als goud in het heldere daglicht. Gezichten die hij al zijn hele leven kende, flankeerden de weg die hij volgde, langs de rand van het houten voetpad dat over en door de drassige grond leidde en ze juichten om zijn naakte voettocht te eren. Hij liep met zijn begeleiders naast en achter zich: de priester, het stamhoofd, de priesteres en de erewacht. En langs de hele weg werden stemmen verheven in verering. Tussen de gezichten en stemmen bevonden zich die van de vrouwen die zijn echtgenotes waren geweest gedurende de afgelopen dagen. Sommigen van hen waren van adellijke geboorte. Zoals hij dat nu zelf eveneens was; zijn laaggeboren status was vergeten, betekenisloos. Deze dag, deze daad, verhief hem boven de status van stamhoofd of koning. Hij was bijna een god.

Terwijl hij passeerde begonnen ze te zingen. Ze zongen over begin en einde, over wedergeboorten, over hernieuwde zonnen en manen en seizoenen. Over de grootse, wonderbaarlijke, mysterieuze kringloop. En de wedergeboorte waarover ze het meest zongen, was die welke de zijne zou worden. Een luisterrijke wedergeboorte. Hij zou vernieuwd worden. Hij zou terugkeren in een beter, zuiverder leven. Hij en zijn begeleiders naderden het eind van de houten weg en aan de ene kant zag hij de hazelaartakken die, met stenen verzwaard, over hem heen zouden worden gelegd, zodat hij niet zou herrijzen voordat zijn tijd gekomen was.

Ze bereikten het einde van het pad en het gladde, glazige oppervlak van de plas strekte zich voor hem uit en bood een donkere weerspiegeling van de heldere lucht.

Nu was de tijd gekomen.

Hij voelde dat zijn hart begon te bonzen in zijn borstkas. Hij stapte van het houten pad af en nam de wereld om zich heen waar met een levendige scherpte: de vochtige, verende veengrond en het harde moerasgras onder zijn blote voeten, de lucht en de zon op zijn huid, de sterke handen van zijn erewacht die zich om zijn bovenarmen sloten. Samen stapten de drie mannen naar voren en in de plas. Ze gingen tot hun middel onder en hij voelde het koude water aan zijn blote benen en genitaliën tintelen. Hij haalde diep adem en zijn hart begon nog sneller te slaan, alsof het besefte dat het weldra zou stilstaan en zoveel mogelijk slagen in deze weinige laatste seconden probeerde te persen. Hij moest geloven. Hij dwong zichzelf te geloven. Het was de enige manier om de paniek voor te blijven die krijsend op hem af leek te komen, over het houten pad snellend, onhoorbaar en onzichtbaar voor de toeschouwers.

De priesteres liet de gewaden van haar lichaam glijden en stapte naakt in de plas. Ze hield het offermes stevig in haar vuist, die ze tegen haar borst klemde. Het lemmet glinsterende in het heldere licht. Een klein mes; hij was krijger geweest en kon dit sieraad niet rijmen met het eind van zijn leven. De priesteres stond tegenover hem, het water rond de kleine cirkel van haar slanke middel, donker tegen haar blanke huid. Ze hief haar hand, legde de palm op zijn voorhoofd en zong de woorden van het ritueel. Hij gaf toe, zoals hij wist dat hij doen moest, aan de zachte druk van haar hand en ging achterover in het water liggen. Zijn hoofd zonk langzaam en het water trok een donker, veenkleurig gordijn voor het daglicht. De twee begeleiders hielden zijn bovenarmen nog steeds stevig vast en nu voelde hij andere handen op zijn lichaam, op zijn benen. Zijn ogen waren open. Overal om hem heen kolkte het moeras troebel en traag, alsof het niet kon beslissen tot welk element het echt behoorde, aarde of water. Zijn goudblonde haren golfden en kronkelden rond zijn hoofd, de glans verzwakt door het drassige water.

Hij hield zijn adem in. Hij wist dat hij het niet zou moeten doen, maar zijn instinct vertelde hem zich vast te klampen aan de lucht in zijn longen, het leven in zijn lichaam. Ze duwde slechts licht terug, maar de greep op zijn armen en benen verstrakte en hij voelde dat hij dieper onder werd geduwd, tot de gezonken varens en stenen op de bodem van de plas tegen zijn rug schuurden. De paniek die hij op hem af had horen snellen, overviel hem nu en gilde dat er geen wedergeboorte zou zijn, geen nieuw begin. Alleen de dood. Het was zijn beurt om te gillen en zijn kreet explodeerde in een zwerm luchtbellen die door het donker schuimden en naar het daglicht dat hij niet meer zou zien. Het koude, brakke water stroomde zijn neus en keel binnen. Het smaakte naar aarde en wormen, naar wortels en rottende vegetatie. Naar de dood. Het golfde zijn protesterende longen binnen. Hij spartelde en kronkelde, maar nu lagen er meer handen op hem die hem onderduwden en aan zijn dood kluisterden.

Op dat moment voelde hij de kus van het mes van de priesteres op zijn keel en het kolkende water om hem heen werd nog donkerder. Roder.

Maar hij had het mis gehad; hij zou uiteindelijk wel herboren worden. Maar voordat hij weer in het daglicht zou treden, zouden er meer dan zestien eeuwen verstrijken en zijn goudblonde haren zouden vlammend rood zijn geworden.

Pas dan zou hij herboren worden. Als Rode Franz.

TWINTIG JAAR VOOR DE EERSTE MOORD, OKTOBER 1985
STATION NORDENHAM, 145 KILOMETER TEN WESTEN VAN HAMBURG

Het centraal station van Nordenham stond op een dijk boven de rivier de Weser. Het was een middag in oktober en er stond een gezin op de trein te wachten. Het grote stationsgebouw, het perron en het ijzeren rasterwerk werden scherp afgetekend door een late najaarszon, helder, maar zonder enige warmte.

Ze stonden – de vader, de moeder en het kind – aan het uiteinde van het perron. De vader was lang en slank en halverwege de dertig. Zijn wat lange, dichte, bijna te donkere haren waren steil achterover geborsteld vanaf een breed, blank voorhoofd, maar ze rebelleerden in een rand van krullen die over de kraag van zijn jas vielen. De zwarte lijst van lange bakkebaarden, snor en sik benadrukte de bleekheid van zijn huid en het vermiljoen van zijn mond. Ook de moeder was lang, slechts enkele centimeters kleiner dan de vader, met grijsblauwe ogen en lange, lichtblonde haren die sluik onder een gebreide wollen muts uit kwamen. Ze droeg een lichtbruine jas tot op haar enkels en aan haar schouder hing aan lange lussen een grote, kleurige macramétas. De jongen was een jaar of tien, maar groot voor zijn leeftijd; hij had kennelijk de lengte van zijn ouders geërfd. Net als zijn vader had hij een bleek, droevig gezicht onder een grote bos krullend, dissonerend zwart haar.

'Wacht hier met de jongen,' zei de vader vastbesloten maar vriendelijk. Hij schoof een verdwaalde lok asblond haar weg die over het voorhoofd van de moeder was gevallen. 'Ik spreek Piet alleen aan als hij aankomt. Bij het minste teken van onraad neem je de jongen mee het station uit.'

De vrouw knikte vastberaden, maar in haar ogen fonkelde een kille, heldere angst. De man glimlachte haar toe en kneep even in haar arm voordat hij haar en de jongen achterliet. Hij ging midden op het perron staan. Er kwam een arbeider van de Deutsche Bahn uit het onderhoudskantoor, die van het perron op de rails sprong en met zelfgenoegzame arrogantie schuin overstak. Een vrouw van middelbare leeftijd, gekleed met de dure smakeloosheid van de West-Duitse burgerij, kwam uit het kaartverkoopkantoor en bleef een meter of tien rechts van de man staan. De lange, bleke man leek geen aandacht te besteden aan al die activiteiten, maar in werkelijkheid volgden zijn ogen elke beweging van ieder individu in het provinciale station.

Er kwam opnieuw iemand vanuit het kaartverkoopkantoor het perron op. Ook hij was een lange, slanke man, met lange, blonde haren die in een staart bijeen waren gebonden. Zijn smalle, hoekige gezicht vertoonde de oude littekens van een kinderziekte. Ook zijn bewegingen en gelaatsuitdrukking waren erop gericht om nonchalant en ongeïnteresseerd over te komen, maar in tegenstelling tot de donkere man had hij een intense, schichtige blik in zijn ogen en een elektrische spanning in elke stap die hij zette.

Ze waren nu slechts een meter van elkaar verwijderd. Een brede glimlach verdreef de ernstige uitdrukking van de donkere man als zonnestralen door de wolken.

'Piet!' zei hij enthousiast maar zacht.

De blonde man glimlachte niet.

'Ik zei toch dat dit niet aan te raden was,' zei de blonde man. Hij sprak Duits met een slissend Nederlands accent. 'Ik zei dat je niet moest komen. Dit is absoluut geen goed idee.'

De donkere man liet zijn glimlach niet vervagen en haalde wijsgerig zijn schouders op. 'Onze hele manier van leven is niet aan te raden, beste vriend, maar wel volstrekt noodzakelijk. Net als deze ontmoeting. God, Piet... wat fijn je weer te zien. Heb je het geld meegebracht?'

'Er heeft zich een probleem voorgedaan,' zei de Nederlander.

De donkere man keek over het perron naar de vrouw en de jongen. Toen hij zich weer tot de Nederlander richtte was de glimlach verdwenen. 'Wat voor probleem? We hebben dat geld nodig om te kunnen reizen. Een nieuw schuiladres te zoeken en in te richten.'

'Het is voorbij, Franz,' zei de Nederlander. 'Het is allang voorbij en we hadden ons erbij neer moeten leggen. De anderen... vinden dat ook.'

'De anderen?' De donkere man snoof. 'Van hen verwacht ik niets. Een stel burgerlijke rukkers die de activist uithangen. Half betrokken en half bang. Slappelingen die doen alsof ze sterk zijn. Maar jij, Piet... van jou verwacht ik meer.' Hij veroorloofde zich opnieuw een glimlach. 'Kom op, Piet. Je kunt het nu niet opgeven. Ik... wé hebben je nodig.'

'Het is voorbíj. Snap je het dan niet, Franz? Het is tijd om dat leven achter ons te laten. Ik kán dit gewoon niet meer, Franz. Ik ben mijn geloof verloren.' De Nederlander deed enkele stappen naar achteren. 'We hebben verloren, Franz. We hebben verloren.' Hij deed opnieuw enkele passen naar achter, maakte de afstand tussen hen groter. Hij keek angstig van links naar rechts. De donkere man volgde zijn blikken, maar hij zag niets. Desondanks voelde hij zijn borst verstrakken. Zijn hand sloot zich om de 9 mm Makarov PM in zijn jaszak.

De Nederlander nam weer het woord. Zijn blik was nu verwilderd. 'Het spijt me, Franz... Het spijt me verschrikkelijk...' Hij draaide zich om en zette het op een rennen.

Het gebeurde allemaal binnen enkele seconden, maar de tijd leek oneindig uitgerekt.

De Nederlander riep iets naar een onzichtbare persoon terwijl hij rende. De spoorwegarbeider sprong naar de moeder en de zoon toe; in zijn uitgestoken handen glansde een zwart automatisch wapen. De burgerlijke huisvrouw liet zich met verbazingwekkende behendigheid op één knie vallen en haalde een handwapen onder haar mantel uit. Ze richtte het op de lange, donkere man en riep hem toe zijn handen op zijn hoofd te leggen. Hij keek met een ruk om naar de vrouw en de jongen.

Ze had haar hand diep in haar schoudertas gestoken en de voorkant van de tas scheurde open en verschroeide toen ze de trekker van het Heckler & Koch machinepistool overhaalde dat ze erin verstopt had. Tegelijkertijd duwde ze de jongen met een harde zet opzij en omlaag. Het salvo uit de Heckler & Koch rukte aan de borst van de overall van de zogenaamde spoorwegarbeider en scheurde zijn gezicht open. Ze draaide om haar as en zwaaide het machinepistool in de gescheurde, rokende macramétas naar de als huisvrouw verklede GSG9-agent.

De politievrouw richtte haar wapen van de man op de vrouw en schoot twee keer, toen nogmaals twee keer. Haar schoten raakten de moeder in de borst, het gezicht en het voorhoofd en ze was dood voordat haar vallende lichaam het perron raakte.

De man zag de vrouw sterven, maar er was geen tijd om te rouwen. Hij hoorde het schreeuwen van een stuk of tien GSG9-agenten met helm en kogelwerend vest die vanuit het station en om het stationsgebouw heen het perron op stroomden. Enkelen van hen gebaarden heftig naar de Nederlander dat hij moest blijven staan en uit hun vuurlinie moest blijven. De politievrouw zwaaide haar pistool nu weer naar de donkere man. Hij worstelde om zijn Russische Makarov uit zijn jaszak te halen en toen dat gelukt was richtte hij het niet op de politievrouw of op een van de GSG9-manschappen.

De eerste kogel van de politievrouw drong in zijn borst op precies hetzelfde moment dat zijn salvo het achterhoofd van de Nederlander binnendrong.

Franz Mühlhaus – Rode Franz, de beruchte anarchistische terrorist wiens bleke gezicht vanaf opsporingsbiljetten bange West-Duitsers van Kiel tot München had aangestaard – viel op zijn knieën, zijn armen slap langs zijn zijden. De Makarov lag machteloos in zijn half geopende hand en zijn kin rustte op zijn bebloede borst.

Toen hij stierf, zag hij, aan de randen van zijn verzwakkende blikveld, het bleke gezicht, de grote ogen en de in een stille kreet geopende mond van zijn zoon. Op de een of andere manier vond de stervende Rode Franz Mühlhaus de adem om één enkel woord te uiten, met zijn laatste, explosieve uitademing de wereld in geslingerd.

'*Verräter...*'

Verraders.

DEEL EEN

1

Het was een ogenblik dat hij wilde vasthouden.

Zijn zintuigen reikten naar alle hoeken van het land, de zee en de hemel rondom hem. Hij stond op blote voeten en voelde de structuur van het droge zand dat zijn voetzolen schuurde en zich tussen zijn tenen perste. Hij had het gevoel dat deze plaats, deze tijd, alles was wat hij zich van zichzelf kon herinneren. Hier, dacht hij, was geen verleden, geen toekomst, alleen dit volmaakte moment. Sylt lag lang, smal en laag in de Noordzee, bood geen weerstand aan de aanwakkerende wind die tegen de uitgestrekte hemel duwde en de substantiëlere flank van Denemarken opzocht. Terwijl hij daar stond, protesteerde de wind tegen zijn aanwezigheid door woedend aan de stof van zijn katoenen broek te plukken, aan de losse punten en de kraag van zijn overhemd te trekken en de gebroken vleugel van blond haar die over zijn voorhoofd hing te laten wapperen. Ze schuurde zijn gezicht en drong in de rimpels in zijn huid terwijl hij keek naar het jagen van de wolken langs het onmogelijk weidse, lichtblauwe schild van de lucht.

Jan Fabel was een man van iets meer dan gemiddelde lengte en vooraan in de veertig, maar met iets vaag jongensachtigs in zijn voorkomen, zijn slanke, hoekige gestalte en in het wapperende blonde haar. Zijn ogen waren lichtblauw en straalden van intelligentie en scherpzinnigheid, maar ze waren op dit moment niet meer dan smalle spleten in de lijnen van het gerimpelde gezicht dat hij naar de wind keerde. Zijn gezicht was gebruind en ongeschoren, en zoals de jongensachtigheid in zijn houding verwees naar de vroegere jongeman, vormde het zilvergrijs dat in het goudblond van zijn drie dagen oude stoppelbaard fonkelde een afschaduwing van de oudere man die hij zou worden.

Een vrouw naderde vanuit de duinen achter hem. Ze was even lang als hij en gekleed in een witlinnen shirt en broek. Ook zij was op blote voeten, maar ze had een paar lage zwarte sandalen in haar hand. De wind wikkelde zich ook om haar heen, streek het witte linnen glad tegen de welvingen van haar lichaam en maakte wilde strengen van haar lange, donkere haren. Fabel zag Susanne niet naderen en ze bleef achter hem staan, liet haar schoenen in het zand vallen, stak haar armen door de zijne en sloeg ze om hem heen. Hij draaide zich om en kuste haar lang voordat ze zich omdraaiden naar de zee.

'Ik bedacht net,' zei hij ten slotte, 'dat als je hier staat, je bijna zou kunnen vergeten wie je bent.' Hij keek naar zijn blote voeten en begroef zijn tenen in het zand. 'Het is heerlijk geweest. Ik ben zo blij dat je mee bent gegaan. Ik wilde dat we niet morgen weg hoefden.'

'Het was inderdaad heerlijk. Echt. Maar jammer genoeg moeten we ons leven weer oppakken...' Susanne glimlachte troostend en toen ze sprak klonk er een licht Beiers accent door in haar stem. 'Dat wil zeggen,' ging ze verder, 'tenzij je je broer wilt vragen of hij nog een ober nodig heeft.'

Fabel haalde diep adem en hield hem even in. 'Dat zou helemaal niet erg zijn, denk je niet? Zonder alle ellende en de stress?'

Ze lachte. 'Je hebt blijkbaar nooit geoberd.'

'Ik zou iets anders kunnen gaan doen. Wat dan ook.'

'Nee, dat zou je niet,' zei ze. 'Ik ken je. Je zou het binnen een maand gaan missen.'

Hij haalde zijn schouders op. 'Misschien heb je gelijk. Maar ik voel me hier een ander mens. Iemand die ik liever ben.'

'Dat komt alleen maar doordat je op vakantie bent...' De wind blies een dunne sluier van haar voor haar gezicht en ze legde hem opzij.

'Nee, dat is het niet. Het is om hier te zijn. Dat is niet hetzelfde. Sylt is altijd heel speciaal voor me geweest. Ik weet nog, toen ik hier voor het eerst kwam, had ik het gevoel dat ik het al mijn hele leven kende. Ik ben hierheen gegaan nadat ik was neergeschoten,' zei hij en zijn hand gleed onwillekeurig langs zijn linkerzijde, alsof hij onbewust controleerde of de twintig jaar oude wond echt genezen was. 'Ik denk dat ik dit eiland altijd associeer met beter worden. Met me veilig en rustig voelen, denk ik.' Hij lachte. 'Soms, als ik denk aan de wereld daarginds,' hij knikte vaag over de zee naar het onzichtbare vasteland van Europa, 'aan de wereld waarmee ik te maken heb, word ik bang. Jij niet?'

Ze knikte. 'Soms wel, ja.' Susanne sloeg haar arm om hem heen en legde haar hand op de zijne, op de plek waar de wond had gezeten. Ze kuste hem op zijn wang. 'Ik krijg het koud. Kom, we gaan eten...'

Fabel volgde haar niet meteen. Hij liet zijn gezicht nog even schuren door de Noordzeewind, keek naar de schuimende golven op het brede strand en de paar door de wind voortgejaagde wolken in het weidse schild van de hemel. Hij luisterde naar het krijsen van de zeevogels en het gedempte bulderen van de zee en wenste wanhopig dat hij iets anders kon bedenken dan ober worden. Iets anders ook dan, opnieuw, een onderzoeker van de dood.

Hij draaide zich om en liep achter Susanne aan naar de duinen en het hotel-restaurant van zijn broer dat daarachter lag.

Het Noord-Friese eiland Sylt ligt bijna evenwijdig aan de kustlijn, waar de nek van Duitsland in Denemarken overgaat. Het is tegenwoordig met het vasteland verbonden door een door mensenhanden gemaakte weg, de Hindenburgdamm, waarover een spoorlijn de rijke beroemdheden van Duitsland naar hun favoriete binnenlandse vakantieoord vervoert. Het eiland heeft tevens een regionale luchthaven en een regelmatige veerbootverbinding van en naar het vasteland, en de smalle wegen en traditionele dorpen van Sylt worden 's zomers verstopt door blinkende Mercedessen en Porsches.

Zinspelend op de oorspronkelijke boerderijbestemming van zijn hotel noemde Fabels oudere broer Lex deze rijke seizoensimmigranten zijn 'zomerkudde'. Lex runde dit kleine hotel-restaurant in List aan de noordkant van Sylt al vijfentwintig jaar. De combinatie van Lex' onbetwistbare talent als kok en het vrije uitzicht vanuit het restaurant over een sikkel van goudkleurig zand en de zee daarachter stond garant voor een gestage stroom gasten en eters gedurende het seizoen. Het hotel was oorspronkelijk een traditionele Friese boerderij geweest, had nog steeds de vakwerkgevel van eiken balken en keerde zijn stevige, onwrikbare, brede schouders naar de Noordzeewinden. Lex had er het moderne restaurant aangebouwd, dat twee zijden van het oorspronkelijke gebouw omsloot. Het hotel telde slechts zeven kamers die alle zeven maanden tevoren gereserveerd waren, maar Lex had ook een afzonderlijke suite, weggestopt onder de lage zolderingen en brede balken onder de daksparren van de oude boerderij, die hij nooit verhuurde. Hij reserveerde deze voor familie en vrienden, vooral voor de keren dat zijn broer kwam logeren.

Rond een uur of acht gingen Fabel en Susanne naar beneden voor het diner. Het restaurant zat al vol chique, rijke klanten, maar net als tijdens de rest van hun verblijf had Lex een van de beste tafels vrijgehouden voor Fabel en Susanne, bij het grote raam in de erker. Susanne had een zwarte mouwloze jurk aangetrokken. Ze had haar lange, gitzwarte haren opgestoken, zodat haar sierlijke, slanke nek zichtbaar was. De jurk sloot strak om haar figuur en hield hoog genoeg boven de knie op om haar welgevormde benen te tonen, maar laag genoeg om ingetogen en smaakvol te zijn. Fabel was zich scherp bewust van Susannes schoonheid en van de mannenhoofden die in hun richting werden gedraaid toen ze binnenkwamen. Hun relatie duurde nu al meer dan een jaar en ze hadden de moeilijke stadia van wederzijds aftasten achter de rug. Ze waren nu een stel en Fabel ontleende er een gevoel van veiligheid en troost aan. En wanneer Gabi, zijn dochter, bij hem en Susanne was, had hij voor het eerst sinds zijn huwelijk met Renate was beëindigd het gevoel dat hij deel uitmaakte van een gezin.

Boris, Lex' Tsjechische ober, bracht hen naar hun tafel. De laagstaande zon had de stroken zand, zee en lucht die het panoramaraam vulden, overgeschilderd in meer goudkleurige tinten. Toen ze zaten vroeg Boris hen met zijn prettig klinkende Tsjechische accent of ze een aperitief wensten. Ze bestelden witte wijn en Susanne begon aan het vaste restaurantritueel van zich in haar stoel nestelen en de andere gasten bekijken. Iemand achter Fabels rug leek haar aandacht te trekken.

'Is dat Bertholdt Müller-Voigt niet, de politicus?'

Fabel wilde zich omdraaien.

Susanne legde haar hand op zijn onderarm en kneep erin. 'In godsnaam, Jan, doe niet zo opvallend. Je observatietechniek is beroerd, voor een politieman.'

Hij glimlachte. 'Dat zou mijn schamele veroordelingencijfer verklaren...' Hij draaide zich opnieuw om en maakte er ditmaal een opzettelijk onhandige vertoning van, alsof hij het hele restaurant opnam. Links achter hem zat een fit uitziende man van begin vijftig, gekleed in een donker jack en een trui met rolkraag, die beide de bestudeerde nonchalance hadden van een peperduur designmerk. Zijn dun wordende haren waren strak achterover gekamd en zijn keurig geknipte baard vertoonde grijze spikkels. Hij had het gemaakt kunstzinnige uiterlijk van een geslaagd filmregisseur, musicus, schrijver of beeldhouwer. De slanke, blonde vrouw die bij hem was, was minstens twintig jaar jonger dan hij. Ze zat op het puntje van haar stoel en straalde een gladde, schaamteloze sensualiteit uit. Haar blik hield die van Fabel een ogenblik gevangen.

Hij draaide zich weer naar Susanne toe. 'Inderdaad. Dat is Müller-Voigt. Lex vindt het vast geweldig dat zijn restaurant cool genoeg is om de lievelingen van de linkse milieuactivisten te trekken.'

'Wie is de vrouw die bij hem is?'

Fabel grinnikte vrolijk. 'Ik weet het niet, maar ze is beslist milieuvriendelijk.'

Susanne hield haar hoofd enigszins scheef, een geconcentreerde houding die voor Fabel typisch Susanne was. 'Nee, serieus, volgens mij heb ik haar eerder gezien. Zijn seksuele wapenfeiten zijn nauwelijks bij te houden. Hij schijnt te genieten van de koppen die er in de roddelpers aan worden gewijd.'

'Hij is minder enthousiast over de koppen die Fischmann aan hem wijdt.' Fabel doelde op Ingrid Fischmann, de journalist die zichzelf tot taak had gesteld publieke personen die in de jaren zeventig en tachtig met links-extremisme of terrorisme hadden geflirt, aan de kaak te stellen.

'Denk je dat het waar is, Jan?' Susanne boog zich bijna samenzweerderig naar voren. 'Dat hij iets te maken had met de zaak-Wiedler, bedoel ik.'

'Ik weet het niet... Heel veel gissingen en vage aanwijzingen, maar niets wat in de ogen van de Hamburgse politie zelfs maar enigszins steek houdt.'

'Maar?'

Fabel trok een gezicht alsof hij het onvoorspelbare probeerde te voorspellen. 'Maar wie weet wat het Bundeskriminalamt over hem heeft.' Fabel had Fischmanns artikel over Müller-Voigt gelezen. Ze schreef over de ontvoering en de moord in 1977 op de rijke Hamburgse industrieel Thorsten Wiedler. Wiedler had zijn chauffeur opdracht gegeven om te stoppen bij wat een ernstig auto-ongeluk leek. Het ongeluk was in scène gezet door leden van de beruchte terreurgroep van Franz Mühlhaus. Mühlhaus stond bekend als *Rode Franz*. De terreurgroep die hij had geleid was even ongrijpbaar geweest als de achterliggende politieke denkbeelden, en Mühlhaus was de enige geweest die was opgespoord.

De groep-*Rode Franz* had de chauffeur neergeschoten, de industrieel achter in een busje gegooid en was weggereden. De chauffeur had zijn verwondingen ternauwernood overleefd. Wiedler daarentegen zou zijn gevangenschap niet overleven. Wat er precíes met hem was gebeurd, was een raadsel gebleven. Het laatst bekende beeld van Wiedler was zijn gehavende, door de flitser verbleekte gezicht boven een opgehouden krant met de datum zichtbaar, somber voor zich uit starend op een foto die door zijn ontvoerders naar zijn familie en de media was gestuurd. Er was bekendgemaakt dat de industrieel was 'geëxecuteerd', maar zijn lichaam was, in tegenstelling tot dat van andere terreurslachtoffers, niet ergens gedumpt waar het kon worden gevonden. Hierdoor kon de datum van Wiedlers dood niet worden vastgesteld en bestond er geen mogelijkheid om zijn lichaam te onderzoeken op forensische bewijzen. Ondanks honderden arrestaties en het feit dat iedereen wist dat de groep van Mühlhaus achter de ontvoering zat, was er nooit iemand voor de moord veroordeeld.

In haar artikel had de journalist Ingrid Fischmann veel aandacht besteed aan het feit dat Bertholdt Müller-Voigt, indertijd een veel radicalere politicus, door de politie was opgepakt en achtenveertig uur vastgehouden voor verhoor. In werkelijkheid was nagenoeg iedere politieke activist binnenstebuiten gekeerd in de wanhopige zoektocht naar Wiedler. Ingrid Fischmann benadrukte echter dat, hoewel er niets bekend was over de andere leden van de desbetreffende terreurgroep, er aanwijzingen waren dat de bestuurder van het busje waarin Wiedler was ontvoerd later een vooraanstaand publiek persoon was geworden. Ze had haar lezers gesuggereerd dat die bestuurder

Müller-Voigt was, zonder een rechtstreekse beschuldiging te uiten die hem in staat zou stellen haar aan te klagen.

Fabel draaide zich opnieuw om om naar de kleine, artistiek uitziende man met de sexy blonde metgezellin te kijken. Ze praatten met elkaar zonder elkaar aan te kijken, met een lege blik, alsof ze alleen maar de stiltes tussen elke hap wilden vullen met hun woorden. In de jaren zeventig en tachtig was hij opgetrokken met Daniel Cohn-Bendit, Joschka Fischer en andere linkse en groene kopstukken. Nu propageerde hij een moeilijk te definiëren politiek. Ondanks zijn gemengde politieke gerichtheid was hij erin geslaagd in de Hamburgse Senaat te worden gekozen en was hij milieusenator in de Hamburgse deelregering van burgemeester Hans Schreiber.

'In elk geval,' concludeerde Fabel, 'we zullen waarschijnlijk nooit weten in hoeverre hij erbij betrokken was. Áls hij dat al was.'

Boris kwam terug en nam hun bestelling op. Gedurende de rest van de maaltijd gaven ze zich over aan het loze, enigszins melancholieke gepraat van een stelletje aan het eind van een geslaagde vakantie. Terwijl ze aten en kletsten ging de zon langzaam onder in de zee en bloedde dood in het water. Ze namen er de tijd voor, het aantal andere gasten dunde uit tot een handvol tafels en het geroezemoes verstomde. Toen de koffie arriveerde, kwam Lex, Fabels broer, vanuit de keuken naar hun tafel. Hij was een stuk kleiner dan Fabel en zijn haren waren dicht en donker. Zijn gezicht had de rimpels van iemand die een leven lang had geglimlacht. Fabels moeder was een Schotse, maar alle Keltische genen schenen zich geconcentreerd te hebben in zijn broer. Lex was weliswaar ouder dan Fabel, maar had altijd jonger van geest geleken. Het was altijd de verstandige Fabel geweest die zijn broer uit de nesten had gehaald toen ze kinderen waren in Norddeich. Fabel had zich indertijd geërgerd aan Lex' onvolwassenheid. Nu was hij er jaloers op. Lex had zijn koksjas en geruite broek nog aan en hoewel zijn opgewekte gezicht de gebruikelijke glimlach vertoonde, hadden zijn bewegingen iets vermoeids.

'Lange avond?' vroeg Fabel.

'Elke avond is een lange avond,' zei Lex, een stoel bijschuivend. 'En het is pas het begin van het seizoen.'

'Nou, het was echt heerlijk, Lex,' zei Susanne. 'Zoals altijd.'

Lex boog zich naar haar toe, pakte Susannes hand en kuste die. 'Je bent een bijzonder intelligente, scherpzinnige vrouw. Dat maakt het des te moeilijker te begrijpen dat je bij de verkeerde broer bent uitgekomen.'

Susanne glimlachte breed en wilde iets zeggen toen het geluid van verheven stemmen hun aandacht op de tafel in de hoek richtte.

De metgezellin van Müller-Voigt stond plotseling op, schoof haar stoel naar achteren en smeet haar servet op haar dessertbord. Ze snauwde iets onverstaanbaars tegen de nog zittende Müller-Voigt en beende het restaurant uit. Müller-Voigt staarde naar zijn bord alsof hij daar probeerde te lezen wat hij nu moest doen. Hij wenkte Boris met zijn creditcard, betaalde zonder de rekening te controleren en verliet het restaurant zonder de andere gasten aan te kijken.

'Misschien had het te maken met zijn beleid ten aanzien van broeikasgassen,' zei Fabel met een glimlach.

'Hij is de afgelopen maand een paar keer geweest,' zei Lex. 'Hij heeft blijkbaar een huis op het eiland. Ik weet niet wie het meisje is, maar ze is niet altijd bij hem. En het ziet er niet naar uit dat ze terugkomt.'

Susanne staarde naar de deuropening waardoorheen de vrouw en daarna Müller-Voigt waren vertrokken en schudde haar hoofd alsof ze de gedachte die eromheen zoemde, wilde verjagen. 'Ik weet zeker dat ik haar eerder heb gezien.' Ze nam een slok koffie. 'Maar ik kan met geen mogelijkheid bedenken waar.'

2

Het geheim moest onopgemerkt blijven.

Hij wist hoe het ging, hoe een toevallige blik in een auto door een voorbij-ganger, schijnbaar onmiddellijk vergeten, een week of een maand later door een onderzoeker ontdekt en samengevoegd kon worden met een tiental an-dere kleine ongerijmdheden die de politie rechtstreeks naar hem zouden lei-den. Hij moest zijn aanwezigheid op de plaats van zijn misdrijf, in de naaste omgeving, in de buurt, verborgen houden.

Dus zat hij roerloos in het donker en de stilte. Wachtend op het moment van samenkomst.

De Hamburgse wijk Schanzenviertel staat bekend om haar levendigheid en zelfs zo laat op een donderdagavond was er heel wat te beleven. Maar deze smalle zijstraat was verlaten en omzoomd door auto's. Het was riskant zijn eigen auto te gebruiken, maar het was een berekend risico: het was een don-kere vw Polo, onopvallend genoeg om geen verdenking te wekken tussen alle andere geparkeerde auto's. Niemand zou de auto opmerken, maar het gevaar bestond dat ze hem erin zouden zien zitten. Wachtend.

Eerder had hij de autoradio zachtjes aangezet en de woorden over zich heen laten komen. Hij was te diep in gedachten verzonken geweest om te luisteren, zijn geest was te zeer vervuld van de pure energie van het gespan-nen afwachten van de rapporten over de campagnes van de verschillende kandidaten voor het kanselierschap om de minachting die ze normaliter in hem opwekten te stimuleren. Later, toen het moment naderde en zijn mond droog werd en zijn hartslag sneller, had hij de radio uitgezet.

Nu zat hij in het donker en de stilte, en onderdrukte de emoties die diep in hem in grote golven aanzwollen. Hij moest ín het moment zijn. Hij moest al het andere buitensluiten en zich concentreren. Gedisciplineerd zijn. Het Japans had er een woord voor: *zanshin*. Hij moest *zanshin* bereiken, die staat van rust en ontspanning, van volledige onbevreesdheid in aanwezigheid van gevaar, of een uitdaging die geest en lichaam in staat stelt met dodelijke precisie en efficiëntie te handelen. Maar het gevoel van een gedenkwaardig lot dat op het punt stond in vervulling te gaan, was niet te ontkennen. Niet alleen was zijn hele leven een voorbereiding geweest op dit moment, er was meer dan één leven aan gewijd om hem naar deze plaats en dit moment te brengen. Het punt van samenkomst was nabij. Seconden verwijderd.

Voorzichtig legde hij het fluwelen roletui op de passagiersstoel. Hij keek de straat naar weerszijden af voordat hij het lint losmaakte en het etui uitrolde. Het mes blonk stralend en hard, scherp en mooi in het lantaarnlicht. Hij stelde zich voor hoe het scherpe lemmet vlees opensneed. Het scheidde van het bot. Met dit instrument zou hij hun verraderlijke stemmen smoren; hij zou het lemmet gebruiken om een glanzende stilte te scheppen.

Er bewoog iets.

Hij vouwde het donkerblauwe fluweel dicht om het prachtige mes te verbergen. Hij legde zijn handen op het stuur en keek recht voor zich uit toen de fiets de auto passeerde. Hij keek toe terwijl de berijder één been over het zadel van het nog rijdende rijwiel zwaaide en hollend afstapte. De fietser haalde een ketting en hangslot uit de fietsmand en duwde de fiets de gang in naast het gebouw.

Hij lachte zacht bij het zien van het kleine beveiligingsritueel. Nergens voor nodig, dacht hij. Ze kunnen hem gerust stelen. Je zult hem in dit leven niet meer nodig hebben.

De fietser kwam weer uit de gang, haalde zijn sleutels uit zijn zak en ging zijn appartement binnen.

In het donker van de auto trok hij een paar latex operatiehandschoenen aan. Hij tastte achter zich, pakte de toilettas van de achterbank en zette hem naast het fluwelen roletui.

Samenkomst.

Hij voelde een grote rust over zich neerdalen. *Zanshin*. Nu zou er gerechtigheid worden gedaan. Nu zou het doden beginnen.

3

Ze bleef even staan en keek naar de lucht, kneep haar ogen half dicht tegen de ochtendzon die zo optimistisch straalde boven het Schanzenviertel. Het was haar eerste afspraak die dag. Ze keek op haar horloge en veroorloofde zichzelf een korte, gespannen glimlach van voldoening. Drie minuten voor acht. Drie minuten te vroeg.

Kristina Dreyer ging er boven alles prat op dat ze nooit te laat kwam. Zoals met zoveel dingen in haar leven was ze obsessief punctueel. Het hoorde bij haar herontdekking van zichzelf, bij hoe ze de persoon definieerde die ze was geworden. Kristina Dreyer was iemand die Chaos had gekend, op een manier waarvan anderen zich zelfs geen begin van een voorstelling konden maken. Hij had haar overspoeld. Hij had haar beroofd van haar waardigheid, van haar jeugd en boven alles hij had haar elk gevoel van controle over haar leven afgenomen.

Maar nu was Kristina weer de baas. Haar leven, tot voor kort zo anarchistisch en tumultueus dat ze het niet kon bevatten, laat staan beheersen, werd nu gekenmerkt door haar strikte reglementering van elke dag. Kristina Dreyer leidde haar leven met een onverbiddelijke exactheid. Alles in haar leven was eenvoudig, schoon en netjes: haar kleren, inclusief haar werkkleren, haar kleine, kraakheldere flat, haar vw Golf met de woorden 'Dreyer Cleaning' op de portieren, en haar leven dat ze, net als haar flat, met niemand verkoos te delen.

Kristina's onverbiddelijke exactheid kwam haar in haar werk goed van pas. Ze was er ontzettend goed in. Ze hadden een klantenkring opgebouwd in heel Eimsbüttel, waarmee ze haar hele week gevuld had, en alle klanten vertrouwden haar vanwege haar grondigheid en eerlijkheid. En boven alles vertrouwden ze haar vanwege haar volstrekte betrouwbaarheid.

Kristina maakte grondig schoon. Ze maakte appartementen schoon, ze maakte villa's schoon. Ze maakte grote en kleine huizen schoon, voor jong en oud, Duitsers zowel als buitenlanders. Elk huis, elke taak benaderde ze met dezelfde gewetensvolle, methodische aanpak. Geen detail werd overgeslagen. Geen karweitje afgeraffeld.

Kristina was zesendertig, maar ze zag er veel ouder uit. Ze was een kleine, wat magere vrouw. Op een bepaald moment, nog geen twaalf jaar geleden, maar een leven verwijderd, waren haar trekken verfijnd, breekbaar geweest. Nu was het alsof haar huid te strak over het hoekige raamwerk van haar schedel was gespannen. Haar hoge, scherpe jukbeenderen staken agressief naar voren uit haar gezicht en de huid eroverheen was enigszins rood en ruw. Haar neus was klein, maar ook hier leken bot en kraakbeen te protesteren tegen hun opsluiting en zinspeelden op een oude breuk.

Drie minuten te vroeg. Ze liet haar glimlach wegglijden. Te vroeg zijn was bijna net zo erg als te laat zijn. Niet dat haar klant het ooit zou merken: meneer Hauser zou al naar zijn werk zijn. Maar Kristina's stiptheid hield in dat de orde in háár universum werd gehandhaafd, dat er geen willekeur in zou binnendringen en zich als een kankergezwel zou verspreiden en uitgroeien tot een chaos die haar psychische gezondheid en haar leven zou bedreigen.

Ze draaide de sleutel om en opende de deur, met haar rug tegen de veerwerking in drukkend terwijl ze haar stofzuiger in de gang zette.

In de ogen van Kristina had ze zichzelf gebaard. Ze had geen kinderen – en geen man om kinderen te verwekken – maar ze had zichzelf opnieuw geschapen, zichzelf een nieuw leven geschonken en alles wat daaraan vooraf was gegaan opzij geschoven. 'Laat je verleden niet bepalen wie je bent of wie je kunt worden,' had iemand eens tegen haar gezegd toen ze het diepst in de put had gezeten. Het was een keerpunt geweest. Alles was veranderd. Alles wat bij dat oude leven, dat donkere leven had gehoord, was achtergelaten. Gedumpt. Vergeten.

Maar nu, terwijl Kristina halverwege de drempel stond van het appartement dat ze op die heldere vrijdagochtend zou gaan schoonmaken, reikte het verleden vanuit haar oude leven naar haar en greep haar met ijzeren vuist bij de keel.

Die geur. Die doordringende, misselijkmakende, koperachtige geur van verschaald bloed in de lucht. Ze herkende hem onmiddellijk en begon te beven.

De dood was hier.

09.00 UUR, EPPENDORF, HAMBURG

De angst was diep weggestopt. Voor een terloopse toeschouwer was er niets in haar houding dat wees op iets anders dan zelfvertrouwen en absolute zelfverzekerdheid. Maar doctor Minks was geen terloopse toeschouwer.

Zijn eerste patiënt die dag was Maria Klee, een elegante jonge vrouw van in de dertig. Ze was bijzonder aantrekkelijk, met blond haar dat achterovergekamd was vanaf haar brede, blanke voorhoofd. Haar gezicht was enigszins langwerpig en de neus leek een fractie van een centimeter te lang en iets te smal, en beroofde haar zo van ware schoonheid.

Maria zat tegenover doctor Minks, met haar slanke, in een dure broek gestoken benen over elkaar geslagen en haar gemanicuurde vingers op haar knie. Ze zat rechtop, volmaakt beheerst, alert maar ontspannen. Haar grijsblauwe ogen hielden de psycholoog gevangen in een vaste, zelfverzekerde maar niet uitdagende blik. Een blik die leek te zeggen dat ze verwachtte dat er een vraag zou worden gesteld of een voorstel gedaan, maar dat ze volkomen bereid was te wachten, geduldig en beleefd, tot de dokter het woord zou nemen.

Dat deed hij nog even niet. Doctor Friedrich Minks nam er alle tijd voor om het patiëntendossier te lezen. Minks was van onbestemde middelbare leeftijd, een kleine, dikke man met een vale huid en dun wordend zwart haar; zijn ogen waren donker en zacht achter de glazen van zijn bril. In tegenstelling tot zijn beheerste cliënt zag Minks eruit alsof hij in zijn stoel was gedropt en dat de klap hem nog verder in zijn toch al verfomfaaide pak had gefrommeld. Hij keek op van zijn aantekeningen en nam het zorgvuldig geconstrueerde gebouw van zelfvertrouwen op dat Maria met haar lichaamstaal presenteerde. Bijna dertig jaar ervaring als psycholoog stelden hem in staat onmiddellijk door de schijn heen te kijken.

'Je bent erg hard voor jezelf.' Minks lang vervlogen Zwabische jeugd trok nog aan zijn klinkers terwijl hij sprak. 'En ik moet zeggen dat dat deels je probleem is. Dat weet je, nietwaar?'

Maria Klees koele grijze ogen knipperden niet, maar ze haalde even haar schouders op. 'Wat bedoel je daarmee?'

'Je weet precies wat ik bedoel. Je staat jezelf niet toe bang te zijn. Het hoort allemaal bij de verdediging die je om je heen hebt opgetrokken.' Hij boog zich naar voren. 'Angst is iets natuurlijks. Angst voelen is, na wat jij hebt meegemaakt, méér dan natuurlijk... Het is een essentieel onderdeel van het genezingsproces. Zoals je pijn voelde toen je lichaam genas, moet je angst voelen om je geest te laten genezen.'

'Ik wil gewoon doorgaan met leven, doctor Minks. Niet gehinderd door al die onzin.'

'Het is geen onzin. Het is een fase in de posttraumatische genezing waar je doorheen moet. Maar doordat je angst gelijk stelt met falen en je verzet tegen je natuurlijke reacties, rek je deze fase van de genezing... en ik vrees dat die oneindig zal worden gerekt. En dat is precies waarom je die paniekaanvallen hebt. Je hebt je natuurlijke angst voor en je afschuw over wat je is overkomen, gesublimeerd en onderdrukt tot ze in deze verwrongen vorm door het oppervlak zijn gebroken.'

'Je hebt het mis,' zei ze. 'Ik heb nooit geprobeerd te ontkennen wat er met me gebeurd is. Wat hij... wat hij met me heeft gedáán.'

'Dat zei ik ook niet. Het is niet de gebeurtenis zelf die je ontkent. Je ontkent je recht om angst te voelen, afschuw of zelfs woede over wat die man je heeft aangedaan. Of over het feit dat hij nog niet ter verantwoording is geroepen voor zijn daden.'

'Ik heb geen tijd voor zelfbeklag.'

Minks schudde zijn hoofd. 'Dit heeft niets met zelfbeklag te maken. Dit heeft alles te maken met posttraumatische stress en met het natuurlijke proces van genezing. Van oplossing. Als je dit innerlijke conflict niet oplost, zul je nooit in staat zijn echt contact te leggen met de wereld om je heen. Met mensen.'

'Ik heb dagelijks met mensen te maken.' De grijsblauwe ogen van de patiënt fonkelden nu uitdagend. 'Wil je zeggen dat het mijn effectiviteit ondermijnt?'

'Nog niet misschien... Maar als we niet beginnen deze geest tot rust te brengen, zal ze zich uiteindelijk manifesteren in hoe je je professioneel opstelt.' Minks zweeg even. 'Te oordelen naar wat je me hebt verteld, vertoon je steeds meer symptomen van aphenphosmfobie. Gezien het soort werk dat je doet, zou ik denken dat het ernstige problemen zou opleveren. Hebt je dit met je superieuren besproken?'

'Zoals je weet hebben ze lichamelijke en psychotherapie geregeld.' Ze stak haar kin in de lucht en er lag een verdedigende klank in haar stem. 'Maar nee. Ik heb deze huidige... problémen niet met ze besproken.'

'Nou,' zei doctor Minks, 'je weet hoe ik erover denk. Ik vind dat je werkgever op de hoogte moet zijn van je problemen.' Hij zweeg even. 'Je had het over de man met wie je een relatie bent begonnen. Hoe gaat dat?'

'Goed...' Maria's stem klonk nu niet uitdagend meer en de gespannen energie leek enigszins uit haar schouders verdwenen. 'Ik hou heel veel van hem. En hij van mij. Maar we zijn... we hebben nog niet intíém kunnen zijn.'

'Bedoel je dat jullie geen lichamelijk contact hebben... geen omhelzingen of kussen? Of bedoel je seks?'

'Ik bedoel seks. Of iets wat daarbij in de buurt komt. We raken elkaar aan. We kussen elkaar... maar dan krijg ik het gevoel...' Ze trok haar schouders op, alsof haar lichaam in een kleine ruimte werd geperst. 'Dan krijg ik die paniekaanvallen.'

'Begrijpt hij waarom je je terugtrekt?'

'Min of meer. Het is niet makkelijk voor een man – voor iedereen – het gevoel dat hun aanraking, hun nabijheid, afstotelijk is. Ik heb het hem min of meer uitgelegd en hij heeft beloofd er met niemand over te praten. Ik wist dat hij dat sowieso nooit zou doen. Maar hij begrijpt het. Hij weet dat ik met je praat... Nou ja, niet specifiek met jou. Hij weet dat ik er met íémand over praat.'

'Mooi zo...' Minks glimlachte opnieuw. 'Hoe is het met de dromen? Heb je er nog meer gehad?'

Ze knikte. Haar verdediging begon af te brokkelen en haar pose bezweek nog verder. Haar handen lagen nog op haar knie, maar de gemanicuurde nagels frunnikten nu aan een stukje dure maatkleding.

'Nog hetzelfde?' vroeg Minks.

'Ja.'

Doctor Minks boog zich naar voren. 'We moeten ernaar teruggaan. Ik moet je droom samen met je bezoeken. Dat begrijp je toch?'

'Alweer?'

'Ja,' zei Minks. 'Alweer.' Hij beduidde haar zich te ontspannen.

'We gaan terug naar je droom. Terug naar waar je je aanvaller weer ziet. Ik tel nu af. We gaan terug, Maria... drie... twee... een.'

09.00 UUR, SCHANZENVIERTEL, HAMBURG

Kristina liet de deur openstaan en zette de stofzuiger en haar schoonmaakspullen tegen de dranger om haar vluchtroute vrij te houden. Ergens diep in haar ontwaakten oude instincten, gewekt door de geur van verse dood in de lucht. Ze werd zich bewust van een ritmisch bruisen en realiseerde zich dat dit het geluid van haar hartslag in haar oren was. Ze bukte zich, pakte een sprayflacon met schoonmaakmiddel en hield hem stevig in haar trillende hand, als een pistool.

'Meneer Hauser?' Ze riep in de gang, in de stille kamers verderop. Ze spitste haar oren, bedacht op elk geluid, elke beweging. Elk teken van leven in de flat. Ze schrok toen er een auto door de straat reed; de bonkende bas van ruige Amerikaanse dansmuziek synchroniseerde zich met het kloppen van het bloed in haar oren. Het bleef stil in de flat.

Kristina schuifelde door de gang naar de zitkamer, de hand met de flacon aarzelend voor zich uit, met de andere wankele steun zoekend aan de boekenrekken tegen de muur van de gang. Terwijl ze dat deed, registreerden haar vingers onwillekeurig een dun laagje stof op een plank dat speciale aandacht vereiste.

Ze voelde haar angst wegebben toen ze de lichte zitkamer binnenkwam en niets vreemds opmerkte, behalve dan dat meneer Hauser hem wel heel slordig had achtergelaten: op de tafel naast de fauteuil stonden een whiskyfles en een halfleeg glas, op de bank lagen enkele boeken en tijdschriften. Kristina had zich er altijd over verwonderd dat iemand die zich zoveel zorgen maakte over het milieu in het algemeen zo nonchalant kon zijn in zijn eigen omgeving.

Kristina Dreyer, de toegewijde schoonmaakster van andermans huizen, liet haar blik door de kamer glijden, nam het werk dat er gedaan moest worden in zich op en schatte hoeveel tijd ze ervoor nodig zou hebben. Maar een eerdere Kristina, een verleden-tijd-Kristina, gilde haar diep van binnen toe dat de dood hier was, dat de spookachtige geur ervan in de bedompte lucht van de flat hing.

Ze liep de gang weer in. Ze bleef staan, alsof de energie van zelfs de minste beweging naar haar gehoor moest worden geleid. Een geluid. In de slaapkamer. Een geklop. Iemand klopte. Ze liep naar de slaapkamerdeur. Ze riep nogmaals 'meneer Hauser' en bleef staan. Geen antwoord, alleen het onheilspellende geluid in de slaapkamer. Haar vuist klemde zich steviger om de flacon en ze gooide de deur zo hard open dat hij tegen de muur sloeg, terug zwaaide en voor haar neus dicht knalde. Ze duwde hem weer open, voorzichtiger nu. De slaapkamer was groot en licht en de verticale lamellen bewogen in de wind en tikten ritmisch tegen het raam. Half lachend, half zuchtend van opluchting liet Kristina de adem die ze onbewust had ingehouden ontsnappen. Maar haar angst verliet haar niet helemaal en trok haar terug naar de gang.

De gang van het appartement was L-vormig. Kristina bewoog zich nu iets zelfverzekerder en liep naar de plek waar de gang een hoek naar rechts maakte en naar een tweede slaapkamer en de badkamer leidde. Toen ze de hoek omsloeg, zag ze dat de deur van de tweede slaapkamer openstond, zodat het felle zonlicht door de ramen op de badkamerdeur viel, die dicht was. Kristina verstarde.

Er was iets op de badkamerdeur gespijkerd. Ze voelde een misselijkmakende opwelling van afgrijzen. Het was de vacht van een of ander dier. Een klein dier, maar Kristina zou niet weten welk. De vacht was nat en samengeklit en helderrood. Onnatuurlijk rood. Het was alsof de huid pas gestroopt was en het bloed droop langs het witgeschilderde deurpaneel.

Ze schuifelde naar de deur, haar adem kwam met korte, snelle stoten en het zoeklicht van haar blik hechtte zich aan de druipende pels.

Ze bleef een halve meter voor de deur staan en staarde naar de vacht, probeerde het te begrijpen. Haar hand strekte zich uit alsof ze hem wilde aanraken, haar vingers zweefden vlak voor de glanzend rode vacht.

Haar brein had er een onmeetbaar korte tijd voor nodig om te analyseren wat haar ogen zagen en het te begrijpen. De gedachte was eenvoudig. Een eenvoudige constatering van een feit. Maar het sneed dwars door Kris-

tina heen en scheurde haar geordende wereld aan flarden. Ze hoorde een onmenselijke kreet van afgrijzen door de gang kaatsen en door de nog geopende voordeur naar buiten tuimelen. Op de een of andere manier, terwijl het
broze weefsel van Kristina Dreyers wereld werd verscheurd, realiseerde ze
zich dat de kreet van haar was.

Zoveel doodsangst. Zoveel lang verboden herinneringen die terugstroom-
den. Allemaal door één enkel besef.

Wat ze zag was geen vacht.

09.10 UUR, EPPENDORF, HAMBURG

Maria stond midden in het droomlandschap. Zoals altijd in haar droom was
de werkelijkheid uitvergroot. De maan die aan de hemel stond, was overdreven groot en overdreven helder, als een toneellicht. De grashalmen die haar
blote benen streelden en stil bewogen op het commando van een onhoorba-
re wind, bewogen te soepel. Er was geen geluid. Er waren geen geuren. Maria's wereld was teruggebracht tot twee zintuigen: zien en voelen. Ze keek
over het veld heen. De stilte werd verbroken door een zachte stem met een
zweem van een Zwabisch accent. Een stem die behoorde tot een andere wereld dan waarin ze nu stond.

'Waar ben je nu, Maria?'

'Ik ben ginds. Ik ben op het veld.'

'Is het hetzelfde veld en dezelfde nacht?' vroeg de geeststem van de psycholoog.

'Nee... nee, dat niet. Ik bedoel ja... maar alles is anders. Groter. Wijder.
Het lijkt dezelfde plek, maar in een ander universum. Een andere tijd.' In de
verte zag ze een galjoen waarvan de grote witte zeilen nauwelijks merkbaar
opbolden in een zwakke bries terwijl het naar Hamburg voer. Het leek op het
deinende gras te drijven in plaats van op water. 'Ik zie een schip. Een ouderwets zeilschip. Het vaart van me weg.'

'En verder?'

Ze draaide zich om en keek in een andere richting. Een vervallen gebouw
als een kasteelruïne stond klein en donker aan de rand van het veld, aan de
rand van de wereld als het ware. Uit een van de ramen leek een koud, hard
licht te komen.

'Ik zie een kasteel, waar eerst de ongebruikte schuur stond. Maar ik ben
er heel ver vandaan. Te ver vandaan.'

'Ben je bang?'

'Nee. Nee, ik ben niet bang.'

'Wat zie je nog meer?'

Ze draaide zich om en schrok. Hij stond achter haar, de hele tijd al. En omdat ze deze droom al zo vaak had gedroomd, had ze geweten dat hij er zou zijn, en toch was ze geschrokken toen ze opnieuw tegenover hem stond. Maar net als in al haar eerdere dromen voelde ze niet de rauwe, pure angst die zijn gezicht opwekte als ze wakker was, als ze het zag op een foto of als het plotseling en ongevraagd opdoemde uit de donkere zaal van het geheugen waarin ze het gevangen probeerde te houden.

Hij was lang en zijn brede schouders waren gehuld in een exotische wapenrusting en gekleed in een zwarte mantel. Hij zette zijn bewerkte helm af. Zijn gezicht was opgebouwd uit scherpe, Slavische hoeken en bezat een gevoelloze knapheid. Zijn ogen waren doordringend, helder en angstaanjagend, koud smaragdgroen en brandden in de hare. Hij glimlachte naar haar, de glimlach van een minnaar, maar de ogen bleven koud. Hij stond vlak bij haar. Zo dichtbij dat ze zijn kille adem kon voelen.

'Hij is hier,' zei ze, kijkend in de groene ogen, maar pratend tegen een doctor in een andere dimensie.

'Ik ben hier,' zei de wreed-knappe Slavische man.

'Ben je bang?' De stem van Minks, de stem uit een andere dimensie, werd plotseling zwakker. Verder weg.

'Ja,' antwoordde ze. 'Nu ben ik bang. Maar ik hou van deze angst.'

'Voel je nog iets anders dan angst?' vroeg Minks, maar zijn stem was bijna onhoorbaar geworden. Maria voelde dat haar angst veranderde. Scherper werd.

'Je stem wordt zwak,' zei ze. 'Ik kan je amper horen. Waarom klinkt je stem zwakker?'

Minks antwoordde, maar zijn stem was nu zo ver weg dat ze zijn antwoord niet kon verstaan.

'Waarom kan ik je niet horen?' Haar angst had nu een ander karakter gekregen. Ze brandde rauw en diep als een hoogoven. 'Waarom kan ik je niet horen?' riep ze in de donkere lucht met de te grote maan.

Vasyl Vitrenko boog zich naar voren, bukte zich om haar op haar voorhoofd te kussen. Zijn lippen waren droog, koud. 'Omdat je het mis hebt, Maria.' Zijn stem had een zwaar Oost-Europees accent. 'Doctor Minks is daar niet. Dit is niet een van je hypnotherapiesessies. Dit is echt.' Hij stak zijn hand onder zijn opbollende zwarte mantel. 'Dit is geen droom. En er is hier niemand anders dan jij en ik. Alleen.'

Maria wilde gillen, maar kon het niet. In plaats daarvan staarde ze als gehypnotiseerd naar het kwaadaardige maanlichtschijnsel op Vasyl Vitrenko's lange, brede mes.

Kristina had nog nooit een menselijke scalp gezien, maar ze wist met absolute zekerheid dat dat precies was waar ze naar keek. Het was de kleur van de haren geweest waardoor ze het ding aanvankelijk niet als iets menselijks had herkend. Rood. Onnatuurlijk rood.

Maar nu twijfelde ze er geen moment aan dat het mensenhaar was. Glanzend nat haar. En huid. Een grote, onregelmatige lap die met drie spijkers op de badkamerdeur was gespijkerd. De bovenkant was omgeklapt, zodat de gerimpelde, bloederige onderkant waar de huid was doorgesneden en van de schedel was getrokken, gedeeltelijk zichtbaar was. Een grote Y van glinsterend rood droop eruit op de houten badkamervloer.

Bloed.

Kristina schudde haar hoofd. Nee. Niet weer. Ze had te veel bloed gezien in haar leven. Niet weer. Niet op dit moment, nu ze haar leven net weer had opgepakt. Het was niet eerlijk.

Ze boog zich opnieuw naar voren en voelde dat haar benen trilden, alsof ze moeite hadden het gewicht van haar lichaam te dragen. Ja, het was bloed, maar zo veel dat het niet alleen bloed kon zijn. En te felrood. Hetzelfde felle rood als van het doorweekte, geklitte haar.

Haar hartslag bonkte in haar oren, sneller nog toen een simpele, maar voor de hand liggende gedachte in haar opkwam. Wiens haar?

Ze strekte haar trillende vingers uit en drukte ze tegen een deel van het houten deurpaneel waar geen glinsterende rode strepen op zaten.

'Meneer Hauser...'

Haar stem klonk schel en bevend.

Ze duwde en de badkamerdeur zwaaide open.

Vitrenko glimlachte naar Maria. Hij sloeg zijn arm om haar nek en drukte haar tegen zich aan, alsof ze gingen dansen. Ze voelde de stugge hardheid van zijn lichaam dicht tegen het hare.

'Hou je van me?' vroeg hij.

'Ja,' zei ze en ze meende het. Haar angst ebde weg. Hij maakte zijn lichaam los van het hare, maar bleef haar stevig vasthouden. Hij hief het mes en liet de scherpe snede over haar schouders en borstkas glijden en hield het vlak onder haar borsten, zodat de koude, scherpe punt licht in de zachte plek vlak onder haar borstbeen prikte.

'Wil je dat ik het doe?' vroeg hij. 'Nog eens?'

'Ja, ik wil dat je het nog eens doet.' Ze keek in de groene, nog steeds koud en wreed fonkelende ogen.

Er klonk een donderslag. Toen nog een. Ze voelde de druk van de mespunt op haar buik toenemen en de snijdende pijn toen de punt door haar huid drong. Opnieuw klonken er twee luide donderslagen en de wereld om haar heen loste op in duister.

Ze opende haar ogen en kwam tot de ontdekking dat ze naar doctor Minks keek. Hij hield zijn handen voor zich uit alsof hij geapplaudisseerd had. Het onweer dat haar terug had gebracht. Ze richtte zich op en keek zijn kantoor rond, alsof ze zichzelf gerust wilde stellen dat ze terug was in de werkelijkheid.

'Je sloot me buiten, Maria,' zei hij. 'Je wilde niet dat ik daar was.'

'Hij nam het over,' zei ze en ze kuchte toen ze merkte dat haar stem beefde.

'Nee, dat was hij niet,' zei doctor Minks. 'Jíj nam het over. Hij bestaat niet in je dromen. Jíj schept hem opnieuw. Jíj bepaalt zijn woorden en zijn daden. Het was jouw wil die probeerde me buiten te sluiten.' Hij zweeg even en zakte terug in zijn stoel, raadpleegde opnieuw zijn aantekeningen, maar de frons verdween niet van zijn gezicht. 'Zag je weer dezelfde landschapskenmerken en motieven?'

'Ja. Het galjoen op de plek waar de patrouilleboot van de waterpolitie die avond lag en het kasteel waar de oude schuur stond. Wat ik niet snap, is waarom het in mijn droom allemaal zo ingewikkeld is. Waarom heeft hij een wapenrusting aan? En waarom is alles veranderd in een soort historische tegenhanger?'

'Ik weet het niet. Het zou kunnen zijn dat je, in je geest, de gebeurtenissen van die avond in het verleden probeert te plaatsen... Een ver verleden, bijna een vorig leven. Heb je het gevoel dat het hetzelfde is als op de avond dat je werd neergestoken?'

'Ja en nee. Het lijkt dezelfde avond, maar in een andere dimensie of een ander universum of zo. En zoals je zei, alsof het ook in een heel andere tijd is.'

'En laat je, in dit scenario, je aanvaller dicht bij je komen? Je staat hem toe nauw persoonlijk contact te hebben?'

'Dat is nou juist wat ik niet begrijp,' zei Maria. 'Waarom sta ik hém toe me aan te raken als ik niet toesta dat een ander me aanraakt?'

'Omdat hij de oorsprong van je trauma is. De bron van je angst. Zonder die man zou je geen posttraumatische stress hebben, geen aphenphosmhfobie, geen paniekaanvallen.' Minks pakte een dik, in leer gebonden schrijfblok en begon erop te krabbelen. Hij scheurde er een vel uit en gaf die aan Maria. 'Ik wil dat je deze inneemt. Ik heb het gevoel dat we een te hoge berg moeten beklimmen met alleen therapie.'

'Medicijnen?' Maria pakte het recept niet aan. 'Wat is het voor iets?'

'Propanolol. Een bètablokker. Net zoiets als wat ik zou voorschrijven als je hoge bloeddruk had. Het is een heel lage dosis en je hoeft maar één tablet van tachtig milligram te slikken op, nou ja, op moeilijke dagen. Als het echt erg is, mag je honderdzestig milligram nemen. Je hebt toch geen astma of ademhalingsproblemen?'

Maria schudde haar hoofd. 'Wat doet het?'

'Het is een no-adrenalineremmer. Het onderdrukt de chemische stoffen die je lichaam aanmaakt als je bang bent. Of boos.' Hij hield Maria het recept voor, ze stond op en pakte het aan. 'Heeft het invloed op mijn werkprestaties?'

Minks glimlachte en schudde zijn hoofd. 'Nee, als het goed is niet. Sommige mensen voelen zich moe of lusteloos, maar niet zo erg als wanneer ik je valium zou geven. Misschien dat het je wat trager maakt, maar verder zou je geen negatieve bijwerkingen moeten voelen. En zoals ik al zei, ik wil dat je ze alleen inneemt als je er echt behoefte aan hebt.' Doctor Minks stond op en gaf Maria een hand.

Ze merkte dat zijn handpalm koel en vlezig was. En nogal klam. Ze trok haar hand iets te snel terug.

Nadat ze met Minks secretaresse een afspraak voor de week daarop had gemaakt, liep ze naar de lift. Op weg daarheen bleef ze even staan om twee dingen uit haar schoudertas te halen. Het eerste was een zakdoek, waarmee ze de hand die Minks had geschud verwoed schoonveegde. Het tweede was haar dienstwapen, een Sig-Sauer 9 mm automatic in zijn holster, die ze aan haar broekriem bevestigde voordat ze op de knop drukte om te lift te halen.

09.12 UUR, SCHANZENVIERTEL, HAMBURG

Kristina Dreyer stond in de deuropening van de badkamer. Ze opende haar mond om te gillen, maar haar angst smoorde het geluid in haar keel. Vier jaar lang, twee keer per week, had Kristina de badkamer van meneer Hauser schoongemaakt tot hij blonk als een spiegel. Ze had elk oppervlak schoongemaakt, elke hoek geveegd, elke kraan en alle accessoires gepoetst. Ze was er zo mee vertrouwd dat ze er met gesloten ogen had kunnen rondlopen.

Maar vandaag niet. Vandaag was het een onbekende hel.

De badkamer was groot en licht. Een hoog raam zonder gordijn, waarvan de onderkant uit matglas bestond, bood uitzicht op het vierkante binnenplaatsje achter het flatgebouw. Op dit tijdstip in de ochtend, als de zon goed stond, werd de badkamer overstroomd door licht. Sommigen zouden hem te klinisch hebben gevonden. Maar niet Kristina, voor wie niets te schoon, te steriel kon zijn. De hele ruimte was bekleed met keramische tegels, grote, lichtblauwe op de vloer, kleinere sneeuwwitte tegen de muren. De badkamer van meneer Hauser was altijd een lust geweest om schoon te maken, omdat het licht in alle hoeken doordrong en de tegels altijd met een felle glans reageerden op Kristina's reinigende aanraking.

Op de blauwe vloertegels zat een grote, regenboogvormige streep bloed. Aan het eind daarvan hing meneer Hauser tussen het toilet en de zijkant van het bad. Helderrood bloed glansde tegen het blinkend witte porselein van de toiletpot. Hauser keek Kristina door de badkamer heen aan, zijn mond wijd open in een uitdrukking die er bijna een van verbazing kon zijn geweest als zijn voorhoofd zijn ogen niet met een afkeurende frons had overschaduwd. Er heerste stilte, slechts verbroken door een druppelende kraan die een trage taptoe sloeg op het email van het bad. Opnieuw gorgelde en worstelde er iets om zich uit Kristina's dichtgeschroefde keel te bevrijden, iets tussen gillen en kokhalzen.

Hausers gezicht zat onder het helderrode, halfgestolde bloed. Iemand had een lijn, grotendeels recht, maar hier en daar golvend, over zijn voorhoofd getrokken, een centimeter of vijf, zes boven zijn wenkbrauwen. Het was een diepe snede. Tot op het bot. Om de slapen heen en boven de oren. De huid, het vlees en de haren boven de snede waren van Hausers hoofd gerukt en de bloederige koepel van zijn schedel was zichtbaar. Hausers bebloede gezicht en de blootliggende schedel erboven leken Kristina een gruwelijke karikatuur van een gekookt ei dat in een eierdopje was geduwd. Er was zelfs nog meer bloed dat in Hausers overhemd en broek was gedrongen en ze zag dat ook Hausers hals en nek een snede vertoonden. Kristina liet de flacon op de grond vallen en leunde met haar schouder tegen de muur. Plotseling voelde ze alle kracht uit haar benen verdwijnen en ze gleed langs de muur, met haar wang tegen de koele kus van de porseleinen tegels. Ze hing nu in de hoek naast de deur, in een afspiegeling van de houding van haar dode cliënt. Ze begon te snikken.

Er was zoveel te poetsen. Zoveel te poetsen.

09.15 UUR, HOOFDBUREAU VAN POLITIE, ALSTERDORF, HAMBURG

Het nieuwe hoofdbureau van de Hamburgse politie, het Presidium, staat ten noorden van stadspark Winterhuder. Jan Fabel had er nooit veel tijd voor nodig om van zijn appartement in Pöseldorf naar Alsterdorf te rijden, maar vandaag was het zijn eerste werkdag na vier dagen verlof. Slechts een paar dagen eerder had hij nog met Susanne op het brede, gebogen Noordzeestrand van List gestaan, op het eiland Sylt. Een paar dagen en een leven lang geleden.

Toen hij tussen de vlekken zonlicht die tussen de bomen van het stadspark dansten, doorreed, had hij geen enkele haast om terug te keren naar de realiteit van zijn leven als hoofd van een moordbrigade. Maar terwijl hij naar de autoradio luisterde, was het alsof elk nieuwsbericht als lood in hem zonk en hem dieper verankerde in zijn bekende wereld, terwijl de herinnering aan een lange sikkel van goudkleurig zand onder een weidse, heldere hemel verder bij hem vandaan dreef.

Fabel ving het einde op van een verslag over de naderende landelijke verkiezingen: de conservatieve CDU/CSU-coalitie onder leiding van Angela Merkel had haar toch al enorme voorsprong in de peilingen nog verder vergroot. Het leek erop dat de gok van bondskanselier Gerhard Schröder om vervroegde verkiezingen uit te schrijven zou mislukken. Een commentator besprak de verandering qua stijl en uiterlijk van mevrouw Merkel; blijkbaar had ze Hilary Clinton gekozen als voorbeeld voor haar kapsel. Fabel zuchtte terwijl hij luisterde hoe de verschillende partijleiders zichzelf tegenover de kiezers 'positioneerden'. Hij had het idee dat de Duitse politiek niet meer ging over overtuigingen of politieke idealen, maar over personen. Net als de Britten en de Amerikanen begonnen nu ook de Duitsers stijl belangrijker te vinden dan inhoud, personen belangrijker dan politiek.

Terwijl hij door het zonverlichte park reed, werd Fabels aandacht geprikkeld toen hij hoorde hoe twee van die personen met elkaar in aanvaring kwamen. Hans Schreiber, de sociaaldemocratische burgemeester van Hamburg, was verwikkeld in een heftige discussie met Bertholdt Müller-Voigt, de milieusenator van de stad en lid van de *Bündnis90-Die Grünen*. Dezelfde Müller-Voigt die Fabel en Susanne in Lex' restaurant op Sylt hadden gezien. De SPD en de Groenen vormden samen de regeringscoalitie in Duitsland en de politieke samenstelling van de stadsregering van Hamburg was eveneens rood-groen, maar uit het uitgezonden gesprek bleek niet bepaald dat Müller-Voigt een door Schreiber benoemd senator was. De scheuren in de Duitse politieke structuren begonnen tegen de verkiezingen zichtbaar te worden. De vijandigheid tussen de twee mannen gedurende de afgelopen weken was alom bekend: Müller-Voigt had Schreibers vrouw Karin *Lady Macbeth* genoemd, een zinspeling op haar tomeloze ambities voor haar man, met name zijn ambitie om bondskanselier te worden. Fabel kende Schreiber – kende hem beter dan Schreiber lief was – en vond het niet moeilijk te geloven dat hij de ambities van zijn vrouw volledig deelde.

Fabel stopte voor rood bij de verkeerslichten in het Winterhuder Stadtpark. Hij keek gedachteloos naar een in Lycra gestoken fietser die voor hem overstak en toen hij zich omdraaide, zag hij dat de auto die naast hem was gestopt bestuurd werd door een vrouw van in de dertig. Ze gaf de twee kinderen op de achterbank een standje voor een of ander wangedrag, bracht haar boosheid via de achteruitkijkspiegel over terwijl haar lippen heftig bewogen, maar haar woede werd gesmoord door de gesloten autoramen. Achter de auto van de boze moeder veegde een parkwachter afval van het pad tussen de hoog oprijzende bomen en de grote, door een koepel bekroonde Winterhuder-watertoren.

De dagelijkse gang van zaken in een stad. Kleine levens met kleine zorgen over kleine dingen. Mensen die in hun dagelijks leven niets met de dood te maken hadden.

Het nieuws schakelde over naar de laatste berichten uit Londen, dat onlangs was geschokt door zelfmoordaanslagen. Een tweede reeks aanslagen was mislukt, hoogstwaarschijnlijk als gevolg van defecte ontstekers. Fabel probeerde zichzelf gerust te stellen dat Hamburg ver verwijderd was van dergelijke problemen. Dat het een ander land was. Het terrorisme waardoor Duitsland in de jaren zeventig en tachtig was opgeschrokken, was geschiedenis geworden omstreeks dezelfde tijd dat de Muur was gevallen. Maar de Duitsers kenden een gezegde over Hamburg: Als het regent in Londen, steken ze in Hamburg een paraplu op. Het was een standpunt waarvan de half-Britse Fabel altijd had gehouden, dat hem een thuisgevoel gaf, maar vandaag bood het hem geen troost. Vandaag was het nergens veilig.

Zelfs in Hamburg drongen het terrorisme en de gevolgen ervan verraderlijk binnen in het dagelijks leven. Van zijn flat in Pöseldorf naar het centrum van Hamburg rijden was voor Fabel anders geworden sinds de aanslagen op 11 september in de Verenigde Staten. Het Amerikaanse consulaat in Hamburg stond aan de oever van de Alster en de weg erheen was na de aanvallen permanent afgesloten, met als gevolg dat Fabel de route naar zijn werk die hij sinds zijn verhuizing naar Pöseldorf elke dag had gevolgd, had moeten wijzigen.

Het verkeerslicht sprong op groen en de bestuurder achter hem claxonneerde. Fabel schrok wakker uit zijn dagdroom. Hij sloeg af naar het hoofdbureau.

Het volgende nieuwsitem ging, ironisch genoeg, over de protesten tegen het sluiten van het Britse consulaat-generaal in Hamburg. De meest anglofiele stad van Duitsland was verbolgen over het voorstel. Bovendien ging Hamburg er prat op dat het, na New York, de stad was met de meeste consulaten ter wereld. Maar de strijd tegen het terrorisme had de verhoudingen tussen landen onderling veranderd.

Toen Fabel de beveiligde parkeerplaats van het hoofdbureau op reed, nam de toekomst een schimmige, vage vorm aan in zijn hoofd en dat maakte zijn verlofkater nog erger.

Het Hamburgse hoofdbureau van politie, het Presidium, was nog geen vijf jaar oud en deed nog steeds aan als een nieuw gebouw, als een nieuwe jas die zich nog naar de gestalte van de drager moet voegen. Het achterliggende architectuurconcept was erop gericht de *Polizei Stern* in bouwkundige vorm na te bootsen en het vijf verdiepingen tellende hoofdbureau straalde vanaf een onoverdekt, rond binnenplein uit naar alle kompasstreken.

De *Mordkommission*, de afdeling Moordzaken van de Hamburgse politie, zat op de derde verdieping. Toen hij uit de lift kwam, werd Fabel begroet door een man van middelbare leeftijd met stekelhaar en het postuur van een boomstam. Hij had een dossier onder zijn arm en een kop koffie in zijn vrije hand. Er verscheen een glimlach op zijn brede gezicht toen hij Fabel zag.

'Hoi, chef, hoe was je verlof?'

'Te kort, Werner,' zei Fabel. Werner werkte al langer en nauwer met Fabel samen dan alle anderen van de moordbrigade. Zijn indrukwekkende fysieke aanwezigheid was in werkelijkheid absoluut niet in overeenstemming met zijn kijk op politiewerk. Werner was een bijna obsessief methodische verwerker van bewijsmateriaal, wiens aandacht voor details de sleutel was geweest tot het oplossen van menige lastige zaak. Hij was tevens Fabels beste vriend.

'Je had er een dag aan moeten plakken,' zei Werner. 'Het tot het volgende weekend moeten uitsmeren.'

Fabel haalde zijn schouders op. 'Ik heb nog maar een paar dagen over en ik wil over een paar maanden nog een lang weekend naar Sylt. Als mijn moeder jarig is.' De twee mannen liepen door de rondlopende gang die, net als alle hoofdgangen in het hoofdbureau, de cirkel van de centrale binnenplaats volgde. 'Trouwens, het is de laatste tijd tamelijk rustig. Ik word er zenuwachtig van. Ik krijg het gevoel dat we een ernstige zaak tegoed hebben. Nog nieuwe dingen?'

'In elk geval niets waarvoor we jou moesten lastigvallen,' zei Werner. 'Maria heeft de zaak-Olga X afgerond en er is een dode gevallen bij een knokpartij in Sankt Pauli, maar verder niet veel bijzonders. Ik heb een teamvergadering belegd om je bij te praten.'

Het team kwam tegen de middag bijeen in de grote vergaderzaal van de afdeling Moordzaken. Fabel en Werner kregen gezelschap van inspecteur Maria Klee, een lange, elegante vrouw van in de dertig. Qua uiterlijk zou je haar niet onmiddellijk associëren met een politieagent. Haar blonde haren waren duur geknipt en in haar ingetogen, smaakvolle grijze pak en blouse zag ze er meer uit als een bedrijfsjurist. Maria was met Werner Meyer de tweede hoogste in rang na Fabel. Werner en Maria begonnen het laatste anderhalf jaar steeds beter samen te werken, maar pas nadat het team haar bijna was kwijtgeraakt tijdens dezelfde operatie die een ander lid van het team het leven had gekost.

Toen Fabel binnenkwam zaten er reeds twee jongere agenten aan de tafel. De brigadiers Anna Wolff en Henk Hermann waren beiden protegés van Fabel. Hij had hen uitgekozen vanwege hun totaal verschillende stijl en aanpak. Fabels stijl van leidinggeven bestond eruit dat hij tegenpolen aan elkaar koppelde. Waar anderen potentiële ruzies zouden zien, zag Fabel de mogelijkheid tot een evenwicht tussen elkaar aanvullende kwaliteiten. Anna en Henk moesten dat evenwicht nog vinden: het was Anna's voormalige partner, Paul Lindemann, die gedood was. En hij was gestorven terwijl hij haar leven probeerde te redden.

Anna Wolff leek nog minder op een politieagent dan Maria Klee, maar op een volkomen andere manier. Ze was achtentwintig, maar zag er veel jonger uit en ze was meestal gekleed in een spijkerbroek en een oversized leren jack. Haar knappe gezicht werd bekroond door zwart, kortgeknipt, stekelig haar en haar grote, donkere ogen en volle lippen werden altijd benadrukt door donkere mascara en brandweerautorode lippenstift. Je kon je Anna veel makkelijker voorstellen in een kapsalon dan als rechercheur van de afdeling Moordzaken. Maar Anna Wolff was een taaie. Ze kwam uit een familie van holocaust-overlevenden en had in het Israëlische leger gediend voordat ze naar haar geboortestad Hamburg was teruggekeerd. Anna was in feite waarschijnlijk de taaiste van Fabels team: intelligent, intens vastberaden, maar impulsief.

Het verschil met Henk Hermann, Anna's partner, had niet groter kunnen zijn. Hij was een lange, slungelige man met een bleke huid en een eeuwig ernstig gezicht. Zoals Anna niet minder op een politieagent had kunnen lijken, had Henk er niet méér op kunnen lijken. Hetzelfde had gezegd kunnen worden over Paul Lindemann, en Fabel wist dat de fysieke overeenkomst tussen Henk en zijn overleden voorganger de andere leden van het team aanvankelijk van hun stuk had gebracht.

Fabel keek de tafel rond. Hij vond het altijd weer bizar hoe verschillend deze mensen waren. Een rare familie. Volkomen verschillende individuen die op de een of andere manier in een bijzonder vreemd beroep terecht waren gekomen en in een onuitgesproken afhankelijkheid van elkaar.

Werner praatte Fabel bij over de lopende zaken. Er was tijdens zijn verlof maar één moord gepleegd: een dronkemansruzie op zaterdagavond voor een nachtclub in Sankt Pauli was ermee geëindigd dat een man van eenentwintig jaar op straat was doodgebloed. Werner gaf het woord aan Anna Wolff en Henk Hermann, die de zaak en de vorderingen tot dusver samenvatten. Het was het soort moord dat negentig procent van de werklast van de moordbrigade vormde. Moedeloos makend eenvoudig en rechtlijnig: een moment van blinde woede, meestal gevoed door drank, met als gevolg één leven beëindigd en een ander verwoest.

'Hebben we verder nog dingen onder handen?' vroeg Fabel.

'Alleen de losse eindjes van de zaak-Olga X aan elkaar knopen.' Maria bladerde in haar notitieblok. Olga X had niet alleen geen achternaam, de kans was klein dat ze Olga had geheten, maar het team had behoefte gehad haar een soort identiteit te geven. Niemand wist met zekerheid waar Olga vandaan kwam, maar in elk geval ergens uit Oost-Europa. Ze had gewerkt als prostituee en was mishandeld en gewurgd door een klant, een dikke, kalende verzekeringsagent, de negendertigjarige Thomas Wiesehan uit Heimfeld, die een vrouw, drie kinderen en geen strafblad had.

Doctor Möller, de patholoog-anatoom, had Olga's leeftijd geschat op achttien à twintig jaar.

Fabel keek verrast. 'Maar Werner zei dat de zaak-Olga X in kannen en kruiken is, Maria. We hebben een volledige schuldbekentenis en onomstotelijke forensische bewijzen. Wat voor "losse eindjes" moet je aan elkaar knopen?'

'Nou ja, geen die betrekking hebben op de moord zelf. Ik heb het gevoel dat er verband bestaat met mensensmokkel. Een of ander arm ding uit Rusland of god weet waarvandaan dat met beloften van een fatsoenlijke baan en een huis in het Westen de prostitutie in wordt gelokt. Olga was een slachtoffer van slavernij voordat ze een slachtoffer van moord werd. Wiesehan heeft haar inderdaad vermoord... maar een of andere bendeleider heeft hem de mogelijkheid geboden.'

Fabel keek Maria aandachtig aan. Ze beantwoordde zijn blik met haar openhartige, ondoorgrondelijke blauwgrijze ogen. Het was niets voor Maria om zich zo in een zaak vast te bijten; Anna, oké, zelfs Fabel zelf. Maar Maria niet. Maria's efficiency als rechercheur was altijd gekenmerkt geweest door haar koele, professionele, afstandelijke aanpak.

'Ik begrijp hoe je je voelt,' verzuchtte Fabel. 'Echt waar. Maar dat is niet onze zorg. We moesten een moord oplossen en dat hebben we gedaan. Ik zeg niet dat we het daarbij laten. Geef alles wat je hebt door aan Zeden. Met een kopie voor LKA 6.' Fabel doelde op de onlangs gereorganiseerde, negentig agenten tellende eenheid 6 van de centrale recherche, de zogenaamde *Super LKA*, die speciaal was opgericht om de georganiseerde misdaad te bestrijden.

Maria haalde haar schouders op. Haar lichte blauwgrijze ogen verraadden niets. 'Oké, chef.'

'Verder nog iets?' vroeg Fabel.

Voordat iemand kon antwoorden, ging de telefoon. Werner nam hem op en mompelde bevestigende geluiden terwijl hij aantekeningen maakte.

'Stipt op tijd,' zei Werner terwijl hij ophing. 'Er is een lichaam gevonden tijdens archeologische opgravingen bij Speicherstadt.'

'Oud?'

'Daar proberen ze achter te komen, maar Holger Brauner en zijn team zijn onderweg.' Werner doelde op het hoofd van de technische recherche.

'Aan wie zal ik dit geven, chef?'

Fabel stak zijn hand over de tafel heen uit. 'Geef mij maar. Jullie hebben je handen vol aan het slachtoffer van die knokpartij.' Fabel pakte het schrijfblok aan en schreef de gegevens over in zijn aantekenboekje. Hij stond op en pakte zijn jack van de rugleuning van zijn stoel. 'En ik kan best wat frisse lucht gebruiken.'

12.00, Schanzenviertel, Hamburg

Kristina besefte dat ze opnieuw oog in oog stond met de Chaos. Ze had er jaren mee samengewoond. De Chaos had haar al eens eerder naar de rand van de waanzin gedreven en ze had hem uit haar leven verdreven, een amputatie die even traumatisch en pijnlijk was geweest als wanneer ze in haar eigen vlees zou hebben gesneden.

Nu woedde en tierde de Chaos om haar heen. Ergens ver weg was een zeewering bezweken en een vloedgolf was geluidloos op haar af gestormd om haar te raken op het moment dat ze de deur van meneer Hausers appartement opende. Op dat moment wist ze dat ze tegenover het zwaarste gevecht van haar leven stond, dat ze de Chaos opnieuw moest verslaan.

Het was nu middag. Ze had de hele ochtend in de badkamer gewerkt. Het porselein blonk weer steriel en koud, de glans op de vloer was hersteld. Meneer Hauser lag nu in het bad. Kristina had Chaos bestreden met Methode. Ze had zich niet door angst laten verblinden en had een strategie bedacht om de orde in de badkamer te herstellen.

Ze had om te beginnen meneer Hauser in het bad getild, om de troep tot één plaats te beperken. Terwijl ze met hem worstelde, had zijn gescalpeerde schedel, koud en nat van het bloed en de slierten achtergebleven weefsel, tegen haar wang gedrukt. Kristina had naar het toilet moeten rennen om over te geven, had even de tijd genomen om zich te herstellen en had toen haar werk hervat. Ze had meneer Hauser uitgekleed en zijn met bloed doordrenkte kledingstukken in een plastic vuilniszak gestopt. Vervolgens had ze de douchekop van de haak genomen en zijn bloed met de hand afgespoeld. Ze had een tweede zwarte vuilniszak over zijn hoofd en nek getrokken en die met wat paktouw dat ze in een van de laden van meneer Hauser had gevonden, om zijn schouders dichtgebonden. Toen had ze voorzichtig het douchegordijn van de rail gehaald en het om meneer Hauser heen gewikkeld, opnieuw een stuk paktouw genomen en de geïmproviseerde lijkwade dichtgebonden.

Daarna had ze Hausers dode gewicht opnieuw moeten optillen. Ze had het lichaam uit het bad gehesen en het op de schone vloer gelegd en was begonnen aan het schoonmaken van het bad. Meneer Hauser had er altijd op gestaan dat Kristina milieuvriendelijke schoonmaakmiddelen gebruikte, azijn om het toilet te reinigen, dat soort dingen. Het had Kristina's werk veel moeilijker gemaakt, maar ze had het niet erg gevonden. Ze was dol op schrobben, schuren en boenen. Maar dit was haar te machtig. Ze had bleekwater gebruikt om het bad, het toilet en de wastafel schoon te maken en had de vloer- en wandtegels met verdund bleekwater afgespoeld. Vervolgens had ze elk oppervlak onder handen genomen met een antibacteriële spray.

Nu was ze klaar. Ze had de Chaos niet verslagen. Dat wist ze. Ze had hem alleen maar afgeleid. Ze was de hele ochtend bezig geweest, wat betekende dat ze de andere klant in haar agenda, elke vrijdag voor de lunch, had laten zitten. Dat zou niet zo erg geweest zijn als ze gewoon wat later was gekomen, maar ze was domweg niet verschenen. Het zou een domino-effect hebben op alle klanten van die dag, daarna morgen en daarna een hele week. Een reputatie wegens stiptheid en betrouwbaarheid die jaren had gevergd om op te bouwen, was in vier uur ondermijnd. Haar mobiele telefoon was overgegaan vlak nadat ze op haar volgende afspraak had moeten zijn en Kristina had zich genoodzaakt gezien hem uit te schakelen om zich op haar werk te kunnen concentreren.

Kristina overzag de badkamer. Hier althans was de orde hersteld. Afgezien van de zorgvuldig in plastic gewikkelde meneer Hauser, die slordig naast het bad op de grond lag, was de badkamer schoner en blonk mooier dan ooit.

Ze leunde met haar rug tegen de muur, met een schoonmaakdoek in haar in een rubberen handschoen gestoken hand, en veroorloofde zich een korte glimlach van voldoening. Op dat moment werd ze zich bewust van iemand die achter haar in de deuropening van de badkamer stond. Ze draaide zich met een ruk om en ze schrokken allebei.

Een lange, slanke jongeman met donkere haren, verfijnde trekken en grote, verbijsterde blauwe ogen staarde naar Kristina en zag toen de douchegordijnmummie naast het bad. Zijn gezicht verbleekte en hij slaakte een kreet van schrik voordat hij zich omdraaide en door de gang naar de deur rende.

Kristina staarde een ogenblik wezenloos naar de nu lege deuropening en draaide zich toen weer om naar de badkamer.

Misschien had ze nog ergens een hoekje overgeslagen.

Als er één landschap was dat Hamburg voor Fabel kenmerkte, was het dit. Terwijl hij over Mattenwiete en de Holzbrücke in de richting van de Elbe reed, opende de horizon zich vóór hem en de barokke spitsen en puntgevels van de Speicherstadt boorden zich in een weidse, zijdezachte lucht van ononderbroken blauw.

Speicherstadt betekent 'Pakhuizenstad' en dat was precies was het was: torenhoge, druk bewerkte bakstenen pakhuizen, de ene rij na de andere, doorweven met kasseistraten en grachten die de waterkant van de stad domineerden. De prachtige negentiende-eeuwse gebouwen waren de longen geweest die de Hamburgse handel leven hadden ingeblazen.

De architectuur van Speicherstadt had voor Fabel iets wat zijn adoptiestad voor hem samenvatte. Ze was barok en zelfverzekerd, maar altijd praktisch en ingehouden. Zo toonden de rijkste stad van Duitsland en haar inwoners hun rijkdom en succes: duidelijk, maar met decorum. Speicherstadt was tevens een symbool van Hamburgs onafhankelijkheid en haar speciale status als stadstaat binnen Duitsland. Een onafhankelijkheid die op verschillende momenten in de geschiedenis van Hamburg meer dan een beetje onzeker was geweest. De standbeelden van Hammonia en Europa, de personificaties van Hamburg en Europa als goden, hielden de wacht op de pijlers van Brooksbrücke en keken op Fabel neer toen hij Speicherstadt binnenreed.

Speicherstadt was tot voor kort het grootste entrepotgebied ter wereld geweest, met een douanepost aan elke toegangsweg. Fabel passeerde het oude douanekantoor aan zijn rechterhand, dat een nieuw leven had gekregen als trendy café. Tegenover het café, aan de overkant van de met kasseien bestrate Kehrwieder Brook, had ook het oudste pakhuis van Speicherstadt een nieuwe bestemming gevonden: een slingerende rij toeristen en plaatselijke bewoners wachtten tot ze werden binnengelaten in de *Hamburg Dungeon*, een idee dat Hamburg zoals zoveel andere ideeën uit Groot-Brittannië had geïmporteerd. Fabel snapte niets van de behoefte die anderen hadden om zich bang te laten maken, surrogaatgruwelen te ervaren; hij had zijn buik vol van echte gruwelen.

Hij sloeg links af de Kehrwieder Brook in en vervolgens de Kibbelsteg, die in een rechte, ononderbroken lijn dwars door Speicherstadt liep. De grote bakstenen pakhuizen aan weerszijden, afgezet met en bekroond door barok groen uitgeslagen brons, gloeiden rood in de middagzon. Manden aan de vooruitstekende hijsbalken in de topgevels van de pakhuizen hesen hoge stapels oosterse tapijten naar boven en toen hij de *Kaffeerösterei* passeerde, werd de warme lucht gevuld met het handelsmerk van Speicherstadt, de volle geur van de koffiebranderij waar de bonen werden klaargemaakt voor opslag.

Fabel reed verder en ten slotte maakte de negentiende eeuw plaats voor de eenentwintigste, toen hij onder een gewelfd bos door reed van eeuwig bewegende kranen die de grootste bouwput van Duitsland markeerden: Hafen-City van Hamburg.

Hamburg was altijd een stad van opportunisten geweest, van handelaars en ondernemers. Het fier onafhankelijke karakter van de stad berustte op haar vermogen om over haar grenzen heen te kijken en contact te zoeken met de buitenwereld. In de middeleeuwen waren de Hamburgse politici altijd kooplieden geweest, zakenlieden. En altijd hadden ze handel boven politiek gesteld. Er was niets veranderd.

HafenCity was een groots idee, precies zoals Speicherstadt dat eerder was geweest. Een stoutmoedig visioen. De bouw ervan zou twintig jaar duren. Rij voor rij namen de nieuwe kathedralen van de handel, een en al steen en glas en jeugdige energie, hun plaats in achter de oude, statige bakstenen pakhuizen van Speicherstadt. Twee visioenen, ontstaan in verschillende eeuwen, aaneengesmeed door de hitte van dezelfde ambitie om van Hamburg de grootste handelshaven van Europa te maken. HafenCity werd in fasen gebouwd. Alle gebouwen in een rij werden tegelijkertijd gebouwd, een combinatie van luxueuze appartementen en gestroomlijnde computertijdperkkantoren. Als er een rij klaar was, werd aan de volgende begonnen. Maar terwijl alle glanzende nieuwe gebouwen werden voorzien van supersnelle internetverbindingen, zweefde de geur van gebrande koffiebonen naar binnen en herinnerde de dappere, nieuwe eenentwintigste eeuw eraan dat de oude Speicherstadt nog volop deel uitmaakte van het leven van de stad.

Hamburg deelde haar visie op de toekomst graag en had aan de oever van de Elbe een tweehonderd meter hoog observatiedek in de vorm van een verhoogde scheepsbrug gebouwd, met de naam, in het Engels, *HafenCity* VIEW-POINT op de terracottakleurige zijkant. Het panoramaplatform bood bezoekers een blik rondom op de toekomst. Aan de ene kant konden ze zien waar het nieuwe operagebouw moest verrijzen, met een hightechdak dat golfde als de zee of als zeilen, boven op de oude *Kaispeicher A*. Aan de andere kant zou hun blik rond en langs de nieuwe scheepsterminal glijden tot waar de Elbe een bocht maakt en overspannen wordt door de ijzeren boogbruggen die Hamburg met Harburg verbinden. Overal rondom de uitkijktoren was het land vrijgemaakt en genivelleerd, en wachtte kaal op de glanzende nieuwe bouwwerken.

Fabel parkeerde op het hobbelige, provisorische parkeerterrein zo'n tweehonderd meter van het uitkijkplatform. Twee leden van de uniformpolitie van Hamburg waren al ter plaatse en hadden zoals gebruikelijk de omgeving afgezet. In dit geval leken hun inspanningen overbodig: archeologie is een methodische wetenschap en de opgraving was al afgezet en in kwadranten verdeeld. Terwijl Fabel naar de site liep, zag hij de vertrouwde gestalte van Holger Brauner, het hoofd van de technische recherche.

Brauner was gekleed in een witte overall en blauwe overschoenen, maar hij had zijn capuchon en zijn masker afgezet. Hij was in gesprek gewikkeld met een jongere, langere man met lange, donkere haren die naar achteren waren gekamd en in een paardenstaart gebonden. Het vaalgroene T-shirt van de jongere man en zijn wat donkerder groene cargopants slobberden om zijn knokige lijf. Ze draaiden zich in Fabels richting toen hij naderbij kwam.

'Jan...' Holger Brauner keek Fabel stralend aan. 'Dit is doctor Severts, van de archeologische faculteit van de universiteit van Hamburg. Hij heeft de leiding over de opgraving. Doctor Severts, dit is hoofdinspecteur Fabel van de afdeling Moordzaken.'

Fabel gaf Severts een hand. Die voelde eeltig en ruw aan, alsof het zand en de aarde waarin Severts werkte in de huid van zijn handpalm waren gedrongen. Het paste bij de kleur van zijn kleren; het was alsof Severts zelf deel uitmaakte van de aarde.

'Doctor Severts en ik hadden het juist over hoe dicht onze disciplines bij elkaar liggen. Ik legde net uit dat mijn plaatsvervanger, Frank Grueber, nog beter geschikt zou zijn geweest voor deze zaak. Hij heeft zelf archeologie gestudeerd voordat hij overstapte op gerechtelijke geneeskunde.'

'Grueber?' zei Fabel. 'Ik had er geen idee van dat hij archeoloog was.'

Frank Grueber maakte pas iets meer dan een jaar deel uit van Brauners team, maar Fabel begreep waarom Brauner hem als zijn plaatsvervanger had uitgekozen. Grueber had blijk gegeven van hetzelfde vermogen dat Brauner had om op een plaats delict zowel de details als de context te lezen.

Het klopte in Fabels ogen wel dat Grueber archeologie had gedaan: voor het lezen van het verhaal van een landschap en dat van een plaats delict was dezelfde soort intelligentie nodig. Fabel herinnerde zich dat hij Grueber eens gevraagd had waarom hij forensisch specialist was geworden. 'Waarheid is de schuld die we de doden verschuldigd zijn,' had hij geantwoord. Het was een antwoord dat indruk op Fabel had gemaakt; het was ook een antwoord dat even goed paste bij een carrière als archeoloog.

'Het verlies van de archeologie is de winst van de gerechtelijke geneeskunde,' zei Brauner. 'Ik ben blij dat hij in mijn team zit. Trouwens, Frank heeft een interessante hobby. Hij reconstrueert gezichten aan de hand van archeologische skeletresten. Universiteiten uit alle windstreken sturen hem schedels om te reconstrueren. Het is iets waarvan ik altijd heb gevonden dat het van pas zou kunnen komen bij het identificeren van onbekende resten... Wie weet is het vandaag zover...'

'Ik ben bang van niet,' zei Severts. 'Dit slachtoffer heeft een gezicht... Hierheen, hoofdinspecteur.' De archeoloog wachtte terwijl Fabel de blauwe forensische overschoenen aantrok die Brauner hem aanreikte, en ging hen toen voor over de archeologische opgraving. In één hoek was de grond dieper afgegraven, in brede, terrasvormige lagen. 'We profiteren van de gelegenheid die de ontruiming van al dit land biedt om de omgeving af te zoeken naar vroegmiddeleeuwse nederzettingen. Dit zal grotendeels moeras zijn geweest en op een bepaald moment volledig onder water hebben gestaan, maar het is altijd een natuurlijke haven en oversteekplaats geweest.'

Brauner viel Severts in de rede. 'Hoofdinspecteur Fabel heeft zelf middeleeuwse Europese geschiedenis gestudeerd.'

Het idee van een politieman van de afdeling Moordzaken met een universitaire opleiding verraste Severts blijkbaar, want hij bleef staan en keek Fabel een ogenblik taxerend aan. Severts had een lang, smal gezicht. Na een ogenblik verscheen er een glimlach om zijn brede mond. 'Echt waar? Gaaf.' Hij ging Fabel en Brauner opnieuw voor naar de hoek van de opgraving.

Ze moesten twee niveaus afdalen en stonden toen op een stuk van zo'n vijf bij vijf meter. Elk niveau was geëffend en Fabel zag dat hij op maaiveldhoogte nog net in het rond kon kijken. Hij kon zich geen voorstelling maken van het geduld dat voor zulk werk nodig was en lachte even toen hij zich Werner voorstelde.

De uitgegraven grond onder hen was gestreept, als op hun kant gelegde steenlagen, een vreemd mengsel van licht zand, droge, zwarte grond en een of ander licht, ruw silicaat dat glinsterde in het zonlicht. Het oppervlak was bezaaid met stukken van iets wat ruwe jute leek en ging naar de randen over in onregelmatiger steengruis en keien. In een deel van de opgraving was de bovenste helft van een mannenlichaam blootgelegd. Hij lag op zijn zij met zijn rug naar hen toe, maar onder een kleine hoek, zodat hij nog vanaf zijn middel begraven was. Het was alsof hij in bed lag.

'We hebben hem vanmorgen vroeg gevonden,' legde Severts uit. 'Het team begint graag vroeg... om de file voor te zijn.'

'Wie heeft hem gevonden?' vroeg Fabel.

'Franz Brandt. Een van mijn postdoctoraalstudenten. Toen we het lichaam ver genoeg hadden uitgegraven om vast te stellen dat het niet oud was, zijn we gestopt en hebben de politie van Hamburg gewaarschuwd. We hebben elke fase van de blootlegging gefotografeerd en schriftelijk vastgelegd.'

Fabel en Brauner liepen naar het lichaam toe. Het was beslist niet oud. De dode man droeg een colbertje van ruwe blauwe serge. Ze liepen om het lichaam heen tot ze het gezicht konden zien. Het was mager, bleek en gerimpeld en bekroond door pluizige slierten blond haar. De gesloten ogen lagen diep in de kassen en de hals leek te mager en te schraal voor de nog witte kraag. De huid van de dode man leek op oud, vergeeld papier en op zijn brede, scherpe kaak stond hier en daar een twee tot drie dagen oude blonde stoppelbaard. Doordat hij zo uitgemergeld was, was het moeilijk zijn leeftijd te schatten, maar iets in het gezicht en de stoppels wezen op jeugd. Zijn lippen waren enigszins geopend, alsof hij iets wilde zeggen, en één hand leek naar iets in de lucht te grijpen. Iets onzichtbaars voor de levenden.

'Hij kan hier nog niet zo lang liggen,' zei Fabel terwijl hij op zijn hurken zakte. 'Voor zover ik het kan zien is de ontbinding beperkt. Maar het is het meest bizarre lijk dat ik de laatste tijd gezien heb. Het lijkt wel alsof hij is verhongerd.' Hij stond op en keek met een verbaasd gezicht om zich heen. 'Het kost veel moeite om iemand zo diep te begraven. Veel moeite en veel tijd. Ik snap niet dat het ongemerkt heeft kunnen gebeuren, zelfs niet in het donker.'

'Zo is het niet gegaan,' zei Severts. 'De grond om hem heen vertoonde geen enkel graafspoor.'

Brauner boog zich dieper over het lichaam heen. Hij raakte het gezicht aan met zijn in latex gestoken vingers, zuchtte gefrustreerd, trok een van zijn handschoenen uit en voelde met zijn blote hand aan de perkamentachtige huid. Hij glimlachte en draaide zich om naar Severts, die begrijpend knikte.

'Hij is niet verhongerd, Jan,' zei Brauner. 'Het komt door een gebrek aan vocht en lucht. Hij is gedehydreerd. Compleet uitgedroogd. Een mummie.'

'Wat?' Fabel hurkte weer neer. 'Maar het is zo te zien een normaal lijk. Ik dacht dat gemummificeerde lichamen bruin en leerachtig waren.'

'Alleen als ze in het veen hebben gelegen.' Ze hadden gezelschap gekregen van een lange, slanke jongeman met rood haar in een paardenstaart.

'Dit is Franz Brandt,' zei Severts. 'Zoals ik al zei is Franz degene die het lichaam heeft gevonden.'

Fabel stond op en gaf de jonge, roodharige man een hand.

'Toen ik hem voor het eerst zag, vermoedde ik meteen dat hij gemummificeerd was,' vervolgde Brandt zijn uitleg. 'Doctor Severts is een van dé experts op dit gebied en zelf ben ik ook zeer geïnteresseerd in mummies. De veenlijken die u bedoelt, hebben een heel ander proces ondergaan. De huid van lijken in het veen wordt gelooid door de zuren en tannines in veengrond. Ze veranderen letterlijk in leren zakken; soms blijft alleen de huid over, terwijl de inwendige organen en zelfs de botten volledig kunnen oplossen.' Hij knikte naar het lijk. 'Deze ziet eruit als een woestijnmummie. Het uitgemergelde lichaam en de perkamentachtige structuur van de huid... Hij is bijna onmiddellijk uitgedroogd in een zuurstofarme omgeving.'

'En hij is niet onlangs gestorven, ook al lijkt dat zo. Maar zoals u aan zijn kleren kunt zien, is hij geen overblijfsel uit de middeleeuwen.' Severts gebaarde naar het gedeelte van opgraving waar ze zich bevonden. 'De aanwijzingen rondom het lijk geven me een idee van hoe het gebeurd is. Onze geofysici en de dingen die we over deze plek weten, wijzen erop dat we op een voormalige loskade uit de Tweede Wereldoorlog staan.'

Brauner begaf zich naar de strook glinsterende aarde. Hij pakte een kluit op en wreef hem tussen zijn vingers. 'Glas?'

Severts knikte. 'Oorspronkelijk zand. Alles hier bestaat in wezen uit hetzelfde lichte zand. Alleen, een deel ervan is vermengd met zwarte as en deze buitenste ring is onderhevig geweest aan zo'n enorme hitte dat het in ruwe glaskristallen is veranderd.'

Fabel knikte grimmig. 'De Britse bombardementen in 1943?'

'Dat vermoed ik,' zei Severts. 'Het zou kloppen met wat we over deze locatie weten. En met deze vorm van mummificatie, die een veel voorkomend gevolg was van de enorm hoge temperaturen als gevolg van de bombardementen. Ik heb het idee dat hij dekking heeft gezocht in een provisorische schuilkelder van zandzakken. Er moet vlakbij een brandbom zijn ontploft die hem in wezen heeft gebakken en begraven.'

Fabels ogen bleven op het gemummificeerde lichaam gericht. Operatie Gomorra: 8344 ton brandbommen en explosieven die 's nachts door de Britten en overdag door de Amerikanen op Hamburg waren gegooid. In sommige delen van de stad was de temperatuur in de open lucht opgelopen tot meer dan duizend graden. Zo'n vijfenveertigduizend Hamburgers waren in de vlammen verbrand of geroosterd door de intense hitte. Hij staarde naar het magere gezicht, te klein doordat alle vocht uit het vlees onder de huid was weggezogen. Hij had het mis gehad. Natuurlijk had hij zulke lichamen eerder gezien, op oude zwart-witfoto's van Hamburg en Dresden. Velen waren gemummificeerd zonder dat ze begraven waren, binnen enkele ogenblikken uitgedroogd, blootgesteld aan hoogoventemperaturen in de open straten waaruit alle lucht was weggezogen of in de schuilkelders die in bakovens waren veranderd. Maar Fabel had er nooit een in het echt gezien.

'Niet te geloven dat deze man al meer dan zestig jaar dood is,' zei hij ten slotte.

Brauner grinnikte en mepte Fabel met zijn brede hand op diens schouder. 'Fundamentele biologie, Jan. Voor ontbinding zijn bacteriën nodig; bacterien hebben zuurstof nodig. Geen zuurstof, geen bacteriën, geen ontbinding. Als we hem uitgraven zullen we waarschijnlijk een beperkte mate van ontbinding vinden in zijn borstkas. We dragen allemaal bacteriën mee in onze ingewanden en als we doodgaan, gaan ze allereerst dáár aan het werk. Hoe dan ook, ik zal het lichaam grondig onderzoeken en het dan naar het Instituut voor Gerechtelijke Geneeskunde in Eppendorf sturen voor een volledige autopsie. Misschien kunnen we de doodsoorzaak alsnog vaststellen, maar ik durf er een jaarsalaris om te verwedden dat het verstikking is. En we zullen de biologische leeftijd van het lichaam bij benadering kunnen vaststellen.'

'Oké,' zei Fabel. Hij wendde zich tot Severts en diens student, Brandt. 'Ik zie geen reden om de opgraving stop te zetten, maar als u iets vindt waarvan u denkt dat het verband houdt met dit lichaam, laat het me dan alstublieft weten.' Hij gaf Severts zijn kaartje van de Hamburgse politie.

'Dat zal ik doen,' zei Severts. Hij knikte in de richting van het lijk, dat hen nog steeds de rug toekeerde, alsof het probeerde zijn ruw verstoorde slaap te hervatten. 'Het lijkt erop dat hij toch niet vermoord is.'

Fabel haalde zijn schouders op. 'Het hangt er maar vanaf hoe je het bekijkt.'

13.50 UUR, SCHANZENVIERTEL, HAMBURG

Het telefoontje was binnengekomen terwijl Fabel onderweg was naar het hoofdbureau. Werner had gebeld om door te geven dat hij en Maria in het Schanzenviertel waren. Er was een moordenaar betrapt, bijna op heterdaad, terwijl ze de plaats delict schoonmaakte en op het punt stond zich van het lichaam te ontdoen.

Het was duidelijk dat Werner alles onder controle had, maar Fabel had behoefte zich bezig te houden met een 'vers' onderzoek, na een ochtend met een zaak die bijna zeker zestig jaar oud was en geen moord. Hij zei tegen Werner dat hij rechtstreeks naar het opgegeven adres zou gaan.

'Tussen haakjes, Jan,' zei Werner, 'ik denk dat je moet weten dat we een nogal bekend slachtoffer hebben... Hans-Joachim Hauser.'

Fabel herkende de naam onmiddellijk. Hauser was in de jaren zeventig een tamelijk vooraanstaand vertegenwoordiger van extreem-links geweest en nu een aan de weg timmerend milieuactivist die maar al te graag in de schijnwerpers stond. 'God... wat bizar...' zei Fabel evenzeer tegen zichzelf als tegen Werner.

'Wat is bizar?'

'De gelijktijdigheid, denk ik. Je weet wel, als iets wat je niet verwacht zich in een kort tijdsbestek zo vaak voordoet. Onderweg naar het hoofdbureau hoorde ik Bertholdt Müller-Voigt op de radio. Je weet wel, de senator van Milieu. Hij gaf zijn baas, Schreiber, behoorlijk van katoen. En een paar avonden geleden was hij tegelijk met mij en Susanne in het restaurant van mijn broer. Als ik het me goed herinner waren Müller-Voigt en Hauser in de jaren zeventig en tachtig twee handen op één buik.' Fabel zweeg even en voegde er toen somber aan toe: 'Dat kunnen we net gebruiken. De moord op een publiek figuur. Is de pers er al?'

'Nog niet,' zei Werner. 'Hoe hij ook zijn best deed, en in tegenstelling tot zijn makker Müller-Voigt, was Hauser in feite oud nieuws.'

Fabel zuchtte. 'Nu niet meer.'

Het Schanzenviertel heeft een soort smoezelige uitbundigheid. Het is een deel van Hamburg dat, net als veel andere wijken in de stad, enorme veranderingen doormaakt. Het Schanzenviertel ligt net ten noorden van Sankt Pauli en heeft nooit zo'n beste reputatie gehad. De wijk heeft nog steeds zo haar problemen, maar had de laatste tijd de aandacht getrokken van welvarender nieuwkomers.

En het was natuurlijk de ideale stadswijk om in te wonen als je een linkse milieuactivist was. Het Schanzenviertel had alle geloofsbrieven van 'cool' in precies de juiste mix: het was een van de meest multiculturele buurten van Hamburg en het grote aantal chique restaurants betekende dat de meeste wereldkeukens er vertegenwoordigd waren. De arthousebioscopen, het openluchttheater in het Sternschanzenpark en het vereiste aantal terrassen maakten de wijk trendy genoeg om in opkomst te zijn, maar ze had nog genoeg sociale problemen, voornamelijk met drugs, om niet als té yuppig te worden beschouwd. Het was het soort buurt waar je fietste en rondhing, waar je tweedehands chic droeg, maar waar je, terwijl je aan een terrastafel nipte van je *fair trade*-koffie, erop los typte op je ultracoole, ultraslanke, ultradure titanium laptop.

Hans-Joachim Hausers appartement bevond zich op de begane grond van een degelijk gebouwd appartementenblok uit de jaren twintig, in het hart van de wijk, vlak bij het kruispunt van de Stresemannstrasse en de Schanzenstrasse. Er stond een groepje voertuigen in de nieuwe zilver-met-blauwe kleuren van de Hamburgse politie en het trottoir voor de ingang was afgezet met rood-wit gestreept lint. Fabel parkeerde zijn auto slordig achter een van de patrouillewagens en een agent in uniform kwam vastberaden op hem af om hem onder handen te nemen. Fabel stapte uit en hield zijn ovale politiepenning op terwijl hij naar het gebouw liep en de agent droop af.

Werner Meyer stond in de deuropening van Hausers appartement te wachten. 'We mogen nog niet naar binnen, Jan,' zei hij met een gebaar naar waar, iets verderop in de gang, Maria stond te praten met een jonge, jongensachtige man in een witte overall. Zijn masker hing los om zijn hals en hij had zijn capuchon afgezet, zodat zijn dichte bos zwart haar boven een bleek, bebrild gezicht zichtbaar was. Fabel herkende hem als de plaatsvervanger van Holger Brauner, Frank Grueber, over wiens studie archeologie hij het met Brauner en Severts had gehad. Grueber en Maria hadden het onmiskenbaar over de plaats delict, maar Gruebers houding had iets ontspannen informeels. Fabel merkte op dat Maria daarentegen met haar rug tegen de muur leunde en haar armen over elkaar had geslagen.

'Harry Potter en De kille maagd...' zei Werner droog. 'Is het waar dat die twee iets hebben?'

'Geen idee,' loog Fabel. Maria hield op haar werk bijna haar hele privéleven achter slot en grendel, samen met haar emoties, maar Fabel was erbij geweest – was er als enige bij geweest – toen ze op het randje van de dood had gestaan nadat ze was neergestoken door een van de gevaarlijkste moordenaars op wie het team ooit jacht had gemaakt. Fabel had Maria's doodsangst gedeeld in die eeuwigdurende, spannende minuten tot de traumahelikopter was gearriveerd. Hun gedeelde angst had geleid tot een gedwongen intimiteit die een onuitgesproken band tussen hen had geschapen en in de loop van de twee jaar die sindsdien waren verstreken, had Maria haar baas in vertrouwen genomen over enkele kleine dingen in haar privéleven, zij het alleen dingen die mogelijk van invloed konden zijn op haar werk. Een van die dingen was dat ze een relatie had met Frank Grueber.

Verderop in de gang beëindigde Grueber zijn overzicht van de stand van zaken tegenover Maria. Hij raakte haar elleboog aan bij wijze van afscheid en liep door de gang terug. Het gebaar had iets wat Fabel niet lekker zat. Niet de informaliteit ervan, eerder het bijna onmerkbare verstrakken van Maria als reactie erop. Alsof er een heel zwakke elektrische stroom door haar heen was gegaan.

Maria liep door de gang terug naar de voordeur.

'We mogen nog niet naar binnen,' legde ze uit. 'Grueber heeft hier eigenlijk weinig te doen. De moordenaar – een vrouw – werd gestoord terwijl ze de plaats delict aan het schoonmaken was. Ze heeft het kennelijk grondig gedaan en de technische recherche heeft moeite om iets waardevols te vinden.' Ze haalde haar schouders op. 'Maar het is een academische kwestie, lijkt me. Als je de moordenaar op heterdaad betrapt, is dat het beste technische bewijs.'

Fabel wendde zich tot Maria. 'De verdachte werd gestoord terwijl ze de plaats delict schoonmaakte... door wie?'

'Een vriend van Hauser,' zei Maria. 'Een erg jonge, knappe vriend, Sebastian Lang, die de deur geopend aantrof... hoewel hij blijkbaar een sleutel heeft.'

Fabel knikte. Hans-Joachim Hauser had nooit een geheim gemaakt van zijn homoseksualiteit.

'Lang wilde iets ophalen uit de flat voordat hij in de stad ging lunchen,' vervolgde Maria. 'Hij hoorde geluiden in de badkamer, nam aan dat het Hauser was en liep door, zodat hij de moordenaar betrapte terwijl ze de plaats delict schoonmaakte.'

'Waar is de verdachte?' vroeg Fabel.

'De uniformpolitie heeft haar naar het hoofdbureau gebracht,' antwoordde Werner. 'Ze lijkt behoorlijk van streek... Niemand kon een zinnig woord uit haar krijgen, alleen dat ze nog niet klaar was met schoonmaken.'

'Oké. Als we nog niet naar binnen kunnen, moesten we maar naar de afdeling gaan om de verdachte te verhoren. Maar ik wil doctor Eckhardt eerst een psychologische beoordeling laten opstellen.' Fabel klapte zijn gsm open en drukte op een voorkeuzetoets.

'Instituut voor Gerechtelijke Geneeskunde, met doctor Eckhardt.' De stem die opnam was die van een vrouw: diep, warm en met een zweem van een Beiers accent.

'Hoi, Susanne... met mij. Hoe is het ermee?'

Ze zuchtte. 'Ik wou dat we weer op Sylt waren... Wat is er?'

Fabel vertelde over de arrestatie van de vrouw in het Schanzenviertel en dat hij haar door Susanne wilde laten beoordelen voordat ze haar verhoorden.

'Ik ben tot het eind van de middag bezig. Is vier uur goed?'

Fabel keek op zijn horloge. Het was halftwee. Als ze op de beoordeling wachtten, zouden ze de verdachte pas vroeg in de avond kunnen ondervragen.

'Oké. Maar ik denk dat we haar voor die tijd een voorlopig verhoor afnemen.'

'Goed. Tot vier uur op het hoofdbureau,' zei Susanne. 'Hoe heet de verdachte?'

'Momentje...' Fabel wendde zich tot Maria. 'Hoe heet de vrouw die we in hechtenis hebben genomen?'

Maria klapte haar notitieboekje op en las haar aantekeningen. 'Dreyer...' zei ze ten slotte.

'Kristina Dreyer?'

Maria keek Fabel verrast aan. 'Ja. Ken je haar?'

Fabel antwoordde niet, maar sprak weer tegen Susanne. 'Ik bel je terug,' zei hij en hij klapte zijn gsm dicht. Toen wendde hij zich tot Maria. 'Haal Grueber. Zeg hem dat het me niet kan schelen in welke fase het technisch onderzoek is. Ik wil de plaats delict en het slachtoffer zien. Nu.'

14.10 UUR, SCHANZENVIERTEL, HAMBURG

Het was duidelijk dat Grueber besefte dat het geen zin had de moordbrigade de toegang tot de plaats delict te ontzeggen, maar met een vastberaden autoriteit die niet strookte met zijn jeugdige uiterlijk, stond hij erop dat alle leden van het team niet alleen de gebruikelijke blauwe plastic overschoenen en de latex handschoenen droegen, maar een volledige overall en gezichtsmaskers.

'Ze heeft nagenoeg niets voor ons overgelaten,' legde hij uit. 'Het is de grondigste schoonmaak van een plaats delict die ik ooit heb meegemaakt. Ze heeft zowat elk oppervlak behandeld met een op bleekwater gebaseerd reinigingsmiddel, dat bijna alle sporen uitwist en eventueel achtergebleven DNA vernietigt.'

Nadat ze zich hadden verkleed ging Grueber Fabel, Werner en Maria voor door de gang. Fabel nam in het voorbijgaan alle kamers in zich op. In elk ervan was minstens één technisch rechercheur aan het werk. Fabel merkte op hoe schoon en opgeruimd het appartement was. Het was groot en ruim, maar had iets benauwends doordat bijna elke vrije vierkante meter muurruimte door boekenplanken in beslag werd genomen. Er lagen netjes opgestapelde tijdschriften en de planken in de gang werden kennelijk gebruikt om het overschot aan boeken, lp's en cd's uit de woonkamer op te slaan. Fabel bleef staan en bekeek de muziekcollectie. Enkele cd's van Reinhard Mey, maar voornamelijk oudere albums die opnieuw op cd waren verschenen. Hauser had kennelijk behoefte gehad om de protestliederen van de vorige generatie te horen via de technologie van de latere. Fabel glimlachte herkennend toen hij een cd van *Ewigkeit* door Cornelius Tamm herkende. Tamm had zich opgeworpen als de Duitse Bob Dylan en had in de jaren zestig redelijk veel succes gehad alvorens een spectaculaire duik in de obscuriteit te maken. Fabel pakte een groot boek met een glossy omslag van een plank. Het bevatte een collectie van Don McCullins Vietnam-foto's. Ernaast stonden een Engelstalige reisgids en enkele studieboeken over ecologie. Alles was precies zoals je het verwacht zou hebben. Waar de planken onderbroken werden was de vrije muurruimte gevuld met ingelijste posters. Fabel bleef voor één ervan staan. Het was een ingelijste zwart-witfoto van een jongeman met golvend haar tot op zijn schouders en een snor. Hij zat met ontbloot bovenlijf op een rustieke bank en had een appel in zijn hand.

'Wie is die hippie?' Werner stond naast Fabel.

'Kijk maar eens naar het jaartal op de foto: 1899. Die man was een hippie zeventig jaar voordat iemand zelfs maar wist wat dat was. Dit,' Fabel tikte met zijn in latex gestoken vinger op het glas, 'is Gustav Nagel, de beschermheilige van alle Duitse milieuactivisten. Een eeuw geleden probeerde hij Duitsland zo ver te krijgen dat het industrialisering en militarisme afzwoer, het pacifisme omhelsde en terugkeerde naar de natuur. Hij wilde ook dat we zelfstandige naamwoorden voortaan niet meer met een hoofdletter zouden schrijven. Ik weet niet hoe dat past binnen een groene agenda. Minder inkt misschien.'

Fabel beantwoordde Nagels heldere, uitdagende blik en volgde toen Grueber en de anderen naar de hoek in de gang.

Het forensisch team had zich geconcentreerd op het uiteinde van de gang en de badkamer.

'We hebben hier een paar plastic vuilniszakken gevonden,' legde Grueber uit toen ze de badkamerdeur naderden. 'We hebben er een paar dingen uitgehaald, maar de zakken zijn in Butenfeld.' Grueber gebruikte de verkorte naam van de forensische afdeling van het Instituut voor Gerechtelijke Geneeskunde, waar ook Susanne werkte als forensisch psycholoog. Het instituut was een onderdeel van het Universitair Medisch Centrum in Butenfeld, ten noorden van Hamburg. 'We hebben onder andere het volgende gevonden...' Grueber wenkte een van de technisch rechercheurs, die hem een grote, vierkante doorschijnende plastic zak gaf. Het plastic was dik en stug en er zat, vlak uitgespreid, een dikke schijf haar en huid in. Een menselijke scalp. In de ruimte tussen de wanden en in de hoeken hadden zich stroperige plasjes bloed verzameld.

Fabel bekeek de inhoud zonder de zak van Grueber over te nemen. Hij negeerde het misselijke gevoel in zijn maag en het gemompel van afschuw van Werner. Het haar was rood. Te rood. Grueber las Fabels gedachten.

'Het haar is behandeld met verf. En er zijn verse sporen van de verf op de scalp en de omliggende huid. Ik weet niet of de moordenaar haarverf heeft gebruikt of een andere kleurstof. Wat het ook was, ik vermoed dat het gebeurd is vlak voordat de scalp van het lichaam was verwijderd.'

'Nu we het over het lichaam hebben... waar is dat?' Fabel scheurde zijn blik los van de hypnotiserende gruwel van de scalp. Na al die jaren bij de afdeling Moordzaken, na zoveel gevallen, voelde hij zich nog steeds geschokt en vervuld van onbegrip voor de wreedheden die mensen elkaar konden aandoen.

Grueber knikte. 'Hierheen... u snapt wel dat het geen prettig gezicht is...'

Zodra hij de badkamer betrad, begreep Fabel dat Grueber bepaald niet had overdreven wat de forensische problemen betrof. Er was, afgezien van het lichaamsvormige pakket naast het bad, absoluut niets wat erop wees dat hier een moord was gepleegd. Zelfs de lucht rook gebleekt en enigszins naar citroen.

'Kristina mag dan onze verdachte zijn,' zei Werner grimmig, 'maar ik denk dat ik eens naar haar uurtarief ga informeren. Ik zou haar thuis goed kunnen gebruiken.'

'Grappig dat je dat zegt,' zei Maria zonder de geringste aanwijzing dat ze Werners grap doorhad. 'Ze is inderdaad schoonmaker van beroep. Ze werkt voor zichzelf en had een auto vol schoonmaakspullen voor de deur staan. Vandaar dat ze hier zo efficiënt heeft schoongemaakt.'

'Oké,' zei Fabel. 'Laten we eens bekijken wat we hebben.'

Het was alsof de technisch rechercheurs een extra laag windselen om een mummie hadden gewikkeld. De moordenaar had het lijk in het douchegordijn gedraaid en met paktouw dichtgebonden. Nu hadden de forensisch technici elke vierkante centimeter van het douchegordijn en het paktouw volgeplakt met genummerde stukjes tape. Het lichaam was vanuit alle hoeken gefotografeerd en zou dadelijk naar het forensisch laboratorium in Butenfeld worden overgebracht. Daar zouden alle stukjes tape een voor een worden verwijderd en over worden gebracht op doorzichtige stukken perspex, zodat eventuele sporen veiliggesteld waren voor onderzoek. Als zou blijken dat het lichaam in het douchegordijn kleding droeg, zou dat proces worden herhaald om eventuele vezels of andere sporen op de kleren te verzamelen.

Fabel staarde naar het mensvormige pakket. 'Leg het gezicht eens bloot. Ik wil er zeker van zijn dat het Hauser is.'

Grueber schoof het gordijn opzij. Het hoofd en de schouders eronder waren in zwart plastic verpakt. Fabel knikte ongeduldig en Grueber sneed het paktouw voorzichtig door en legde het gezicht en het hoofd bloot. Hans-Joachim Hauser staarde hen met melkglazen ogen onder zijn gefronste voorhoofd aan. Fabel had gedacht dat zijn maag opnieuw in opstand zou komen, maar hij voelde niets toen hij naar het ding voor hem keek. Want dat was het: een ding. Een pop. De verminking aan het hoofd, het blootliggende bot van de schedel van de dode man, de bloedeloze wasachtigheid van het vlees van Hausers gezicht beroofden het lijk van zijn menselijkheid.

Fabel had ook een gevoel van herkenning verwacht: Hans-Joachim Hauser was in hoge mate betrokken geweest bij de radicale bewegingen in de jaren zestig en zeventig. Hij was in de loop der jaren gefotografeerd met de juiste sterren van extreem-links – Daniel Cohn-Bendit, Petra Kelly, Joschka Fischer, Bertholdt Müller-Voigt – maar al zijn pogingen ten spijt was hij ergens blijven hangen tussen het centrum en de randen van de mediaschijnwerpers. Fabel had vaak bedacht hoe sommige mensen gevangen lijken te zitten in een tijd, er niet in slagen verder te gaan. Het in Fabels herinnering opgeslagen beeld van Hauser was dat van een slanke, bijna meisjesachtige jongeman met lange, dichte haren die in de jaren tachtig de Hamburgse Senaat de huid vol schold. Niets in het grauwe, wasachtige en wat pafferige vlees van de dode bood Fabel enig houvast om de vroegere Hans-Joachim Hauser terug te halen. Fabel probeerde zelfs zich het lijk mét haar voor te stellen. Tevergeefs.

'Leuk,' zei Werner alsof hij een vieze smaak in zijn mond had. 'Heel leuk. Een schoonmaakster die scalpen verzamelt. Ze zal toch geen indiaanse zijn?'

'Scalperen is een oude Europese traditie,' zei Fabel. 'We deden het al duizenden jaren vóór de indianen. Die hebben het waarschijnlijk van Europese kolonisten geleerd.'

Grueber schoof het douchegordijn wat verder open en legde Hausers hals bloot. 'Moet je dit zien...'

De hals vertoonde een brede, gapende wond. De rand was glad en ononderbroken, bijna chirurgisch, en Fabel zag een laag gemarmerd grijs en wit vlees onder de huid. De snede was ook bloedeloos: Kristina Dreyer had het lichaam afgespoeld, en voor zover Fabel het kon zien, bood het de aanblik van gewassen doden die hij met mortuariumlijken associeerde.

Hij draaide zich om naar Maria en Werner. Hij wilde iets zeggen toen hij zag dat Maria strak naar Hausers verminkte hoofd en hals keek. Niet met een van afgrijzen vervulde blik of met haar gebruikelijke, koel taxerende blik; eerder een wezenloze, uitdrukkingsloze blik alsof ze gehypnotiseerd werd door wat er van Hans-Joachim Hauser over was.

'Maria?' Fabel fronste vragend zijn wenkbrauwen.

Het was alsof Maria abrupt terugkeerde uit een verre plaats. 'Het moet ontzettend scherp zijn geweest,' zei ze mat. 'Het mes, bedoel ik. Om zo'n gave wond te veroorzaken, moet het vlijmscherp zijn geweest.'

'Ja, dat was het,' antwoordde Grueber, die naast het lijk op zijn hurken zat. Fabel merkte dat, hoewel Grueber een professioneel antwoord gaf, er een zweem van persoonlijke bezorgdheid in zijn blik lag toen hij opkeek naar Maria. 'Het moet een lancet zijn geweest of een ouderwets scheermes.'

Fabel richtte zich op. Hij dacht aan de vrouw die in hechtenis was genomen. Aan een gezicht dat hij zich vaag herinnerde van meer dan tien jaar geleden. 'Het is allemaal zo methodisch gedaan,' zei hij ten slotte. Hij wendde zich tot Werner. 'Weet je zeker dat de verdachte, Kristina Dreyer, inderdaad betrapt werd terwijl ze dit op probeerde te ruimen? Ik bedoel, weten we zeker dat zij dit gedaan heeft?'

'Geen twijfel mogelijk,' zei Werner. 'Sterker nog, de uniformpolitie moest haar in bedwang houden. Ze wilde niet ophouden, zelfs niet na hun komst.'

Fabel keek de badkamer nog eens rond. Hij blonk even steriel en even kil als een operatiezaal. 'Het slaat nergens op,' zei hij toen.

'Wat niet?' vroeg Maria.

'Waarom al die verminkingen? Het scalperen, de overdreven halswond. Het is alsof het allemaal iets betekent, alsof er een boodschap achter zit.'

'Dat is meestal zo,' zei Grueber, die zijn slungelige lijf nu had opgericht en naast de drie rechercheurs stond. In een halve kring verzameld keken ze naar de uit vlees en botten bestaande karikatuur van wat ooit een menselijk wezen was geweest. Als ze iets zeiden, was het alsof ze zich tot het lijk richtten, een zwijgende bemiddelaar via wie ze hun gedachten beter konden overbrengen. 'En scalperen draait erom dat je scalpen néémt. Ik snap niet waar-om de moordenaar haar slachtoffer zou scalperen en de scalp vervolgens in een vuilniszak zou stoppen met de bedoeling hem te dumpen.'

'Dat is precies wat ik bedoel,' zei Fabel. 'Het wijst allemaal op een soort boodschap. Een of andere morbide symboliek. Maar het wordt bijna altijd gedaan om het anderen te laten zien. Het gebeurt zelden speciaal voor het slachtoffer, dat gewoonlijk al dood is voor het verminkt wordt.'

Maria knikte. 'Dus waarom zou je dat alles bederven? Waarom zou je al die dingen doen en dan zoveel moeite doen om de plaats delict schoon te maken en het lichaam te verbergen? En waarom zou je je trofee dumpen?'

'Precies. Ik wil dat we teruggaan naar het hoofdbureau. Ik moet met Kristina Dreyer praten. Dit klopt volgens mij niet.'

Op dat moment riep een van de forensisch technici iets naar Grueber. Fabel, Maria en Werner dromden achter Grueber bijeen toen die op zijn hurken zakte en het gebied dat door de forensisch rechercheur was aangewezen onderzocht, in de voeg tussen de betegelde wand van het bad en de vloer. Wat het ook was, Fabel kon het niet zien.

'Waar kijken we naar?'

De technicus pakte een pincet, trok iets los en hield het op. Het was een haar. 'Daar snap ik niets van,' zei hij. 'Ik heb hier al gezocht en niets gevonden.'

'Maak je niet druk. Dat gebeurt wel vaker,' zei Grueber. 'Ik ben hier zelf ook geweest en ik heb het evenmin gezien. Het gaat erom dat je hem gevonden hebt.'

Fabel tuurde naar de haar. 'Het verbaast me dát je hem gevonden hebt.'

Grueber nam het pincet van de technicus over en hield de haar in het licht. Hij klapte een loep open en bekeek de haar als een juwelier die een kostbare diamant taxeert.

'Vreemd...'

'Wat?' vroeg Fabel.

'Deze haar is rood. Natuurlijk rood, niet geverfd zoals de scalp. Trouwens, hij is veel te lang om van het slachtoffer te kunnen zijn. Heeft de verdachte rood haar?'

'Nee,' antwoordde Fabel. Maria en Werner keken elkaar aan.

Kristina Dreyer was al vóór de komst van Fabel weggevoerd.

15.15 UUR, HOOFDBUREAU VAN POLITIE, HAMBURG

Kristina Dreyer keek bijna opgelucht toen Fabel de verhoorkamer binnen-kwam. Ze zat er klein en verloren bij, gekleed in de te grote witte overall die ze haar gegeven hadden toen ze haar eigen kleren meenamen voor analyse.

'Hallo, Kristina,' zei Fabel terwijl hij een stoel bijtrok naast Werner en Maria, en Werner intussen een dossiermap overhandigde.

'Dag, meneer Fabel.' Er verschenen tranen in Kristina's doffe blauwe ogen en een ervan ontsnapte over het ruwe terrein van haar jukbeen. Er klonk een langgerekt vibrato door in haar stem. 'Ik hoopte al dat u zou komen. Ik heb het weer verknoeid, meneer Fabel. Het is weer helemaal mis.'

'Waarom heb je het gedaan, Kristina?' vroeg Fabel.

'Ik moest wel. Ik moest alles opruimen. Ik kon het niet opnieuw laten winnen.'

'Wat laten winnen?' vroeg Maria.

'De waanzin. De rommel... al dat bloed.'

Werner, die in het dossier had zitten bladeren, sloeg het dicht en leunde achterover met een gezicht alsof alles plotseling op zijn plaats was gevallen. 'Sorry, Kristina,' zei hij. 'Ik herkende je naam aanvankelijk niet. We zijn hier eerder geweest, nietwaar?'

Kristina keek Fabel met een smekende, angstige blik aan.

Fabel zag dat ze begon te beven en steeds sneller en moeilijker begon te ademen. Fabel had wel vaker bange verdachten gezien, maar de angst die Kristina leek te overvallen had iets verwoestends en ergens in Fabels hoofd ging een alarm af. 'Alles in orde, Kristina?' vroeg hij.

Ze knikte. 'Dit is anders. Dit is heel anders...' zei ze tegen Werner. 'De vorige keer...' Haar stem stierf weg.

Fabel zag dat het beven was overgegaan in duidelijk schokken. 'Weet je zeker dat je je goed voelt?' vroeg hij nogmaals.

Het gebeurde allemaal zo snel dat Fabel geen tijd had om te reageren. Kristina's ademhaling werd steeds sneller en heftiger, haar gezicht werd eerst dieprood en verloor toen alle kleur. Ze kwam half overeind van haar stoel en pakte de rand van de tafel zo stevig beet dat haar door schoonmaakmiddelen rood geworden knokkels geelwit werden. Elke inademing werd een langgerekte kramp die haar lichaam schokte, maar haar uitademingen leken kort en krachteloos. Het was alsof ze in een vacuüm was opgesloten en radeloos aan het luchtledige zoog om haar gierende longen te vullen. Kristina klapte vanuit haar middel naar voren en haar hoofd viel snel en hard in de richting van het tafelblad.

Toen, alsof er door een onzichtbaar touw aan haar werd getrokken, wankelde ze naar rechts en kantelde opzij. Fabel schoot naar voren om haar op te vangen.

Maria bewoog zo snel dat Fabel niet eens had gemerkt dat haar stoel op de grond was gevallen. Plotseling had ze Fabel opzij geduwd, Kristina stevig bij haar bovenarmen gepakt en haar op de grond laten zakken. Ze maakte de ritssluiting van Kristina's overall bij haar hals los.

'Een zak,' blafte ze tegen Fabel en Werner, die haar niet-begrijpend aanstaarden. 'Haal een zak. Een papieren zak, een plastic tas... Wat dan ook.'
Werner stormde de kamer uit. Fabel ging naast Maria op zijn knieën zitten. Ze hield Kristina's gezicht tussen haar handen en keek haar strak aan. 'Luister naar me, Kristina, het komt allemaal goed. Je hebt gewoon een paniekaanval. Probeer je ademhaling onder controle te krijgen.' Maria richtte zich tot Fabel. 'Ze is in een staat van extreme paniek. Ze krijgt te veel zuurstof in haar bloed. Haal een arts.'
Werner rende weer de kamer binnen met een bruine papieren zak. Maria plaatste hem over Kristina's neus en mond en kneep hem dicht. Bij elke ademhaling frommelde de zak in elkaar. Ten slotte werd Kristina's ademhaling weer min of meer regelmatig. Er kwamen twee verplegers binnen en Maria stond op en liet ze hun werk doen.
'Het gaat nu wel weer,' zei ze. 'Maar ik denk dat je haar beter eerst door doctor Eckhardt kunt laten beoordelen voordat we verder gaan met het verhoor.'
'Dat was heel indrukwekkend,' zei Werner. 'Hoe wist je wat je moest doen?'
Maria haalde met een strak gezicht haar schouders op. 'Basale eerste hulp.'
Maar voor de tweede keer die dag was er iets in Maria's lichaamstaal dat Fabel een vaag gevoel van onbehagen bezorgde.

Fabel, Maria en Werner zaten in de kantine van het hoofdbureau koffie te drinken aan een tafel bij het raam dat uitkeek over en op de kazerne van de Mobiele Eenheid aan de overkant van het parkeerterrein onder hen.
'Dus het was jouw zaak?' vroeg Werner.
'Een van mijn eerste bij de afdeling Moordzaken,' zei Fabel. 'De zaak-Ernst Rauhe. Een afschuwelijke seksuele sadist. Een serieverkrachter en seriemoordenaar die in de jaren tachtig zes slachtoffers maakte voordat hij werd gepakt. Hij werd ontoerekeningsvatbaar verklaard en opgesloten in een streng beveiligde afdeling van het Ochsenzoll-ziekenhuis. Hij zat daar al een paar jaar toen ik bij de moordbrigade begon.'
'Was hij ontsnapt?' vroeg Maria.
'Nou en of.' Het was Werner die antwoord gaf. 'Ik zat indertijd bij de uniformdienst en deed mee aan de jacht... Een afmattende tocht door de moerassen, op zoek naar een gek. Maar hij had hulp.'
'Kristina?'
'Inderdaad.' Fabel staarde in zijn koffie, roerde erin alsof hij zijn herinneringen in het kopje aanwakkerde. 'Ze was verpleegkundige in het ziekenhuis. Ernst Rauhe was niet bijzonder intelligent, maar een volmaakt

manipulator. En zoals je gezien hebt, is Kristina niet zo heel erg weerbaar. Rauhe overtuigde haar ervan dat ze zijn grote liefde was, zijn redding. Ze was volledig in zijn ban en ervan overtuigd dat hij onschuldig was aan alle aanklachten tegen hem. Maar omdat hij in een psychiatrisch ziekenhuis was opgenomen, zou hij natuurlijk nooit geloofd worden als hij het probeerde te bewijzen. Zei hij.' Hij zweeg even en nam een slok koffie. 'Later bleek dat Kristina een campagne had willen voeren voor zijn vrijlating, maar hij had haar ervan overtuigd dat dat zinloos zou zijn en dat ze niet mocht laten merken dat ze hem steunde, tot ze het zo goed mogelijk konden gebruiken.'

'En dat was door hem te helpen ontsnappen,' zei Werner. 'Als ik het me goed herinner, hielp ze hem niet alleen ontsnappen, maar verborg ze hem ook in haar flat.'

'O god...' zei Maria. 'Nu weet ik het weer!'

Fabel knikte. 'Zoals Werner zei, bijna alle uniform- en rechercheafdelingen in de agglomeratie Hamburg, in Nedersaksen en in Sleeswijk-Holstein waren naar hem op zoek. Niemand dacht eraan dat hij hulp van binnenuit kon hebben gehad of zonder problemen uit de beveiligde vleugel was geholpen. Bijna twee weken lang werd elke schuur, elk bijgebouw en logement ondersteboven gehaald. Meer dan een maand later nam het ziekenhuis contact op. Ze maakten zich steeds meer zorgen over een van hun verpleegkundigen. Ze werd steeds magerder en was vol blauwe plekken op haar werk verschenen. Daarna was ze verscheidene dagen niet komen opdagen zonder enig contact op te nemen. Op dat moment realiseerde men zich dat ze, zij het beperkt, enig contact had gehad met Rauhe. Behalve het gewichtsverlies en de blauwe plekken hadden haar collega's gemeld dat de desbetreffende verpleegkundige zich in de weken voor haar verdwijning steeds vreemder en stiekemer was gaan gedragen.'

'En die verpleegkundige was Kristina Dreyer,' maakte Maria het verhaal af.

Fabel knikte. 'Onze eerste gedachte was dat Rauhe haar na zijn ontsnapping had gestalkt, haar had uitgekozen toen hij patiënt was en dat hij haar vervolgens had ontvoerd en waarschijnlijk vermoord. Zo raakte de moordbrigade erbij betrokken. Ik ging met een team naar Kristina's flat in Harburg. We hoorden geluiden binnen... gejammer... dus braken we de deur open. En precies zoals we verwacht hadden, troffen we een moordtoneel aan. Maar het was niet Kristina die was vermoord. Ze stond naakt in het midden van de flat. Ze zat van top tot teen onder het bloed. De hele kamer zat zelfs onder het bloed. Ze had een bijl in haar hand en op de vloer lag wat er over was van Ernst Rauhe.'

'En nu herhaalt de geschiedenis zich?' vroeg Maria.

Fabel zuchtte. 'Ik weet het niet. Het klopt gewoon niet. Tijdens het onderzoek bleek dat Ernst Rauhe zich de laatste dagen van zijn vrijheid had geamuseerd door Kristina herhaaldelijk te verkrachten en te folteren. Ze was kennelijk een knap ding geweest, maar in die laatste dagen had hij haar gezicht tot moes geslagen. Misschien waren het echter eerder de psychologische kwellingen dan het fysieke misbruik die haar ertoe dreven hem te doden. Hij liet haar naakt rondkruipen, als een hond. Ze mocht zich niet wassen. Het was afschuwelijk. Daarna wurgde hij haar. Herhaaldelijk en altijd bijna tot de dood erop volgde. Ze realiseerde zich dat het slechts een kwestie van tijd was voordat hij genoeg van haar zou krijgen. En ze wist dat, als hij genoeg van haar zou hebben, hij haar zou vermoorden, zoals hij met alle anderen had gedaan.'

'Dus was ze hem voor?'

'Ja. Ze sloeg hem met de bijl op het achterhoofd. Maar ze was te klein en te licht en de klap doodde hem niet. Toen hij op haar af kwam, bleef ze met de bijl op hem inhakken. Ernst Rauhe bloedde uiteindelijk dood, maar de bewijzen toonden aan dat Kristina was blijven hakken toen hij al lang dood was. De hele kamer zat vol bloed, vlees en botten. Ze had zijn gezicht helemaal tot pulp geslagen. Het was veruit het bloederigste moordtoneel dat ik tot dan toe had gezien.'

Maria en Werner zwegen enkele ogenblikken, alsof ze overgebracht waren naar de kleine huurflat in Harburg, waar een jongere Fabel had gestaan, verbijsterd en met afschuw vervuld in een scène uit de hel.

'Kristina werd niet veroordeeld voor de moord op Rauhe,' ging Fabel verder. 'Men erkende dat ze tijdelijk ontoerekeningsvatbaar was door Rauhes sadistische behandeling en ze had trouwens een heel goede reden om te denken dat hij haar zou vermoorden. Ze kreeg echter wel zes jaar in *Fulhsbüttel* wegens hulp bij zijn ontsnapping. Als hij, toen hij op vrije voeten was, iemand anders had vermoord, denk ik dat Kristina minstens vijftien jaar zou hebben gekregen.'

'Je hebt gelijk,' zei Maria ten slotte. 'Het klopt van geen kanten. Kristina stond voor zover we weten in geen enkele andere relatie tot Hauser dan als zijn wekelijkse schoonmaakster. En we hebben gezien hoe erg het lichaam verminkt was. Daar is tijd voor nodig geweest. Het was weloverwogen gedaan en er zou voorbedachte rade voor nodig zijn geweest... planning. En het moest ergens op wijzen. Uit wat je vertelde, maak ik op dat Kristina Rauhe in een aanval van razernij heeft gedood, als gevolg van een opeenstapeling van opgekropte angst en plotselinge paniek of woede. Het gebeurde niet in koelen bloede. De moord op Hauser was duidelijk gepland. In koelen bloede.'

Fabel knikte. 'Zo denk ik er ook over. Neem alleen al de aanval die ze net kreeg. Ze staat duidelijk onder zware druk. Dat klopt niet met wat we op de plaats delict hebben gezien.'

'Wacht even,' zei Werner. 'Vergeten we niet dat ze probeerde haar werk te verbergen? Als je onschuldig bent, waarom zou je dan proberen bewijzen te vernietigen? Plus dat het wel heel toevallig is dat degene die we daar oppakken, veroordeeld is omdat ze eerder iemand heeft vermoord.'

'Ik weet het,' zei Fabel. 'Ik zeg niet dat het Kristina niet is. Ik zeg alleen maar dat de stukjes nog niet passen en dat we onbevooroordeeld moeten blijven kijken.'

Werner haalde zijn schouders op. 'Jij bent de baas...'

17.30 UUR, HOOFDBUREAU VAN POLITIE, ALSTERDORF, HAMBURG

Tegen de tijd dat Susanne Fabel toestemming had gegeven om Kristina Dreyer opnieuw te verhoren, had het opgestapelde loden gewicht van zijn eerste werkdag hem loom gemaakt. Hij en Susanne zaten in zijn kantoor, dronken koffie en bespraken de geestestoestand van Kristina. De doffe, gelaten vermoeidheid in Susannes donkere ogen weerspiegelde die van Fabel. Wat begonnen was als een rustige eerste dag voor hen allebei was, veranderd in iets complex en belastends.

'Je zult heel voorzichtig met haar moeten zijn,' zei Susanne. 'Ze is ontzettend kwetsbaar. En ik vind echt dat ik erbij moet zijn.'

'Oké...' Fabel wreef in zijn ogen alsof hij de vermoeidheid eruit wilde verdrijven. 'Hoe schat je haar in?'

'Het is duidelijk dat ze aan een ernstige neurose lijdt, eerder dan aan een psychose. Ik moet zeggen dat ik, ondanks alle bewijzen tegen haar, het gevoel heb dat ze een uiterst onwaarschijnlijke kandidaat is voor deze moord. Ik zie Kristina Dreyer meer als slachtoffer dan als dader.'

'Oké.' Fabel hield de deur open voor Susanne. 'Laten we het gaan uitzoeken.'

Kristina zag er klein en kwetsbaar uit in de witte overall die ze nog steeds droeg. Fabel ging tegen de muur zitten en liet Maria en Werner het verhoor leiden. Susanne zat naast Kristina, die afstand had gedaan van het recht op juridische bijstand.

'Kun je een gesprek aan, Kristina?' vroeg Maria, zij het zonder veel vragends in haar stem en ze schakelde de zwarte taperecorder in en wachtte op een antwoord.

Kristina knikte. 'Ik wil het alleen maar opgehelderd hebben,' zei ze. 'Ik heb hem niet vermoord. Ik heb meneer Hauser niet vermoord. Ik zag hem bijna nooit.'

'Maar, Kristina,' zei Werner, 'je hebt al eens iemand vermoord. En we troffen je aan terwijl je de plaats delict aan het schoonmaken was. Als je dit alles "opgehelderd" wilt hebben, waarom vertel je ons dan niet de waarheid? We weten dat je meneer Hauser hebt vermoord en dat je hebt geprobeerd dat te verbergen. Als je niet verstoord was, zou je ermee weg zijn gekomen.'

Kristina staarde Werner aan, maar antwoordde niet.

Fabel meende te zien dat ze beefde.

'Rustig aan, inspecteur,' zei Susanne tegen Werner. Ze richtte zich tot Kristina en zei op zachtere toon: 'Kristina, meneer Hauser is vermoord. Wat je deed door de rommel op te ruimen heeft het voor de politie heel moeilijk gemaakt om er precies achter te komen wat er gebeurd is. En hoe langer ze ervoor nodig hebben om dat tot de bodem uit te zoeken, hoe moeilijker het wordt om de moordenaar te vinden, als jij het niet was. Je moet de agenten alles vertellen wat je weet over hoe het precies is gegaan.'

Kristina Dreyer knikte opnieuw en wierp toen over Maria's schouder een blik op Fabel, alsof ze steun zocht bij de agent die haar meer dan tien jaar geleden had gearresteerd. 'U weet wat er indertijd is gebeurd, meneer Fabel. U weet wat Ernst Rauhe met me had gedaan...'

'Ja, dat weet ik, Kristina. En ik wil begrijpen wat er ditmaal is gebeurd. Had meneer Hauser je iets gedaan?'

'Nee... god, nee. Zoals ik al zei, ik zag meneer Hauser amper. Hij was altijd naar zijn werk als ik schoonmaakte. Hij liet mijn loon in een envelop achter op het tafeltje in de gang. Hij heeft me niets misdaan. Nooit.'

'Wat is er dan gebeurd, Kristina? Als je meneer Hauser niet vermoord hebt, waarom was je de plaats delict dan aan het schoonmaken toen je werd gevonden?'

'Er was zoveel bloed. Zoveel bloed. Overal. Ik werd er gek van.' Kristina zweeg even en hoewel haar stem nog steeds trilde, werd hij harder, alsof ze een stalen draad door haar zenuwen had gespannen. 'Ik kwam vanmorgen zoals gewoonlijk aan om het huis van meneer Hauser schoon te maken. Ik heb een sleutel en liet mezelf binnen. Ik wist dat er iets mis was zodra ik binnenkwam. Toen vond ik... Toen vond ik dat díng...'

'De scalp?' vroeg Fabel.

Kristina knikte.

'Waar?' vroeg Maria.

'Hij was op de buitenkant van de badkamerdeur gespijkerd. Het duurde eeuwen voordat ik die schoon had.'

'Momentje,' zei Werner. 'Hoe laat kwam je bij de flat van meneer Hauser aan?'

'Om acht uur zevenenvijftig. Precies om acht uur zevenenvijftig.' Terwijl ze antwoord gaf, wreef Kristina met haar vingertop over een vlek op het tafelblad. 'Ik kom nooit te laat. U kunt mijn afsprakenboek controleren.'

'Dus toen je de scalp vond, stopte je hem in de vuilniszak en begon de deur schoon te maken?' vroeg Werner.

'Nee. Eerst ging ik de badkamer in en vond meneer Hauser.'

'Waar was hij?'

'Tussen het toilet en het bad. Half zittend, min of meer...'

'En je zag dat hij op dat moment al dood was?'

'Ja.' Er blonken tranen in haar ogen. 'Hij zat daar met de bovenkant van zijn hoofd eraf gescheurd... Het was afschuwelijk.'

'Oké,' zei Susanne. 'Neem maar even de tijd om tot jezelf te komen.'

Kristina snoof luid en knikte. Verstrooid bevochtigde ze haar vingertop met haar tong en wreef weer over de vlek in het tafelblad, alsof ze een smet probeerde weg te werken die voor de anderen in de kamer volmaakt onzichtbaar was.

'Het was afschuwelijk,' ging ze ten slotte verder. ' Afschuwelijk. Hoe kan iemand een ander zoiets aandoen? En meneer Hauser leek zo aardig. Zoals ik al zei, hij was bijna altijd naar zijn werk als ik er was om schoon te maken, maar als ik hem zag leek hij heel aardig en beleefd. Ik snap gewoon niet waarom iemand hem zoiets zou willen aandoen...'

'Wat we niet weten of begrijpen,' zei Maria, 'is waarom iemand die op de plaats van een moord komt, geen contact opneemt met de politie, maar begint schoon te maken... en daarbij belangrijke aanwijzingen vernietigt. Als je onschuldig bent, Kristina, waarom heb je dan geprobeerd elk spoor van de misdaad uit te wissen?'

Kristina bleef over de onzichtbare vlek op het gefineerde tafelblad wrijven. Toen zei ze zonder op te kijken: 'Ze zeiden dat ik geestelijk niet in orde was toen ik Rauhe vermoordde. Dat mijn geestelijk evenwicht verstoord was. Ik weet niets van die dingen, maar ik weet wel dat ik in de gevangenis een tijd gek was. Ik werd bijna volslagen krankzinnig. Vanwege wat Rauhe met me had gedaan. Vanwege wat ik met hem had gedaan.' Ze keek op, haar gezicht was hard, haar ogen roodomrand en vochtig van tranen. 'Ik kreeg paniekaanvallen. Echt heel erge. Veel erger dan vandaag. Ik had het gevoel dat ik stikte, gesmoord werd door de lucht die ik inademde. Het was alsof alles waar ik bang voor was, alles waar ik ooit bang voor was geweest en alle gruwelen die Rauhe me had aangedaan... in dat ene moment bij elkaar kwamen. De eerste keer dacht ik dat het een hartaanval was... en ik was blij. Ik dacht dat ik uit deze hel ontsnapte. Ze lieten me bewaken en stuurden me naar de gevangenispsychiater. Ze zeiden dat ik aan extreme posttraumatische stress leed en obsessief compulsieve stoornis.'

'Welke vorm nam die dwangneurose aan?' vroeg Susanne.

'Ik ontwikkelde een ernstige vorm van smetvrees... vuil, bacteriën. Vooral alles wat met bloed te maken had. Het werd zo erg dat ik stopte met menstrueren. Ik heb het grootste deel van mijn gevangenistijd in het ziekenhuis doorgebracht. Alles kon aanleiding zijn. De paniekaanvallen werden steeds ernstiger, tot ze me ten slotte permanent in de ziekenboeg opnamen.'

'Waarmee hebben ze je behandeld?' vroeg Susanne.

'Chloordiazepoxide en amitriptyline. Ze stopten met de amitriptyline omdat ik ervan in de war raakte. Ik heb ook veel therapie gehad en dat hielp goed. Als u mijn dossier hebt gelezen, weet u, dat ik vervroegd ben vrijgelaten.'

'Dus de therapie werkte?' vroeg Werner.

'Ja en nee... Ik voelde me veel beter en kon het aan. Maar pas na mijn vrijlating werd ik echt beter. Ze hadden me naar een speciale kliniek in Hamburg gestuurd, een die alleen fobieën, angststoornissen en dwangneurosen behandelt.'

'De Angstkliniek van doctor Minks?' vroeg Maria.

'Ja... die.' Kristina klonk verbaasd.

Het bleef even stil, terwijl iedereen wachtte tot Maria doorging op haar vraag, maar dat deed ze niet. Ze keek Kristina slechts strak aan.

'Doctor Minks doet wonderen,' ging Kristina verder. 'Hij hielp me om mijn leven weer op de rails te krijgen. Weer mezelf te worden.'

'Het moet effectief zijn geweest.' Werner leunde achterover en glimlachte. 'Want je werd schoonmaakster. Ik bedoel, betekent dat niet dat je dag in dag uit wordt geconfronteerd met je grootste angst?'

'Dat is het hem nou juist!' Kristina kwam plotseling tot leven. 'Doctor Minks liet me mijn demonen het hoofd bieden. Mijn angsten. Het begon met kleine stapjes, met steun van doctor Minks. Ik werd steeds vaker blootgesteld aan de dingen die mijn paniekaanvallen uitlokten.'

'Blootstelling...' Susanne knikte. 'Het object van angst wordt een object van vertrouwdheid.'

'Zo is het, zo noemde doctor Minks het. Hij zei dat ik kon leren mijn fobie in toom te houden en te kanaliseren en hem uiteindelijk te verzwakken en te overwinnen.' De manier waarop Kristina het zei, maakte duidelijk dat ze woorden gebruikte waarmee ze niet vertrouwd was en die ze van haar therapeut had geleerd. 'Hij liet me zien dat ik de chaos kan bezweren en mijn leven op orde kan brengen. Zo goed dat ik uiteindelijk schoonmaker werd.' Ze zweeg en het vuur verdween uit haar ogen. 'Toen ik de flat van meneer Hauser binnenging... Toen ik meneer Hauser zag en wat ze met hem hadden gedaan, dacht ik dat mijn wereld instortte. Het was alsof ik terug was in mijn oude flat, toen ik...' Ze liet de gedachte onafgemaakt. 'Maar doctor Minks leerde me dat ik de baas moet blijven. Hij zei dat ik mijn verleden of mijn angst niet mijn persoon mocht laten bepalen, niet mocht laten bepalen wat ik kon worden. Doctor Minks legde uit dat ik moet indammen wat ik vrees en zo de angst zelf kan indammen. Er was bloed. Zo veel bloed. Het was alsof ik aan de rand van een afgrond stond of zoiets. Ik had echt het gevoel dat ik één stap verwijderd was van gek worden. Ik moest het heft in handen nemen. Ik moest de angst in bedwang krijgen voordat ze mij in bedwang kreeg.'

'Dus begon je schoon te maken? Bedoel je dat?' vroeg Werner.

'Ja. Eerst het bloed. Het duurde heel lang. Toen de rest. Ik liet het niet winnen.' Kristina wreef opnieuw over de onzichtbare vlek op het tafelblad. Nog een laatste keer. Gedecideerd. 'Snapt u het niet? De chaos heeft niet gewonnen. Ik bleef de baas.'

19.10 UUR, HOOFDBUREAU VAN POLITIE, ALSTERDORF, HAMBURG

Het team hield een korte bespreking na het verhoor van Kristina Dreyer. Ze bleef de hoofdverdachte en zou tot de volgende dag in hechtenis blijven, maar het was duidelijk dat niemand van het team overtuigd was van haar schuld.

Nadat Fabel de vergadering had gesloten, vroeg hij Maria nog even te blijven.

'Is alles in orde, Maria?' vroeg hij toen ze alleen waren. Maria's gezicht drukte welsprekend ongeduld en verwarring uit. 'Je zei namelijk niet zo veel.'

'Ik heb eerlijk gezegd het idee dat er niet veel te zeggen viel, chef. We zullen af moeten wachten wat het forensisch en het pathologisch onderzoek ons vertellen over wat er precies gebeurd is. Niet dat Kristina Dreyer ons veel houvast heeft gegeven.'

Fabel knikte nadenkend en vroeg toen: 'Hoe weet je van die Angstkliniek waar ze naartoe ging?'

'Er werd bij de opening nogal wat ophef over gemaakt. Er stond een artikel over in het *Abendblatt*. Hij is uniek en toen Kristina Dreyer zei dat ze de Angstkliniek bezocht, was het de enige die in aanmerking kwam.'

Als Maria iets verborg, kon Fabel het niet aan haar gezicht zien. Hij merkte dat hij zich, niet voor het eerst, intens ergerde aan haar geslotenheid. Hij vond dat hij haar vertrouwen verdiende, na wat ze samen hadden meegemaakt. Hij had zin om haar ermee te confronteren, haar te vragen wat haar probleem verdomme was. Maar als Fabel íéts over zichzelf wist, dan was het dat hij een typische vertegenwoordiger van zijn generatie en achtergrond was: gewoonlijk onderdrukte hij elke spontane gevoelsuiting. Dat had tot gevolg dat hij dingen weloverwogen benaderde; het had ook tot gevolg dat hij diep van binnen vaak een draaikolk was van heftige gevoelens. Hij liet het onderwerp rusten. Hij zei niet dat hij zich zorgen maakte over het gedrag van Maria. Hij vroeg haar niet of haar leven nog altijd verscheurd werd door de verschrikking van wat haar was overkomen. En gaf bovenal geen naam aan het monster waarvan de schim op ogenblikken zoals dit tussen hen in stond: Vasyl Vitrenko.

Vitrenko was in hun leven verschenen als een schimmige verdachte in een moordonderzoek en hij had een diepe indruk gemaakt op ieder lid van het team. Vitrenko was een Oekraïense voormalige *Spetsnaz*-officier die even handig was met de instrumenten van de dood als een chirurg met die van het leven. Hij had Maria bij zijn ontsnapping als vertragingstactiek gebruikt, had haar leven laf in de waagschaal gesteld en Fabel gedwongen de achtervolging te staken.

'Wat denk je, Maria?' zei hij ten slotte. 'Over Dreyer, bedoel ik... Denk je dat ze het gedaan heeft?'

'Het is heel goed mogelijk dat ze opnieuw die stap in de waanzin heeft gezet. Misschien herinnert ze zich niet meer dat ze Hauser heeft vermoord. Misschien heeft het schoonmaken van de plaats delict de herinnering aan de moord gewist. Of misschien vertelt ze de waarheid.' Maria zweeg even. 'Angst kan maken dat we ons vreemd gaan gedragen.'

20.00 UUR, MARIENTHAL, HAMBURG

Het was tenslotte datgene waar doctor Gunter Griebel een groot deel van zijn leven aan had gewijd. Zodra hij de bleke jongeman met de donkere haren had gezien, was er een flits van herkenning geweest, het onbewuste besef dat hij een bekend gezicht zag. Iemand die hij kende.

Maar de jongeman was geen bekende van Griebel. Tijdens hun gesprek werd duidelijk dat ze elkaar nooit ontmoet hadden. Maar het gevoel van bekendheid bleef en daarmee het hardnekkige, kwellende gevoel dat echte herkenning elk moment kon komen, dat, als hij het gezicht maar in een context kon plaatsen, alles op zijn plaats zou vallen. En de blik van de jongeman was verontrustend, een op de oudere man gerichte laserstraal.

Ze begaven zich naar de studeerkamer en Griebel bood zijn gast iets te drinken aan, wat deze afsloeg. Er was iets vreemds aan de manier waarop de jongeman zich door het huis bewoog, alsof elke beweging zorgvuldig afgemeten, gecalculeerd was. Na een ogenblik van opgelatenheid beduidde Griebel zijn gast plaats te nemen.

'Bedankt dat u me wilt ontvangen,' zei de jongere man. 'Mijn excuses voor de ongewone manier waarop ik mezelf heb geïntroduceerd. Het was niet mijn bedoeling u te storen terwijl u respect betoonde aan uw overleden vrouw. Het was puur toeval dat we op hetzelfde moment op dezelfde plaats waren, juist toen ik u wilde bellen om een afspraak te maken.'

'U zei dat u zelf eveneens wetenschapper bent?' vroeg Griebel, meer om een pijnlijke stilte te voorkomen dan uit oprechte belangstelling. 'Wat is uw vakgebied?'

'Het heeft veel te maken met het uwe, doctor Griebel. Ik ben gefascineerd door uw onderzoek, met name hoe een trauma dat in een bepaalde generatie wordt opgelopen gevolgen kan hebben voor latere generaties. Of dat we generatie na generatie de ene herinnering op de andere stapelen.' De jongeman legde zijn handen op het leer van de fauteuil. Hij keek naar zijn handen, naar het leer, alsof hij ze bestudeerde. 'Ik zoek op mijn manier naar de waarheid. De waarheid waarnaar ik zoek, is misschien minder universeel dan de uwe, maar het antwoord ligt op hetzelfde terrein.' Hij richtte zijn laserblik weer op Griebel. 'Maar de reden voor mijn aanwezigheid is niet professioneel. Die is privé.'

'Hoezo privé?' Griebel probeerde zich opnieuw te herinneren of en waar ze elkaar eerder hadden ontmoet, of aan wie de jongeman hem deed denken.

'Zoals ik u uitlegde toen we elkaar op het kerkhof troffen, zoek ik antwoorden op enkele mysteries in mijn leven. Ik word al mijn hele leven achtervolgd door herinneringen die niet de mijne zijn... door een léven dat niet het mijne is. Dat is de reden waarom u, uw onderzoek, me zo interesseert.'

'Neem me niet kwalijk.' Griebels stem klonk geërgerd. 'Maar ik heb al die dingen al vaker gehoord. Ik ben geen filosoof. Ik ben geen psycholoog en ik ben zeker niet een of andere newagegoeroe. Ik ben een wetenschapper die wetenschappelijke feiten onderzoekt. Ik heb niet in een ontmoeting ingestemd om de mysteries van uw bestaan te onderzoeken. Ik heb er alleen maar mee ingestemd vanwege wat u zei over... nou ja, het verleden... de namen die u noemde. Waar hebt u die vandaan? Waarom denkt u dat de mensen die u noemde iets met mij te maken hebben?'

De jongeman glimlachte breed, kil, vreugdeloos. 'Het lijkt ontzettend lang geleden, nietwaar, Gunter? Een leven lang geleden. Jij, ik en de anderen? Je hebt geprobeerd verder te gaan, een nieuw leven te beginnen. Als je de burgerlijke banaliteit waarin je je verbergt een leven kunt noemen. En al die tijd heb je geprobeerd te doen alsof het verleden niet heeft plaatsgevonden.'

Er verscheen een frons op Griebels voorhoofd. Hij concentreerde zich. Zelfs de stem klonk bekend: klanken die hij ergens, ooit, eerder had gehoord. 'Wie bent u?' vroeg hij ten slotte. 'Wat wilt u?'

'Het is heel lang geleden, Gunter. Jullie voelen je veilig in jullie nieuwe leven, nietwaar? Jullie dachten dat jullie alles achter je hadden gelaten. Mij achter hadden gelaten. Maar jullie hebben jullie nieuwe leven op verraad gebouwd.' De jongeman maakte een misprijzend gebaar naar Griebels studeerkamer, de instrumenten, de boeken. 'Je hebt zoveel tijd, zo'n groot deel van je leven aan je studies besteed. Aan je zoeken naar antwoorden. Je zei dat je een wetenschapper bent die wetenschappelijke feiten zoekt, maar ik ken je, Gunter. Je zoekt wanhopig naar dezelfde waarheden als ik. Je wilt in het verleden kijken, in wat ons maakt tot wat we zijn. En ondanks al je werk ben je geen stap verder gekomen. Maar ik wel, Gunter. Ik heb de antwoorden die jij zoekt gezien. Ik bén het antwoord dat je zoekt.'

'Wie ben je verdomme?' vroeg Griebel nogmaals.

'Gunter toch, je weet best wie ik ben...' De stralende kille glimlach van de jongere man week geen moment. 'Zeg niet dat je het niet ziet.' Hij stond op en haalde een grote, fluwelen roletui uit de aktetas die hij naast zich op de grond had gezet.

20.50 UUR, PÖSELDORF, HAMBURG

Fabel was doodmoe. De makkelijke eerste dag die hij had verwacht, had onverhoeds een massieve, dichte vorm aangenomen die onwrikbaar en onvermijdelijk op zijn pad had gelegen. Hij had het gevoel dat het ontwijken ervan alle licht uit de dag had gezogen en alle energie uit zijn lichaam.

Susanne had met een vriendin afgesproken dat ze in de stad zouden gaan eten en Fabel voelde zich verweesd op de eerste avond na zijn vakantie. Voordat hij het hoofdbureau verliet, belde hij zijn dochter, Gabi, die bij haar moeder woonde, om te vragen of ze elkaar konden treffen om een hapje te gaan eten, maar ze had al andere plannen. Gabi vroeg hoe zijn vakantie was geweest en ze kletsten wat en spraken af elkaar later in de week te ontmoeten. Met zijn dochter praten vrolijkte Fabel meestal op – ze had iets van de zorgeloze vrolijkheid die zo typerend was voor Fabels broer Lex – maar het feit dat ze niet kon komen, maakte hem deze avond alleen nog maar onrustiger.

Hij had geen zin om voor zichzelf te koken, maar wel behoefte aan mensen om zich heen, dus besloot hij naar zijn flat te gaan om zich op te frissen en daarna uit eten te gaan.

Fabel woonde al zeven jaar in dezelfde flat, één blok verwijderd van de Milchstrasse op wat je gerust de hipste locatie van Hamburg kon noemen: Pöseldorf, in de wijk Rotherbaum. Fabels appartement was een verbouwde zolderverdieping in een groot huis van rond 1900. De voormalige chique villa was ambitieus verbouwd tot drie afzonderlijke, stijlvolle appartementen. Jammer genoeg had de Duitse economie de ambitie van de projectontwikkelaars in die tijd niet kunnen bijbenen en de huizenprijzen waren gekelderd. Fabel had zijn kans schoon gezien om te kopen in plaats van te huren en had de zolderverdieping gekocht. Hij had vaak aan de ironie van de situatie gedacht: dat hij in dit coole, perfect gelegen appartement terecht was gekomen doordat zijn huwelijk en de Duitse economie bijna tegelijkertijd bergafwaarts waren gegaan.

Zelfs ondanks de ingezakte huizenprijzen had Fabel zich in Pöseldorf alleen dit appartement kunnen veroorloven. Het was klein, maar Fabel vond nog altijd dat de ruil van ruimte tegen ligging een goede was geweest. Toen de projectontwikkelaars het huis hadden verbouwd, hadden ze de mogelijkheden van het uitzicht beseft en enorme, bijna kamerhoge ramen laten aanbrengen aan de kant die over de Magdalenenstrasse en het groene Alsterpark uitkeek op de door parken omringde Aussenalster. Vanuit zijn ramen kon Fabel de rood-witte veerboten zien die de Alster overstaken en op heldere dagen kon hij helemaal tot aan de statige witte villa's en de glinsterende turquoise koepel van de Iraanse moskee van het *Schöne Aussicht* aan de overkant van de Alster kijken.

Het was de volmaakte plek voor hem. Zijn eigen stek. Maar nu zijn relatie met Susanne zich ontwikkelde was dat allemaal veranderd. Er brak een nieuwe fase in zijn leven aan, misschien zelfs een heel nieuw leven. Hij had Susanne gevraagd bij hem in te trekken en het was duidelijk dat Fabels appartement in Pöseldorf te klein was voor hen beiden. Susannes appartement was groot genoeg, maar het was een huurwoning en nu hij de riskante sprong naar de status van huiseigenaar eenmaal had gewaagd, wilde Fabel niet opnieuw gaan huren. Daarom hadden ze besloten botje bij botje te leggen en een appartement te kopen. De economie begon uit het acht jaar durende dal te kruipen en Fabels huidige flat zou een goede prijs opleveren of kon verhuurd worden, en met hun gezamenlijke inkomen zouden ze zich iets behoorlijks kunnen permitteren niet te ver van het centrum.

Het klonk allemaal heel mooi en verstandig en het was Fabel zelf geweest die had voorgesteld om te gaan samenwonen, maar elke keer als hij dacht aan de verhuizing uit Pöseldorf en zijn kleine, eigen ruimte met het schitterende uitzicht, werd hij een beetje weemoedig. Aanvankelijk was Susanne degene geweest die aarzelde. Fabel wist dat ze een slechte relatie achter de rug had, met een dominante partner. Die vent had haar zelfrespect behoorlijk ondermijnd en de relatie was een ramp geweest voor Susanne. Het gevolg was dat ze haar onafhankelijkheid angstvallig bewaakte. Dat was zo'n beetje alles wat Fabel wist; Susanne was normaliter een openhartige, vrijmoedige vrouw, maar meer had ze hem niet willen vertellen. Dat deel van Susannes verleden lag voor Fabel en ieder ander achter slot en grendel. Desondanks was ze langzaam warmgelopen voor het idee om te gaan samenwonen en was ze nu de drijvende kracht achter het zoeken naar een nieuw gedeeld onderkomen.

Fabel parkeerde in de voor zijn appartementengebouw gereserveerde ruimte en liet zichzelf binnen. Hij nam een snelle douche en trok een zwart overhemd en broek aan en een lichtgewicht Engels jasje voordat hij weer naar buiten ging en door de Milchstrasse liep. Pöseldorf was begonnen als de *Armeleutegegend*, de armenbuurt van Hamburg, en deed nog steeds enigszins aan als een dorp in het hart van een grote stad. Sinds de jaren zestig echter was Pöseldorf steeds meer trendy geworden, met als gevolg dat de financiële status van de bewoners van het ene uiterste naar het andere was gezwaaid. Het imago van smetteloze welvaart was onderstreept door het succes van namen zoals de ontwerpster Jill Sander, wier mode-imperium was begonnen als een atelier annex boetiek in Pöseldorf. De Milchstrasse lag in het hart van Pöseldorf, een smalle straat vol wijnlokalen, jazzclubs, boetieks en restaurants.

Fabel had er minder dan vijf minuten voor nodig om van zijn appartement naar zijn favoriete café-bar te lopen. Het was er al druk toen hij binnenkwam en hij moest zich door een drom bezoekers wringen die zich in de smalle doorgang naar de bar had verzameld. Hij begaf zich naar het verhoogde zitgedeelte achterin en nam plaats aan een vrije tafel in de hoek, met zijn rug naar het schoonmetselwerk van de muur. Hij voelde zich opeens moe toen hij ging zitten. En oud. Zijn eerste dag had veel van hem gevergd en hij had moeite om weer in het ritme te komen. Hij probeerde zijn eetlust op te wekken en het beeld van het gescalpeerde hoofd van Hans-Joachim Hauser uit zijn gedachten te verdrijven, maar hij merkte dat een ander diens plaats innam, de mortuariumfoto van een mooi, jong meisje met hoge Slavische jukbeenderen, die van haar naam en haar waardigheid was beroofd door mensensmokkelaars en van haar leven door een dikke, kalende onbenul. Fabel was het meer met Maria eens geweest dan hij kon toegeven; hij zou haar graag verder hebben laten werken aan de zaak-Olga X, om de georganiseerde criminelen op te sporen die haar in een leven van prostitutie hadden gesleurd door haar een zogenaamd nieuw leven voor te spiegelen. Maar dat was hun werk niet.

Fabels gedachtegang werd onderbroken door de komst van een ober. Hij had Fabel enkele keren eerder bediend en kletste op zijn gemak wat voordat hij de bestelling opnam. Het was een klein ritueel dat Fabel kenmerkte als een vaste gast, maar dat voor Fabel ook het gevoel onderstreepte dat hij erbij hoorde. Fabel wist dat hij een gewoontedier was, een voorspelbare man die hield van vaste gewoonten waaraan hij zijn universum kon afmeten en op orde houden. Gezeten in het café waar hij altijd at, merkte hij dat hij zich aan zichzelf ergerde, aan het feit dat de intuïtieve gokjes die hij in zijn werk durfde te wagen, zich niet schenen uit te strekken tot hoe hij zijn privéleven leidde. Maar dat was precies hoe zijn privéleven was: geleid. Heel even dacht hij erover een smoesje te verzinnen en weg te gaan, enkele passen verder de Milchtrasse in te lopen en ergens anders te gaan eten. Maar hij deed het niet en bestelde een Jeverbier en een haringsalade. Zoals altijd.

De ober had juist zijn bier gebracht toen Fabel zich bewust werd van iemand die naast hem stond. Hij keek op en zag een lange vrouw van midden twintig met lange, donkerbruine haren en grote, bruine ogen. Ze was gekleed in een chique rok en een topje die eenvoudig en smaakvol waren, maar de verleidelijke welvingen van haar lichaam niet konden verbergen.

Ze glimlachte en haar tanden glinsterden tussen de volle, gestifte lippen. 'Dag meneer Fabel... Ik hoop dat ik niet stoor.'

Fabel kwam half overeind. Heel even herkende hij het gezicht zonder er een naam aan te kunnen hangen. Toen wist hij het weer. 'Sonja... Sonja Brun... Hoe is het met je? Alsjeblieft...' Hij wees naar de stoel tegenover hem. 'Ga zitten, alsjeblieft.'

'Nee... nee, dank u.' Ze maakte een vaag gebaar naar een groepje vrouwen aan een andere tafel, dichter bij het raam. 'Ik ben hier met vriendinnen van het werk. Ik zag u zitten en wilde alleen maar even gedag zeggen.'

'Alsjeblieft, ga even zitten. Ik heb je al meer dan een jaar niet gezien. Hoe is het met je?'

'Goed. Prima zelfs. Het gaat heel goed op mijn werk. Ik heb promotie gekregen. Dat was het andere...' Sonja zweeg even. 'Ik wilde u nogmaals bedanken voor alles wat u voor me gedaan hebt.'

Fabel glimlachte. 'Dat is nergens voor nodig. Dat heb je al gedaan. Meer dan eens. Ik ben blij dat het goed voor je is uitgepakt.'

Sonja's gezicht werd ernstig. 'Het was meer dan goed uitpakken, meneer Fabel. Ik heb nu een nieuw leven. Een goed leven. Niemand weet over... nou ja, over het verleden. Dat dank ik aan u.'

'Nee, Sonja. Dat heb je aan jezelf te danken. Je hebt hard gewerkt om te bereiken wat je hebt.'

Er viel een pijnlijke stilte en toen kletsten ze even over Sonja's werk.

'Ik moet weer naar mijn vriendinnen. Birgit is jarig en we vieren het. Het was echt heel leuk u weer eens te zien.' Sonja glimlachte en stak haar hand uit.

'Het was leuk jou weer eens te zien, Sonja. En ik ben echt blij dat het goed met je gaat.' Ze gaven elkaar een hand, maar Sonja talmde even. Ze bleef glimlachen, maar leek niet goed te weten wat ze nu moest doen. Toen haalde ze een notitieboekje uit haar zak, schreef iets en gaf de bladzijde aan Fabel. 'Dit is mijn nummer... Voor het geval u ooit in de buurt bent...'

Fabel keek naar het papiertje. 'Sonja... ik...'

'Geeft niet...' zei ze glimlachend. 'Ik begrijp het. Maar bewaar het... voor het geval dat.'

Ze namen afscheid en Fabel keek haar na toen ze naar haar vriendinnen liep. Ze bewoog zich op haar lange, welgevormde benen met de katachtige elegantie die hij zich herinnerde. Sonja voegde zich weer bij haar vriendinnen en ze maakten een grap en lachten, maar ze draaide haar hoofd om en keek naar Fabel, hield zijn blik even vast voordat ze zich weer onderdompelde in de voorspelbare vrolijkheid van een avondje uit met collega's.

Hij keek opnieuw naar het papiertje en het in grote cijfers geschreven telefoonnummer.

Sonja Brun.

Fabel had haar ontmoet tijdens een zaak waarbij een moedige undercoveragent, Hans Klugmann, om het leven was gekomen. In het kader van zijn dekmantel was Klugmann bevriend geraakt met Sonja Brun, een levendig jong meisje dat betrokken was geraakt bij pornofilms en parttimeprostitutie. Klugmann had duidelijk iets meer voor Sonja gevoeld en had geprobeerd haar uit een vernederend en verwoestend leven te bevrijden. Na de dood van Klugmann had Fabel een stilzwijgende belofte aan een overleden collega gedaan: diens werk afmaken en Sonja helpen om te ontsnappen uit Hamburgs beruchte halfwereld van zedeloosheid en corruptie.

Fabel had zijn contacten gebruikt om voor Sonja een huurflatje te vinden aan de andere kant van de stad en een baan in een kledingwinkel. Hij had gegevens opgevraagd over cursussen die ze kon volgen en korte tijd later was Sonja bij een rederij gaan werken.

Kleine stapjes, maar ze hadden haar leven veranderd op een moment waarop ze nog dieper had kunnen zinken door toe te geven aan haar verdriet om het verlies van een geliefde en de woede over de ontdekking dat ze een leven van leugens had geleid. Hij was blij dat ze tot rust was gekomen en erin was geslaagd haar verleden zo ver achter zich te laten.

Toen ze hem haar nummer gaf, wist Fabel onmiddellijk dat hij het zou verscheuren en in de asbak gooien zodra ze weg was, maar hij merkte dat hij naar het papiertje zat te staren en een ogenblik overwoog wat hij ermee aan moest. Toen vouwde hij het dubbel en stopte het in zijn portefeuille.

Fabel had zijn koffie net op toen zijn gsm overging. Het ergerde hem dat hij vergeten was hem uit te zetten. Hij had vaak het gevoel dat hij niet in de pas liep met de moderne wereld; mobiele telefoons in restaurants en bars waren een van de vele opdringerigheden van het leven in de eenentwintigste eeuw die hij onverdraaglijk vond. Gedurende de hele maaltijd, terwijl hij alleen zat te eten, had hij een hol gevoel gehad. Hij wist dat het verband hield met de ontmoeting met Sonja en haar nieuwe leven. Het deed hem aan Kristina Dreyer denken. Misschien had ze de plaats delict inderdaad schoongemaakt om het universum van orde en stiptheid dat ze om zich heen had geschapen te handhaven.

Fabel beantwoordde zijn gsm.

'Hoi, Jan, met mij.' Fabel herkende Werners stem. 'Had mijn advies om je vakantie met het weekend te verlengen maar opgevolgd...'

De meeste lichten waren nu uit, maar een centrale schijnwerper scheen als een volle maan neer op de maquette die het hele tafelblad in beslag nam. Paul Scheibe keer ernaar. Hij kreeg nog altijd vlinders in zijn buik van trots telkens als hij deze driedimensionale afbeelding zag van zijn visioen. Zijn gedachten, zijn verbeeldingskracht, in tastbare vorm gegoten, al was het dan een miniatuurvorm. Maar binnenkort, heel binnenkort, zouden zijn concepten in hoofdletters op het aangezicht van de stad geschreven staan. Zijn ontwerp voor *KulturZentrumEins* – Cultureel Centrum Een – aan de Magdeburger Hafen zou het pronkstuk worden van het Überseequartier van HafenCity. Zijn monument, in het hart van de nieuwe HafenCity. Het zou niet onderdoen voor de visuele impact van het nieuwe concert- en operagebouw aan *Kaispeicher A* en kunnen concurreren met de elegantie van de *Strandkai Marina*.

Met de bouw ervan zou in 2007 worden begonnen, als zijn voorstel door de Senaat werd goedgekeurd en door de jury geselecteerd. Er waren natuurlijk meer voorstellen ingediend, maar Scheibe wist met absolute zekerheid dat ze geen van alle een kans hadden tegen de stoutmoedigheid en innovatieve kracht van zijn visioen. Tijdens persconferenties had hij de concurrerende voorstellen voor de grap beschreven als ontwerpen voor voetgangersgebieden. Hij doelde daarbij natuurlijk niet op de functie van het gebied, maar op de prozaïsche kwaliteiten van zijn concurrenten.

De party voorafgaande aan de presentatie had niet beter kunnen verlopen. De pers was massaal uitgerukt en de aanwezigheid van de burgemeester van Hamburg, Hans Schreiber, van de senator voor Milieu Müller-Voigt en verscheidene andere belangrijke leden van de Senaat hadden het belang van het project onderstreept. En de publieke presentatie zou pas over twee dagen plaatsvinden.

Nu was Scheibe alleen, al zijn gasten waren vertrokken, en hij keek in gedachten verzonken naar zijn voor hem uitgestalde visioen. De al in gang gezette gebeurtenissen zouden ervoor zorgen dat zijn ideeën tastbare werkelijkheid zouden worden. Over enkele jaren zou hij op een oeverpromenade staan en omhoogkijken naar kunstgaleries, een theater, performanceruimten en een concertzaal. En iedereen die het zag, zou perplex staan over zijn gedurfdheid, zijn visionaire kracht, zijn pure schoonheid. Niet één gebouw en toch geen afzonderlijke bouwwerken. Elke ruimte, elke vorm, zou organisch verbonden zijn, zowel qua architectuur als qua functie. Als afzonderlijke maar even belangrijke organen zouden alle elementen samengaan met de andere om het geheel leven en energie te geven. En allemaal zodanig ontworpen dat het nauwelijks invloed had op het milieu.

Het zou een triomf zijn van ecologische architectuur en ingenieurskunde. Maar bovenal zou het een getuigenis zijn van Scheibes radicalisme. Hij nam een stevige slok uit zijn glas barolo.

'Ik dacht wel dat ik je hier nog zou vinden.' De stem was die van een man. Hij sprak vanuit de schaduwen bij de deuropening.

Scheibe draaide zich niet om, maar zuchtte. 'En ik dacht dat je weg zou zijn. Wat is er? Kan het niet tot morgen wachten?'

Er klonk een ritselend geluid en een opgevouwen exemplaar van de *Hamburger Morgenpost* zeilde de lichtkring binnen en stortte neer op het miniatuurlandschap. Scheibe griste de krant naar zich toe, boog zich voorover en inspecteerde of de maquette beschadigd was.

'In godsnaam, man, doe voorzichtig.'

'Kijk op de voorpagina...' De stem sprak op een kalme, gelijkmatige toon. De man kwam nog steeds niet uit de schaduwen naar voren.

Scheibe vouwde de krant open. De voorpaginafoto toonde de reusachtige Airbus 800 tijdens zijn eerste vlucht, gefotografeerd terwijl hij over *Der Michel* vloog, de spits van de St. Michaeliskerk. Een kop verkondigde dat honderdvijftigduizend trotse Hamburgers waren uitgelopen om de vlucht te zien.

Scheibe draaide zich om naar de schaduwen en haalde zijn schouders op.

'Nee... kleiner artikel, onderaan...'

Scheibe vond het. De dood van Hans-Joachim Hauser had slechts een krantenkop in een kleiner lettertype gehaald: *Radicaal en ecostrijder jaren zeventig vermoord aangetroffen in appartement in Schanzenviertel*. Het artikel vermeldde de weinige dingen die de pers wist over het overlijden en belichtte vervolgens Hausers carrière. De *Morgenpost* had het nodig gevonden Hausers relaties met andere, gedenkwaardiger figuren van extreem-links te gebruiken om hem te beschrijven. Het was alsof hij alleen achteraf bestond. Vanaf het midden van de jaren negentig was er weinig meer te melden.

'Is Hans dood?' vroeg Scheibe.

'Meer dan dat... Hans is vermoord. Hij is eerder op de dag gevonden.'

Scheibe draaide zich om. 'Denk je dat het iets te betekenen heeft?'

'Natuurlijk betekent het iets, idioot.' Er klonk weinig boosheid in de stem van de man in de schaduwen, eerder irritatie, alsof zijn lage dunk van zijn gesprekspartner was bevestigd. 'Het zou toeval kunnen zijn dat een van ons een gewelddadige dood is gestorven, maar we moeten er zeker van zijn dat er geen verband bestaat met... nou ja, ons vorige leven, is waarschijnlijk de beste benaming.'

'Weten ze wie het gedaan heeft? Hier staat dat ze iemand gearresteerd hebben.'

'Mijn officiële contacten op het hoofdbureau wilden niet meer zeggen dan dat het onderzoek nog in een vroeg stadium is.'

'Maak je je zorgen?' Scheibe stelde zijn vraag anders. 'Moet ik me zorgen maken?'

'Het hoeft niets te betekenen. Hans was een tamelijk promiscue homo, zoals je weet. Het is soms een lugubere wereld, daar tussen onze matrasverslaafde makkers.'

'Ik had je nooit voor een reactionaire homohater aangezien... Je houdt die kant van je persoonlijkheid goed verborgen voor de pers.'

'Bespaar me je politieke correctheid. Laten we hopen dat het verband houdt met zijn manier van leven... iets willekeurigs.' De man in de schaduwen zweeg even. Voor het eerst klonk hij minder zeker van zichzelf. 'Ik heb contact gehad met de anderen.'

'Heb je de anderen gesproken?' Scheibes toon hield het midden tussen verbijstering en woede. 'Maar we hadden afgesproken... Jij en ik, onze wegen moesten elkaar wel kruisen... maar de anderen heb ik meer dan twintig jaar niet meer gezien. We hebben afgesproken dat we nooit contact met elkaar zouden opnemen.' Scheibes blik gleed verwilderd over de verfijnde, fragiele topografie van het *KulturZentrumEins*, alsof hij zichzelf gerust wilde stellen dat het niet oploste, in rook opging terwijl hij sprak. 'Ik wil niets met ze te maken hebben. Of met jou. Helemaal niets. Zeker nu niet...'

'Luister, zelfingenomen lulletje... Je dierbare project stelt niets voor. Het is volslagen onbelangrijk, niets meer dan een oninteressante uitdrukking van je middelmatige eigendunk en burgerlijke ijdelheid. Je denkt toch niet dat iemand geïnteresseerd zal zijn in die troep als er iets over jou uitkomt? Over ons? En onthou waar je prioriteiten liggen. Je bent er nog steeds bij betrokken. Je volgt nog steeds mijn bevelen op.'

Scheibe smeet de krant op de grond en nam een grote, te snelle slok van zijn barola. Hij snoof minachtend. 'Je wilt me toch niet vertellen dat je nog steeds gelooft in dat gezeik?'

'Dit heeft niets meer met geloven te maken, Paul. Dit heeft met overleven te maken. Ons leven. We hebben niet veel voor de "revolutie" gedaan, toch? Maar we hebben genoeg gedaan... Genoeg om onze carrières te verwoesten als het nu aan het licht zou komen.'

Scheibe staarde in zijn glas en liet wat er van zijn wijn over was peinzend in het rond draaien. 'De "revolutie"... mijn god, dachten we écht dat dat de manier was? Ik bedoel, je hebt gezien hoe het in Oost-Duitsland was voordat de Muur viel... Was dat echt waar we voor vochten?'

'We waren jong. We waren andere mensen.'

'We waren stom.'

'We waren idealistisch. Van jou weet ik het niet, maar de rest van ons vocht tegen het fascisme. Tegen burgerlijke zelfingenomenheid en hetzelfde ongebreidelde, gevoelloze kapitalisme dat heel Europa, heel de wereld verandert in een themapark naar Amerikaans voorbeeld.'

'Luister je weleens naar jezelf? Je bent een parodie op jezelf... en het valt me op dat je het kapitalisme zelf tamelijk enthousiast hebt omhelsd. En ik draag mijn steentje bij...' Scheibe liet zijn blik weer over de maquette glijden. 'Op mijn manier. Maar goed, ik ben niet geïnteresseerd in een politieke discussie met jou. Waar het om gaat, is dat het waanzin is dat we na al die jaren contact met elkaar hebben.'

'Tot we weten wat er achter de dood van Hans-Joachim zit, zullen we op onze hoede moeten zijn. Misschien hebben de anderen de laatste tijd iets... ongewoons gemerkt.'

Scheibe draaide zich om. 'Denk je echt dat we gevaar kunnen lopen?'

'Snap je het dan echt niet?' De andere man ergerde zich weer. 'Zelfs als de dood van Hans niets met vroeger te maken heeft, is het nog steeds een moord. En moord betekent politie die rondsnuffelt. Hans-Joachims verleden oprakelt. Een verleden wat wij met hem deelden. En dat brengt ons allemaal in gevaar.'

Scheibe zweeg even. Toen hij sprak, was het aarzelend, alsof hij bang was iets uit een lange slaap te wekken. 'Denk je... Kan dit te maken hebben met wat er al die jaren geleden is gebeurd? Dat met Franz?'

'Meld het nou maar als je iets ongewoons merkt.' De man in de schaduw liet Scheibes vraag onbeantwoord. 'Ik neem weer contact op. Tot die tijd: veel plezier met je speeltje.'

Scheibe hoorde de deur van de vergaderzaal dichtknallen. Hij dronk zijn glas leeg en inspecteerde nogmaals de maquette op het ronde tafelblad, maar in plaats van een radicaal toekomstvisioen zag hij slechts een zooitje wit karton en balsahout.

22.00 UUR, MARIENTHAL, HAMBURG

Doctor Gunter Griebel keek Fabel ongeïnteresseerd aan over de leesbril die bijna op het puntje van zijn lange, smalle neus stond. Hij bekeek Fabel vanuit zijn leren fauteuil, met zijn ene hand op een studieboek op zijn schoot, de andere op de armleuning. Doctor Griebel was een man van tegen de zestig wiens lange lichaam de hoekige slungeligheid van zijn jeugd had behouden, maar de laatste tijd rond het middel wat corpulent was geworden, alsof twee niet bij elkaar passende gestalten waren samengevoegd. Hij was gekleed in een geruit overhemd, een grijs wollen vest en een grijze slobberbroek. Die allemaal, net als de stoel en het studieboek op zijn schoot, onder de bloedspatten zaten.

Doctor Griebel zag er op het eerste gezicht uit alsof hij zo verdiept was geweest in het studieboek op zijn schoot, dat hij niet gemerkt had dat iemand zijn keel met een vlijmscherp mes had doorgesneden. Hij had zich schijnbaar evenmin laten afleiden toen zijn aanvaller een snede dwars over zijn voorhoofd en rondom zijn hoofd had gemaakt en de scalp van zijn schedel had gerukt.

Onder de blinkende koepel van zijn blootgelegde schedeldak vertoonde Griebels lange, magere gezicht geen enkele uitdrukking, net zomin als zijn ogen. Er was wat bloed op het rechterglas van zijn bril gespat, als een bloedmonster op een objectglaasje.

'Weduwnaar.' Werner, die achter Fabel stond, vatte de burgerlijke staat van het lijk samen. 'Woonde hier alleen sinds de dood van zijn vrouw zes jaar geleden. Een of andere wetenschapper, blijkbaar.'

Fabel nam het vertrek in zich op. Afgezien van Fabel, Werner en wijlen doctor Griebel was er een team van vier forensisch technici onder leiding van Holger Brauner. Griebels huis was een van de aanzienlijke maar niet pretentieuze villa's in de wijk Nöpps van Marienthal: degelijke Hamburgse welstand gecombineerd met een strenge trek van Noord-Duitse lutherse bescheidenheid. Dit vertrek was meer dan een studeerkamer. Het had het praktische, georganiseerde van een vaste werkplek. Behalve de boeken tegen de muren en de computer op het bureau stonden er in de verst afgelegen hoek twee duur uitziende microscopen, duidelijk voor professioneel gebruik. Naast de microscopen stonden enkele andere instrumenten die, hoewel Fabel geen idee had waar ze voor dienden, eveneens serieuze wetenschappelijke spullen leken.

Maar het pronkstuk in de kamer was van zeer recente datum. Er was nauwelijks een stukje muur waar geen boeken tegen stonden, dus had de moordenaar Griebels scalp maar aan de planken van een boekenkast gespijkerd, van waaraf het bloed op de houten vloer druppelde. Griebels hoofd was bovenop blijkbaar al kaal aan het worden en de scalp was even veel huid als haar. Hij was even felrood geverfd als die van Hans-Joachim Hauser, maar door het dun wordende haar nog walgelijker om te zien.

'Hoe laat is hij vermoord?' vroeg Fabel aan Holger Brauner, met zijn blik nog op de scalp gericht.

'Ook daarop krijg je het definitieve antwoord van Möller, maar ik denk dat deze heel vers is. Een paar uur, op zijn hoogst. De oogleden en de onderkaak vertonen de eerste sporen van lijkverstijving, maar zijn knokkels, die meteen daarna aan de beurt zijn, zijn nog soepel. Een paar uur of korter dus. En de overeenkomsten met de moord in het Schanzenviertel zijn overduidelijk... Ik heb de aantekeningen van Frank Grueber doorgenomen.'

'Wie heeft er alarm geslagen?' Fabel wendde zich tot Werner.

'Een vriend. Ook weduwnaar, blijkbaar. Ze komen elke vrijdagavond bij elkaar. Gaan om beurten naar het huis van de ander. Toen hij arriveerde, stond de deur op een kier.'

'Het lijkt erop dat hij onze man gestoord heeft. Heeft hij iemand gezien toen hij aankwam?'

'Niet dat hij weet, maar hij is er beroerd aan toe. Een man van in de zestig. Een gepensioneerd ingenieur met hartproblemen. Deze vondst,' Werner knikte in de richting van Griebels verminkte lichaam, 'heeft hem diep geschokt. Er is een dokter die hem onderzoekt, maar ik denk dat het wel even zal duren voordat we een verstandig woord uit hem krijgen.'

Fabel werd een ogenblik afgeleid door de gedachte dat iemand zestig jaar kon worden zonder de gruwelen te ontmoeten die in Fabels leven schering en inslag waren. De gedachte vervulde hem van een soort matte verbazing en enige afgunst.

Maria Klee kwam de studeerkamer binnen. De manier waarop haar blik naar het gescalpeerde lichaam werd getrokken, herinnerde Fabel eraan dat ze bijna gehypnotiseerd was geweest door de verminkingen van Hauser. Maria was altijd tamelijk nuchter geweest als ze een moordslachtoffer onderzocht, maar Fabel had een subtiele verandering opgemerkt in haar gedrag op een plaats delict, vooral wanneer er messteken bij kwamen kijken. En die verandering was pas merkbaar geworden sinds ze haar werk had hervat nadat ze van haar verwondingen was hersteld. Maria scheurde haar blik los van het lijk en wendde zich tot Fabel.

'De uniformdienst heeft een buurtonderzoek gedaan,' zei ze. 'Niemand heeft vandaag of vanavond ongebruikelijke dingen of personen gezien. Maar dat is niet verrassend, gezien de grootte van deze huizen en het feit dat ze tamelijk ver uit elkaar liggen.'

'Geweldig...' mompelde Fabel. Het was frustrerend zo kort na de moord aan te komen en een vers spoor koud te zien worden.

'Een schrale troost misschien, maar één ding staat nu vast,' zei Werner. 'Kristina Dreyer heeft ons de waarheid verteld. Ze zit nog in hechtenis, dus zij kan dit niet gedaan hebben.'

Fabel keek toe terwijl het forensisch team het lichaam langzaam en methodisch begon te onderzoeken op sporen. 'Een wel heel schrale troost,' zei hij mat. 'Het feit is dat er iemand rondloopt die scalpen neemt.'

4

Fabel wist dat het belangrijk was zodra hij zijn baas, commissaris van de recherche Horst van Heiden, aan de telefoon hoorde. Het feit dat hij Fabel thuis belde, was op zichzelf al voldoende om alarmbellen te laten rinkelen; dat van Heiden inbreuk maakte op zijn zaterdag maakte het echt serieus. Fabel was pas om drie uur 's nachts thuisgekomen en had nog een uur wakker gelegen en geprobeerd de beelden van twee verminkte hoofden uit zijn uitgeputte brein te verjagen. Van Heidens telefoontje had hem uit een diepe slaap gewekt. Hij had er dan ook enkele seconden voor nodig om zijn door de slaap verspreide geestelijke vermogens te verzamelen en te begrijpen wat Van Heiden hem vertelde.

De man die de vorige avond was vermoord, doctor Gunter Griebel, was blijkbaar een van die anonieme wetenschappers geweest die niet de fantasie of zelfs maar de aandacht van het publiek prikkelen, maar wier werk op een of ander ondoorgrondelijk wetenschappelijk terrein onze manier van leven volkomen kan veranderen.

'Hij was geneticus,' legde Van Heiden uit. 'Wetenschap is helaas niet mijn ding, Fabel, dus ik kan je echt niet vertellen wat Griebel precies deed, maar hij was blijkbaar werkzaam op een terrein van de genetica dat verstrekkende gevolgen kon hebben. Griebel heeft al zijn onderzoekingen uiteraard vastgelegd, maar desondanks zal zijn dood tot gevolg hebben dat een heel terrein van onderzoek – heel belangrijk onderzoek – tien jaar terug wordt gezet.'

'En u weet niet wat voor gebied dat was?' vroeg Fabel. Hij snapte wel dat Van Heiden zei dat 'wetenschap niet zijn ding' was. Niets was commissaris Van Heiden zijn ding, behalve rechtlijnig politiewerk, de meer bureaucratische kant van het politiewerk nog wel.

'Ze hebben het me wel verteld, maar het ging het ene oor in en het andere weer uit. Heeft iets met genetische erfelijkheid te maken, wat dat ook mag zijn. Het enige wat ik wél weet is dat de pers er al behoorlijk opgewonden over doet. Blijkbaar zijn de details van de modus operandi naar de media gelekt... dat scalpeergedoe.'

'Niet door iemand van mijn team,' zei Fabel. 'Dat kan ik u garanderen.'

'Nou, íemand heeft het gelekt.' Van Heidens toon suggereerde dat hij niet volledig overtuigd was van Fabels verzekering. 'Hoe dan ook, ik wil dat je er vaart achter zet. Griebels dood is blijkbaar een groot verlies voor de wetenschap en dat betekent dat er politieke druk wordt uitgeoefend. Plus dat het eerste slachtoffer enige politieke bekendheid genoot.'

'Uiteraard geef ik deze zaak voorrang,' zei Fabel zonder zijn ergernis te verhullen over het feit dat Van Heiden het blijkbaar noodzakelijk vond hem een duwtje te geven. 'En dat heeft niets met de status van de slachtoffers te maken. Als het verschoppelingen geweest waren, zou ik de zaak met dezelfde urgentie behandelen. Waar ik me de meeste zorgen over maak, is dat er kort achter elkaar twee moorden zijn gepleegd, waarbij de verminking van de lichamen wijst op een psychose.'

'Hou me op de hoogte van de vorderingen, Fabel.' Van Heiden hing op.

Fabel had tegen Susanne gezegd dat hij de halve avond zou blijven werken, dus ze was niet naar zijn appartement gekomen. Ze troffen elkaar voor de lunch in de *Friesenkeller* vlak bij de Rathausmarkt, het grote plein van Hamburg. Hoewel Susanne de psycholoog was met wie Fabel zou samenwerken om een daderprofiel op te stellen, zwegen ze over de zaak; ze hadden een onuitgesproken stelregel dat ze hun professionele en hun persoonlijke relatie strikt gescheiden hielden. Ze praatten wat over hun vakantie op Sylt, over teruggaan voor Lex' verjaardag en over de komende verkiezingen.

Na de lunch begaf Fabel zich naar het hoofdbureau. Hij had een teambijeenkomst belegd en iedereen van zijn of haar weekend teruggeroepen. Holger Brauner en Frank Grueber kwamen de vergaderzaal binnen, kort nadat Fabel was gearriveerd. Het deed Fabel goed dat de twee hoogste forensische technici de tijd hadden genomen om aanwezig te zijn. Brauner had twee zakken met forensisch materiaal bij zich, wat Fabel de hoop gaf dat er op de tweede plaats delict iets waardevols was gevonden.

Het informatiebord werd snel opgesteld, met foto's van de twee slachtoffers, foto's van toen ze nog leefden en foto's van na hun dood op de plaatsen delict. Maria had een korte levensbeschrijving van beide slachtoffers gemaakt. Hoewel ze ongeveer even oud waren geweest, waren er geen aanwijzingen dat hun wegen elkaar ooit hadden gekruist.

'Hans-Joachim Hauser heeft indertijd enige publieke bekendheid genoten.' Maria wees naar een van de foto's op het bord. Hij was eind jaren zestig genomen; een jonge, meisjesachtige Hauser met ontbloot bovenlijf en lange, golvende haren tot op zijn blote schouders. De foto moest ongedwongen overkomen, maar was in scène gezet, geposeerd. Fabel realiseerde zich dat de jonge, arrogante Hauser met deze foto iets had willen zeggen, naar iets verwijzen: hij deed opzettelijk denken aan de foto van Gustav Nagel, de negentiende-eeuwse goeroe, die Fabel in Hausers appartement had gezien. Er lag een wrede ironie in het contrast tussen de waterval van donker haar op de foto van de jongeman en de foto ernaast, van de dode, gescalpeerde, middelbare Hauser.

'Gunter Griebel daarentegen,' ging Maria verder terwijl ze aan zijn kant van het bord ging staan, 'probeerde de schijnwerpers blijkbaar te vermijden. De kennissen met wie we hebben gesproken, onder wie zijn baas, die ik aan de telefoon heb gehad, zeggen allemaal dat hij zelfs een hekel had aan het maken van foto's voor tijdschriften of academische gebeurtenissen. Het lijkt er dus op dat afgunst op Hausers roem niet het motief van de moordenaar was.'

'Is er iets wat erop wijst dat Griebel mogelijk homo was?' vroeg Henk Hermann. 'Ik weet dat hij onlangs weduwnaar was geworden, maar aangezien het eerste slachtoffer openlijk homoseksueel was, vroeg ik me af of we misschien te maken hebben met een seksueel of homofoob motief.'

'We hebben tot dusver helemaal niets gevonden wat daarop wijst,' zei Maria, 'maar we trekken de achtergrond van de slachtoffers nog na. En als Griebel heimelijk homoseksueel was, heeft hij het uiteraard geheim gehouden en komen we er misschien nooit achter.'

'Maar je hebt gelijk, Henk... Het is een lijn die we moeten volgen.' Fabel was erop gespitst de positieve bijdrage van zijn nieuwste teamlid te prijzen. Hij voegde zich bij Maria bij het bord en bestudeerde de details van de twee mannen, de foto's van toen ze nog leefden en van na hun dood. De enige van Griebel toen hij nog leefde, was een uitvergroting van een groepsfoto van de staf. Hij stond stijf tussen twee collega's in witte jas en zijn onbehagen was duidelijk merkbaar aan zijn opgelaten houding en zijn gespannen uitdrukking. Fabel concentreerde zich op het korrelige detail van hetzelfde lange, smalle gezicht met de bril in wankel evenwicht dat hem had aangestaard onder een blootgelegde schedel. Waarom voelde Griebel zich zo slecht op zijn gemak tegenover een camera?

Zijn gedachtegang werd onderbroken door Holger Brauner. 'Ik denk dat we het over de forensische aanwijzingen moeten hebben,' zei Brauner. 'Of beter gezegd: het ontbreken daarvan. Daarom zijn Grueber en ik gekomen. Ik denk dat dit jullie wel zal interesseren.'

'Als je ontbreken van forensische aanwijzingen zegt, bedoel je de eerste moord, neem ik aan. Die waar Kristina Dreyer alle bewijzen heeft vernietigd?'

'Dat is het hem nou net, Jan,' zei Brauner. 'Het geldt voor beide plaatsen delict. De moordenaar weet blijkbaar hoe hij zijn forensische aanwezigheid moet verbergen... afgezien van wat hij wíl dat we vinden.'

'En dat is?'

Brauner legde de twee zakken op de vergadertafel. 'Zoals je al zei, Kristina Dreyer vernietigde alle sporen op de eerste plaats delict, op deze ene rode haar na.' Hij schoof een van de zakjes over de tafel. 'Maar ik vermoed dat er niets te vernietigen viel. Ook op de tweede plaats delict hebben we niets kunnen vinden, en we weten dat die vers en onaangeroerd was. Het is nagenoeg onmogelijk om ergens te zijn zonder forensische aanwijzingen achter te laten. Dat wil zeggen, tenzij hij of zij zich veel moeite getroost om zijn aanwezigheid te verbergen. En dan nog: hij zou moeten weten wat hij doet.'

'En dat weet onze moordenaar?'

'Daar lijkt het wel op. We hebben slechts één aanwijzing gevonden die we niet kunnen koppelen aan de plaats of het slachtoffer.' Brauner schoof het tweede zakje over de tafel. 'En dat is dit... een tweede haar.'

'Maar dat is prima,' zei Maria. 'Als die haren overeenkomen, betekent dat dat we bewijs hebben dat de twee moorden verband houden. En een DNA-profiel. De moordenaar heeft blijkbaar een steek laten vallen.'

'O, die twee haren komen overeen,' zei Brauner. 'Het punt is, Maria, dat deze haar precíes even lang is als de eerste. En dat er aan geen van beide een haarzakje zit. Ze zijn niet alleen afkomstig van hetzelfde hoofd, ze zijn er op precies hetzelfde moment afgeknipt.'

'Geweldig...' zei Fabel. 'We hebben een handtekening...'

'Dat is nog niet alles...' zei Frank Grueber, Brauners plaatsvervanger. 'De twee haren zijn inderdaad op hetzelfde moment van hetzelfde hoofd geknipt... maar dat moment was tussen twintig en veertig jaar geleden.'

5

Fabel stond alleen in de achtertuin van de villa van wijlen doctor Griebel en tuurde met zijn lichtblauwe ogen tegen de felle zon in. Het huis was wit geschilderd en bestond uit drie verdiepingen onder een groot dak met rode pannen dat aan beide kanten afdaalde tot de benedenverdieping. Het werd geflankeerd door huizen die er qua ontwerp nauwelijks van verschilden. Achter Fabel stond nog zo'n rij even indrukwekkende villa's, met de achterkant en de tuin naar hem toe.

Griebels tuin bestond uit een gazon met wat dichte struiken en enkele bomen die een gedeeltelijke beschutting boden. Maar er keken andere huizen op uit. De moordenaar was niet hierlangs gekomen. Maar de voorkant en de beide zijgevels boden nog minder mogelijkheden om in te breken, tenzij de moordenaar even bekwaam was in inbreken als in moorden zonder sporen achter te laten. En Brauner en zijn team hadden noch hier noch in het appartement van Hans-Joachim sporen van braak gevonden.

'Ze hebben je binnengelaten,' zei Fabel tegen de verlaten tuin, tegen de geest van een allang verdwenen moordenaar. Hij liep doelgericht om het huis heen en bleef staan bij de voordeur, die met stroken rood-wit politielint was afgezet en waarop een politiemededeling hing dat de toegang verboden was. 'Niemand heeft je gezien. Dat betekent dat Griebel je snel heeft binnengelaten. Verwachtte hij je? Had je hier met hem afgesproken?'

Fabel pakte zijn mobiele telefoon, drukte de voorkeuzetoets van de moordbrigade in en kreeg Anna Wolff aan de lijn.

'Ik moet Griebels telefoongegevens over de afgelopen maand hebben. Alles wat we te pakken kunnen krijgen. Thuis, werk, gsm. Ik wil de namen en adressen hebben van iedereen met wie hij heeft gebeld. Begin met vorige week. En ik wil dat Henk hetzelfde doet met Hausers telefoongegevens.'

'Oké, chef, we gaan ermee aan de slag,' zei Anna. 'Kom je terug naar het bureau?'

'Nee. Ik heb vanmiddag een afspraak met Griebels collega's. Vorderen Maria en Werner een beetje met de zaak-Hauser?'

'Niks over gehoord, chef. Ze zijn nog in het Schanzenviertel. Ik vroeg of je nog komt omdat er een zekere doctor Severts voor je heeft gebeld.'

'Severts?' Fabel dacht even na, herinnerde zich toen de lange, jonge archeoloog wiens huid, haren en kleren allemaal afgestemd leken op de aarde waarin hij werkte. Het was pas drie dagen geleden dat Fabel had staan kijken naar het gemummificeerde lichaam van een man, verstard in een moment dat meer dan zestig jaar geleden was voorbijgegaan. En het was pas vier dagen geleden dat Fabel in het restaurant van zijn broer op Sylt zat en met Susanne zorgeloos over koetjes en kalfjes praatte.

'Hij vroeg of je hem op de universiteit kunt ontmoeten.' Anna gaf Fabel het mobiele nummer van Severts.

'Oké, ik zal hem bellen. Begin jij intussen aan die telefoongegevens.'

'Tussen haakjes,' zei Anna, 'heb je vanmorgen de kranten gelezen?'

Fabel voelde zich al bij voorbaat moedeloos worden. 'Nee... hoezo?'

'Ze schijnen heel wat informatie te hebben over de plaatsen delict. Ze weten alles over de haarverf en dat de slachtoffers gescalpeerd waren.' Anna zweeg even en voegde er toen aarzelend aan toe: 'En ze hebben onze scalpeerder een naam gegeven. *Der Hamburger Haarschneider.*'

'Fantastisch. Zonder meer fantastisch, verdomme...' zei Fabel en hij hing op.

'De Hamburgse Haarsnijder.' De perfecte naam om de hele Hamburgse bevolking de stuipen op het lijf te jagen.

13.45 UUR, BLANKENESE, HAMBURG

Scheibe legde de hoorn op de haak. Het commissielid dat belast was met het overbrengen van het goede nieuws, was blijkbaar verbaasd geweest over Scheibes reactie. Of het uitblijven daarvan. Scheibe was beleefd, ingetogen geweest, bijna bescheiden. Iedereen die de van zichzelf vervulde Paul Scheibe ook maar enigszins kende, zou verbaasd zijn geweest over zijn matte reactie op het nieuws dat zijn ontwerp voor *KulturZentrumEins* de architectuurwedstrijd voor het Überseequartier had gewonnen.

Maar voor Paul Scheibe was deze triomf die een paar dagen geleden nog de kroon op zijn carrière zou hebben geleken, een vaag, dof gevoel ergens diep in zijn ingewanden. Een bittere overwinning, een kwelling bijna, gezien de huidige situatie. Scheibe werd te zeer verteerd door een meer onmiddellijke, meer elementaire emotie – angst – om zelfs maar enthousiasme te veinzen.

Hij was onderweg geweest naar zijn villa in Blankenese toen hij het nieuws op de NDR hoorde. Gunter. Gunter was dood. Scheibe had zo hard geremd toen hij zijn Mercedes naar de kant van de weg had gestuurd dat de auto's achter hem hadden moeten uitwijken om hem niet te raken en de bestuurders hadden geclaxonneerd en woeste gebaren gemaakt. Maar Scheibe was zich niet bewust geweest van wat er om hem heen gebeurde. Zijn universum was gevuld door één ding dat al het andere verteerde als een exploderende zon: doctor Gunter Griebel, een geneticus die in Hamburg werkte, was vermoord in zijn huis in Marienthal. De rest van het verslag spoelde over hem heen: zegslieden bij de politie weigerden te bevestigen dat Griebel was vermoord op een soortgelijke manier als Hans-Joachim Hauser, de milieuactivist wiens lichaam afgelopen vrijdag was gevonden.

Ze waren met zijn zessen geweest. Nu waren ze met zijn vieren.

Paul Scheibe stond in de keuken van zijn huis, met zijn hand nog op de wandtelefoon, en staarde met wezenloze blik naar zijn tuin, zonder iets te zien. Hij keek toe terwijl er een zwakke bries opstak en het zonlicht danste op de takken en bloedrode bladeren van de esdoorn die hij zo zorgvuldig had gekweekt en verzorgd. Maar hij zag niets anders dan zijn eigen naderende dood. Toen, alsof hij een stroomstoot had gekregen, pakte hij de telefoon en toetste een nummer in. Er werd opgenomen door een vrouw en hij noemde de naam van degene met wie hij doorverbonden wilde worden. Een mannenstem wilde iets zeggen, maar Scheibe viel hem in de rede.

'Gunter is dood. Eerst Hans, nu Gunter... dit is geen toeval...' Zijn stem beefde van emotie. 'Dit kan geen toeval zijn... Iemand heeft het op ons gemunt. Ze vermoorden ons een voor een.'

'Hou je mond!' siste de stem aan de andere kant. 'Verdomde stommeling... Hou je bék. Ik neem later op de middag contact op. Of vanavond. Blijf waar je bent... en doe niets, praat met niemand. En hang nu op.'

De kiestoon zoemde luid en indringend in Scheibes oor. Langzaam legde hij de hoorn neer. Zijn hand zweefde boven het toestel en hij staarde ernaar. Hij trilde hevig. Scheibe leunde voorover tegen het marmeren werkblad en zijn hoofd zakte voorover. Voor het eerst in twintig jaar huilde Paul Scheibe.

14.30 UUR, UNIVERSITAIR MEDISCH CENTRUM, HAMBURG-EPPENDORF, HAMBURG

Fabel had geen moeite om de genetische faculteit te vinden waar Griebel had gewerkt. Ze was gevestigd in hetzelfde complex waarin ook het Instituut voor Gerechtelijke Geneeskunde en de Psychiatrische en Psychotherapeutische Kliniek zaten waar Susanne werkte. Het Universitair Medisch Centrum vormde het hart van alle klinische en biomedische research in Hamburg en vele van de belangrijkste medische functies van de stad. Fabel had er voornamelijk mee te maken via de wereldberoemde forensische faculteit. Die was in de loop der jaren steeds verder uitgebreid en strekte zich nu als een zelfstandige kleine stad uit ten noorden van de Martinistrasse.

Professor Von Halen, het hoofd van de faculteit, wachtte al op Fabel bij de receptie. Von Halen was veel jonger dan Fabel had verwacht en beantwoordde niet aan Fabels idee van een geleerde. Misschien vanwege het stereotype beeld dat in Fabels hoofd zat, misschien vanwege de foto waarvoor Griebel met zoveel tegenzin had geposeerd, had Fabel verwacht dat Von Halen een witte laboratoriumjas zou dragen, maar hij was gekleed in een duur uitziend kostuum en een iets te opzichtige das. Toen hij Fabel voorging door de deur van de receptie, verwachtte hij min of meer dat Von Halen hem naar een showroom vol dure Mercedessen zou brengen. Maar zijn vooropgezette mening werd bevestigd toen hij door een laboratorium en een reeks kantoren werd geleid waar alle aanwezigen gekleed waren in de gepaste witte jassen. Fabel merkte ook op dat de meesten van hen hun bezigheden onderbraken en hem bekeken toen hij passeerde. Het nieuws over Griebels dood had blijkbaar al de ronde gedaan of Von Halen had een officiële verklaring afgelegd.

'Het was voor iedereen hier een enorme schok.' Het was alsof Von Halen Fabels gedachten las. 'Doctor Griebel was een heel stille man die erg op zichzelf was, maar hij was bijzonder gezien bij zijn naaste medewerkers.'

Fabel liet zijn blik in het voorbijgaan door het laboratorium glijden. Er stonden minder reageerbuisjes dan hij in een wetenschappelijk laboratorium had verwacht en veel meer computers. 'Hebben er ooit geruchten de ronde gedaan over doctor Griebel?' vroeg hij. 'Soms levert *Kaffeeklatsch* meer op dan bekende feiten over een slachtoffer.'

Von Halen schudde zijn hoofd. 'Gunter Griebel was niet iemand die je in verband zou brengen met wat voor geruchten ook... niet als bron en niet als onderwerp. Zoals ik al zei, hij hield zijn privéleven strikt gescheiden van zijn werk. Ik ken hier niemand die met hem omging of die vrienden of kennissen buiten het werk kende. Niemand wist van privédingen om over te roddelen.'

Ze passeerden enkele dubbele deuren en verlieten het laboratorium. Aan het eind van een brede gang liet Von Halen Fabel in een kantoor. Het was groot, licht en duur ingericht in een moderne stijl. Von Halen nam plaats achter een reusachtig beukenhouten bureau en beduidde Fabel plaats te nemen. Het viel Fabel op hoe 'bedrijfsmatig' Von Halens kantoor was. Fabel telde het op bij Von Halens scherp gesneden kostuum en concludeerde dat het hoofd van de faculteit in hoge mate een bedrijfsmatige wetenschapper was.

'Heeft het werk dat u hier doet commerciële kanten?' vroeg Fabel.

'In de wereld van vandaag, meneer Fabel, heeft alle onderzoek met potentiële biotechnische of medische applicaties commerciële kanten. Onze afdeling Genetica staat met één been in de academische en het andere in de zakenwereld... we zijn een onderdeel van de universiteit, maar ook een geregistreerde onderneming. Een bedrijf.'

'Werkte doctor Griebel op een commercieel onderzoeksterrein?'

'Zoals ik al zei, alle onderzoek heeft uiteindelijk een commerciële toepassing. En een prijs. Maar om u een eenvoudig antwoord te geven: nee. Doctor Griebel was werkzaam op een terrein dat uiteindelijk enorme voordelen zal bieden op het gebied van het diagnosticeren en voorkomen van een hele reeks aandoeningen en ziektes. De resultaten van doctor Griebels research zullen van enorme commerciële waarde zijn. Maar dan hebben we het over de verre toekomst. Doctor Griebel was een rasechte wetenschapper. Hij deed het vanwege de uitdaging en de mogelijke doorbraak, de sprong voorwaarts in de menswetenschappen en alle voordelen die zulke vorderingen met zich meebrengen.' Von Halen leunde achterover in zijn leren directiestoel. 'En eerlijk gezegd, ik kwam Gunter meer dan een beetje tegemoet. Hij was af en toe een beetje de weg kwijt. Hij vond soms windmolens op zijn pad, maar ik weet dat hij het doel van zijn onderzoek nooit uit het oog verloor.'

'Dus u denkt dat er geen verband bestaat tussen het werk van doctor Griebel en de moord?'

Von Halen lachte vreugdeloos. 'Nee, hoofdinspecteur, ik zie daar geen enkel motief. Of waar dan ook. Gunter Griebel was een zachtmoedige, hardwerkende, toegewijde geleerde, en waarom iemand hem... nou ja, dit zou aandoen, gaat mijn begrip volledig te boven. Klopt het? Wat er volgens de kranten met hem is gebeurd?'

Fabel negeerde de vraag. 'Wat was precies het onderzoeksterrein van doctor Griebel?'

'Epigenetica. Het onderzoek naar hoe genen worden in- en uitgeschakeld en hoe dit de ontwikkeling van bepaalde aandoeningen en ziektes voorkomt of bevordert. Het staat nog in de kinderschoenen, maar het zal een van de belangrijkste biowetenschappen worden.'

'Met wie werkte hij samen?'

'Hij was het hoofd van een team van drie personen. De twee anderen waren Alois Kahlberg en Elisabeth Marksen. Ik kan u aan hen voorstellen als u wilt.'

'Ik zou graag met ze praten, maar misschien een andere keer. Ik kan bellen om een afspraak te maken.' Fabel stond op. 'Bedankt voor uw tijd, professor.'

'Graag gedaan.'

Terwijl Fabel opstond om te vertrekken, bekeek hij een foto aan de muur naast de deur. Het was een groepsfoto van het complete researchteam, dezelfde mensen die hij was gepasseerd onderweg naar Von Halens kantoor.

'Is dit een recente foto?' vroeg hij aan de vlot geklede wetenschapper.

'Ja. Hoezo?'

'Omdat doctor Griebel er niet op lijkt te staan.'

'Jawel, hier.' Von Halen wees een lange gestalte op de achtergrond aan. De man op de foto was half achter een collega gaan staan en hield zijn hoofd enigszins gebogen, zodat de camera geen duidelijk beeld gaf van zijn gezicht. 'Dat is Gunter, die zoals gewoonlijk de foto bederft.' Von Halen zuchtte. 'Dat probleem zullen we niet meer hebben...'

16.10 UUR, HOOFDBUREAU VAN POLITIE, HAMBURG

Meteen na zijn terugkeer op het hoofdbureau belde Fabel Severts, de archeoloog, en sprak af dat ze elkaar de volgende ochtend zouden ontmoeten in Severts' kantoor op de universiteit van Hamburg. Severts vertelde Fabel dat ze enkele persoonlijke bezittingen hadden gevonden in HafenCity die duidelijk van de gemummificeerde man waren geweest.

Maar Fabel had de meer recente doden in zijn hoofd en zodra hij had opgehangen, vroeg hij Anna Wolff en Henk Hermann naar zijn kantoor te komen.

'We hebben de meeste telefoongegevens over beide slachtoffers,' zei Anna in antwoord op Fabels vraag. 'We proberen de nummers nu aan namen of instellingen te koppelen. Ik moet zeggen dat Griebel niet bepaald een gezelligheidsmens was, zijn telefoonrekeningen stellen niet veel voor. Hauser daarentegen leek wel permanent op een telefoon te zijn aangesloten. We beginnen met de nummers die Hauser het vaakst heeft gebeld of die hem hebben gebeld.'

'Dat is natuurlijk zinvol,' zei Fabel, 'maar het nummer dat ik zoek, is misschien niet vaak gebruikt. Misschien maar één keer. Het kan zelfs een telefooncel zijn geweest.'

'Wat zoek je, chef?' vroeg Henk.

'Het lijkt erop dat beide slachtoffers hun moordenaar hebben binnengelaten,' zei Fabel. 'Dat zou erop duiden dat Hauser en Griebel hun moordenaar of moordenaars kenden of dat de moordenaar een afspraak met ze had gemaakt.'

'Maar we hebben te maken met iemand die klaarblijkelijk geen forensische sporen wil achterlaten,' zei Anna. 'Is het niet overdreven om te hopen dat ze hun telefoonnummer zouden achterlaten?'

'Dat is zo...' Fabel zuchtte om de zinloosheid van de poging. 'Maar ik heb het idee dat er op de een of andere manier contact is geweest. Zoals ik zei, ik vermoed dat het een telefooncel is geweest of een prepaid telefoon, waarvan we de gebruiker niet kunnen traceren. De kans bestaat dat het contact op een andere manier is gelegd. Misschien zijn de slachtoffers zelfs op straat benaderd met een of ander geloofwaardig verhaal. Maar de telefoon is een meer voor de hand liggende vorm van eerste contact. Ik wil alleen maar weten of mijn theorie hout snijdt voordat we in de verkeerde richting gaan zoeken.'

'Trouwens,' zei Henk, 'er is een kleine kans dat onze man slordig is geworden en er misschien niet aan gedacht heeft dat we naar telefonische contacten zouden zoeken.'

Fabel glimlachte grimmig. 'Ik wou dat ik dat kon geloven, maar "slordig" lijkt niet bij deze moordenaar te passen.'

'Eén ding is interessant...' Henk legde enkele pagina's uit een dossier naast elkaar op Fabels bureau. Het waren krantenknipsels over en foto's van Hans-Joachim Hauser. De meest recente was een filmfoto uit een NDR-journaal. 'Zie je de gemeenschappelijke noemer?'

Fabel haalde zijn schouders op.

Henk wees naar de foto's. 'Hans-Joachim Hauser wilde altijd graag laten zien dat hij deed wat hij verkondigde. Hij had geen auto en gebruikte nooit andermans auto.'

Fabel keek opnieuw naar de foto's. Op een paar ervan stond Hauser terwijl hij door de drukke straten van Hamburg fietste. Op de andere zag Fabel de fiets ofwel weloverwogen op de achtergrond gezet of toevallig half in beeld.

'Hij is verdwenen...' zei Henk.

'De fiets?'

Henk knikte. 'We hebben overal gezocht en hij is nergens te bekennen. Het was een heel opvallende fiets, bezaaid met honderden kleine stickers met milieuboodschappen. Hij had hem altijd bij zich. Ik heb Sebastian Lang, Hausers vriend, ernaar gevraagd.' Henk benadrukte het woord 'vriend'. 'Hij zei dat Hauser zijn fiets altijd op slot zette op de binnenplaats achter zijn appartement. De forensische dienst heeft er uiteraard naar vingerafdrukken gezocht en de ramen aan de achterkant onderzocht. Ze hebben niets gevonden. Volgens Lang had Hauser die fiets al toen hij nog studeerde. Het was blijkbaar zijn oogappel.'

Fabel keek opnieuw naar de foto's. Het was een doodgewone, erg ouderwetse fiets, niet bepaald een voor de hand liggende trofee voor een psychopatische moordenaar. Tenzij de moordenaar wist dat Hauser er zo aan gehecht was natuurlijk. Maar waarom zou je de scalp achterlaten en de fiets meenemen?

'Weten we of er iets ontbreekt in het huis van doctor Griebel?'

'Voor zover we kunnen vaststellen niet.' Het was Anna die antwoordde. 'Doctor Griebel had ook een huishoudster, waarschijnlijk niet zo'n grondige als Kristina Dreyer, maar ze zegt dat ze niets opvallends mist.'

'Oké.' Fabel gaf Henk de foto's terug. 'Ga ermee naar de uniformdienst... Ik wil dat dit de meest gezochte vermiste fiets in de historie van de Duitse politie wordt.'

Nadat Henk en Anna zijn kantoor hadden verlaten, belde Fabel Susanne op het Instituut voor Gerechtelijke Geneeskunde. Susanne was bezig met een uitgebreidere beoordeling van Kristina Dreyer voordat besloten zou worden of ze zou worden aangeklaagd wegens het opzettelijk vernietigen van bewijsmateriaal. Officieel werd ze nog steeds verdacht van de eerste moord, maar de enkele rode haar die op beide plaatsen delict was achtergelaten en het op exact dezelfde manier scalperen van de slachtoffers duidden erop dat ze met dezelfde moordenaar te maken hadden.

'Ik ben morgen klaar met mijn verslag, Jan,' legde Susanne uit. 'Eerlijk gezegd, ik adviseer haar te laten beoordelen door een klinisch psycholoog en er de sociale dienst bij te halen. Volgens mij kan ze niet verantwoordelijk worden gehouden voor haar daden bij het schoonmaken van de plaats delict.'

'Ik ben geneigd het met je eens te zijn, alleen al omdat ik met haar heb gesproken en haar verleden ken. Maar ik wil erover praten met doctor Minks, de psycholoog van die Angstkliniek.' Fabel zweeg even. 'Het was nauwelijks de moeite waard om ertussenuit te gaan, vind je ook niet? Zoals we meteen na onze terugkomst worden bedolven onder de shit.'

'Geeft niks.' Susannes stem klonk warm en bijna slaperig. 'Kom vanavond naar mij thuis, dan maak ik iets lekkers voor ons klaar. We kunnen de huizenadvertenties in het *Abendblatt* doornemen en eens kijken wat ze hebben in onze prijsklasse.'

'Ik ken twee huizen die binnenkort te koop zullen staan,' zei Fabel mistroostig. 'De eigenaars hebben ze niet meer nodig.'

17.30 UUR, BLANKENESE, HAMBURG

Toen de telefoon overging, had Paul Scheibe ruim drie uur zitten drinken. De warmte van de Franse wijn was er echter niet in geslaagd de kille angst te ontdooien die strak om zijn ingewanden lag. Zijn gezicht was wasbleek en glansde van vettig koud zweet.

'Zoek een telefooncel en bel me terug op dit nummer. Gebruik niet je gsm.' De stem aan de andere kant gaf het nummer en de verbinding werd verbroken. Scheibe grabbelde naar een pen en papier en schreef het nummer op.

Het namiddaglicht leek Scheibe te verblinden toen hij van zijn villa naar het strand van de Elbe liep. Blankenese ligt op een steile oever en staat bekend om zijn paden die uit duizenden treden bestaan. Met loden voeten als gevolg van een middag lang drinken wankelde Scheibe naar de telefoon waarvan hij wist dat die beneden aan het strand stond.

Zijn oproep werd na één keer overgaan beantwoord. Op de achtergrond meende hij het geluid van zwaar materieel te horen. 'Met mij,' zei Scheibe. De drie flessen merlot hadden zijn stem dik en brabbelend gemaakt.

'Lul,' snauwde de stem aan de andere kant van de lijn. 'Gebruik het nummer van mijn kantoor of mijn gsm nooit, nóóit voor iets anders dan officiële telefoongesprekken. Na al die jaren, en vooral gezien alles wat er gebeurt, zou ik gedacht hebben dat je genoeg gezond verstand zou hebben om niets te riskeren.'

'Sorry...'

'Noem mijn naam niet, idioot,' viel de stem aan de andere kant hem in de rede.

'Sorry,' herhaalde Scheibe slap. Niet alleen Iets meer dan de wijn maakte zijn stem dik. 'Ik raakte in paniek. Jezus... eerst Hans-Joachim, nu Gunter. Dit is geen toeval. Iemand liquideert ons een voor een.'

Het bleef even stil aan de andere kant van de lijn. 'Ik weet het. Het lijkt er in elk geval wel op.'

'Líjkt het erop?' snoof Scheibe. 'In godsnaam, man... Heb je gelezen wat ze ze alle twee hebben aangedaan? Heb je gelezen over dat met hun haren?'

'Ik heb het gelezen.'

'Het is een boodschap. Dát is het... een boodschap. Snap je het dan niet? De moordenaar heeft hun haren róód geverfd. Iemand heeft het op alle leden van de groep gemunt. Ik knijp ertussenuit. Ik verdwijn met de noorderzon. Misschien naar het buitenland of zo...' Scheibes stem klonk radeloos, de radeloosheid van een man zonder plan, die deed alsof hij een strategie had om iets af te handelen wat niet af te handelen was.

'Je blijft waar je bent,' snauwde de stem aan de andere kant van de lijn. 'Als je ervandoor gaat, richt je de aandacht op jezelf... en op ons allemaal. Nu denkt de politie nog dat ze te maken heeft met een willekeurige moordenaar.'

'Dus ik moet afwachten tot ik gescalpeerd word?'

'Je wacht tot je instructies krijgt. Ik zal contact opnemen met de anderen.'

De verbinding werd verbroken. Scheibe hield de hoorn nog steeds tegen zijn oor en staarde met nietsziende blik over het door gras omzoomde zand van het strand van Blankenese naar de Elbe, waar een groot containerschip geruisloos voorbijgleed. Zijn ogen prikten en een grote, loden droefheid leek te stollen in zijn borst toen hij dacht aan een andere Paul Scheibe, de Paul

Scheibe die hij eens was geweest, opsnijdend met de arrogante zekerheid van de jeugd. Een Paul Scheibe uit het verleden, wiens beslissingen en daden waren teruggekomen om hem te achtervolgen.

Het heden scheurde zijn verleden aan flarden. Zijn verleden haalde hem in... en het zou hem het leven kosten.

6

Severts' glimlach was zo breed als zijn lange, smalle gezicht mogelijk maakte. Hij was anders gekleed dan bij de opgraving in HafenCity, in een corduroy broek, een ruw tweedjasje met ouderwets smalle revers en een ruitjeshemd met open kraag en een donker T-shirt eronder. Maar hoewel zijn kleding ietsje formeler was dan op de site, was het aardkleurige kleurenschema hetzelfde gebleven. Severts' kantoor was licht en ruim, maar bezaaid met boeken, mappen en archeologische voorwerpen. Het licht stroomde binnen door een groot, kamerhoog raam, dat echter slechts uitzicht bood op een andere vleugel van de universiteit.

De archeoloog vroeg Fabel plaats te nemen. Toen hij dat deed, merkte Fabel tot zijn verrassing dat Severts' kleding, zijn kantoor en zijn vakgereedschap een kleine, droefgeestige afgunst in hem wekten. Heel even bedacht hij dat hij bijna een soortgelijke weg had gevolgd, toen Europese geschiedenis zijn passie was en hij als student de kaart van zijn toekomst had uitgerold en de route van zijn carrière had uitgestippeld. Toen had zich een enkele, zinloze daad van intens geweld voorgedaan, de schok van de dood van iemand die hem na stond door toedoen van een vreemde, en alle verwachte oriëntatiepunten waren uit zijn landschap gewist.

In plaats van een onderzoeker van het verleden was hij een onderzoeker van de dood geworden.

Op een kaart aan de muur achter Severts' bureau waren alle belangrijke archeologische sites in de Bondsrepubliek, Nederland en Denemarken aangegeven. Ernaast hing een grote poster met een opvallende afbeelding van een dode vrouw die op haar rug lag. Ze droeg een wollen mantel met capuchon die strak om haar lange, slanke lichaam was getrokken. Op de capuchon zat een lange veer en haar lange roodbruine haren hadden een scheiding in het midden. De huid van haar gezicht en die van haar benen, voor zover die zichtbaar was tussen de zoom van haar mantel en haar met bont afgezette muilen, zagen er even perkamentachtig uit als die van het lijk in HafenCity, maar donkerder gevlekt.

'Aha...' Severts zag dat de poster Fabels aandacht had getrokken. 'Ik zie dat ze u ook boeit. Mijn grote liefde. Ze bezit een uniek vermogen om mannenharten te veroveren. En ons in verwarring te brengen. Ze heeft er veel toe bijgedragen om alles wat we over Europa dachten op zijn kop te zetten. Meneer Fabel, mag ik u een waarlijk mysterieuze vrouw voorstellen... de Schone van Loulan.'

'De Schone van Loulan,' herhaalde Fabel. 'Loulan... waar ligt dat precies?'

'Daar gaat het juist om,' zei Severts enthousiast. 'Waar denkt u dat ze vandaan komt? Haar etnische afkomst, bedoel ik?'

Fabel haalde zijn schouders op. 'Ik vermoed dat ze Europees is, gezien haar haarkleur en gelaatstrekken. Hoewel ze door die veer iets inheems Noord-Amerikaans heeft.'

'En hoe oud denkt u dat mijn vriendin is?'

Fabel keek aandachtiger. Ze was onmiskenbaar gemummificeerd, maar veel beter geconserveerd dan de veenlijken die hij eerder had gezien. 'Ik weet het niet... duizend jaar... op zijn hoogst vijftienhonderd.'

Severts schudde langzaam zijn hoofd en zijn stralende glimlach verdween geen moment. 'Ik zei toch dat ze een mysterieuze vrouw is. Dit gemummificeerde lichaam, meneer Fabel, is meer dan vierduizend jaar oud. Ze is bijna twee meter lang en haar haren waren rood of blond. En wat betreft de plaats waar ze werd gevonden... dat is het mysterieuze en raadselachtige.' Hij liep naar een dossierkast en haalde er een dikke dossiermap uit.

'Mijn familieplakboek,' legde Severts uit. 'Mummies zijn mijn passie.' Hij ging aan zijn bureau zitten en bladerde de map door, die grote foto's bevatte met aan elke foto een geel notitiepapiertje dat met een paperclip was bevestigd, en overhandigde Fabel een grote, glanzende afdruk. 'Deze heer komt uit hetzelfde deel van de wereld. Hij is bekend als de Man uit Cherchen. Ik wilde u hem sowieso laten zien, want hij is tamelijk relevant voor de zaak van het gemummificeerde lichaam bij de Elbe in HafenCity. Kijk eens goed. Deze man is al drieduizend jaar dood.'

Fabel bekeek de foto. Het was ongelooflijk. Heel even werd de politieman opnieuw de student geschiedenis en hij voelde de oude vlinders-in-de-buik-opwinding wanneer er een raam naar het verleden wordt geopend. De man op de foto was volmaakt geconserveerd. De gelijkenis met het HafenCity-lichaam was frappant, afgezien van het feit dat van de man op de foto, al drie millennia dood, zelfs de huidskleur nog intact was. Hij was blank en zijn haren waren donkerblond. Hij had een keurig geknipte baard en zijn volle lippen weken enigszins uiteen en waren bij een van de mondhoeken opgetrokken, zodat zijn perfecte tanden zichtbaar waren.

'De Man uit Cherchen is bewaard gebleven doordat hij drieduizend jaar ongestoord in een zuurstofvrije omgeving heeft gelegen. Het mummificatieproces is identiek aan dat van het lichaam in HafenCity. Beide vertegenwoordigen ze een moment in de tijd dat ongeschonden is vastgelegd, zodat we er nu naar kunnen kijken.'

'Niet te geloven, zei Fabel. Hij bekeek de man opnieuw. Het was een gezicht dat hij diezelfde dag had kunnen ontmoeten, in het moderne Hamburg.

'We hebben het over het verre verleden.' Het was alsof Severts Fabels gedachten had gelezen. 'Maar hoewel hij drieduizend jaar geleden leefde, vertegenwoordigt dat zo'n honderd generaties. Stelt u zich eens voor... zo weinig mensen, vader en zoon, moeder en dochter, scheiden deze man van u en mij. Meneer Brauner vertelde dat u geschiedenis hebt gestudeerd, dus u zult begrijpen wat ik bedoel als ik zeg dat we niet zo los staan van onze geschiedenis, ons verleden, als we graag denken. Maar er is meer aan de hand met deze heer. Net als de Schone van Loulan was de Man uit Cherchen lang, meer dan twee meter. Hij zal een jaar of vijfenvijftig zijn geweest toen hij stierf. Zoals u ziet was hij blank en blond. Zowel de Schone van Loulan als de Man uit Cherchen behoort tot een aantal ongelooflijk goed geconserveerde lichamen die zijn gevonden in dezelfde streek, met dezelfde culturele kenmerken. Ze droegen kleurige, geruite kleding, min of meer zoals de Schotse tartans, ze waren allemaal lang en blond. En ze woonden allemaal, tussen drie- en vierduizend jaar geleden, in hetzelfde deel van de wereld. Ziet u, meneer Fabel, Cherchen en Loulan liggen alle twee in het huidige China. Deze lichamen zijn bekend als de Mummies van Urumqi. Ze zijn afkomstig uit het Tamirbekken in Xinjiang, het autonome gebied van de Oejgoeren in het westen van China. Het is een droge streek en deze lichamen werden begraven in extreem droog, extreem fijn zand. Men zegt dat de Chinese archeoloog die de vrouw uit Loulan vond, huilde bij het zien van haar schoonheid. De vondst wekte veel beroering en de Chinese autoriteiten en archeologen verzetten zich heftig tegen de veronderstelling dat Europeanen vierduizend jaar geleden naar deze streek zijn verhuisd en haar hebben bezet. Oejgoer ligt op een plek waar de Turkse en de Chinese bevolkingsgroepen op elkaar botsen en Turkse nationalisten hebben de Schone van Loulan opgeëist als symbool van hun overgeërfde recht om de regio te bezetten. Deze mummies zijn echter evenmin Turks als Chinees. Deze mensen waren cultureel gezien Kelten. Misschien zelfs proto-Kelten. Uit DNA-tests die in 1996 op deze mummies zijn uitgevoerd, bleek onomstotelijk dat ze Europeanen waren. Ze hadden genetische kenmerken die hen verbinden met de moderne Finnen en Zweden, en met sommige mensen op Corsica, Sardinië en in Toscane.'

'Maar natuurlijk,' zei Fabel. 'Ik herinner me dat ik iets over die vondsten heb gelezen. Als ik het me goed herinner, deed de Chinese regering al het mogelijke om ze te bagatelliseren. Ze strookten niet met hun gevoel van etnische uniciteit als natie.'

'En we weten allemaal hoe gevaarlijk zo'n mentaliteit is,' zei Severts. 'Zoals ik al zei: niemand van ons is wie hij denkt te zijn.' Hij draaide zijn stoel in het rond en keek opnieuw naar de foto van de gemummificeerde vrouw. 'Maar los van de discussie over hen, de Schone van Loulan en de Man uit Cherchen vormen nu een deel van onze wereld. Onze tijd. En ze zijn hier om over hun vorige leven te praten. Precies zoals uw mummie in HafenCity iets te vertellen heeft over zijn veel nabijere tijd.' Severts wees naar de foto in Fabels hand van de drieduizend jaar oude man. 'Ondanks het enorme verschil qua tijd waarin ze leefden, is er weinig verschil tussen de staat van conservering van uw mummie en de Man uit Cherchen. Als we hem niet hadden opgegraven, had ook de "HafenCity-man" daar nog drieduizend jaar ongestoord kunnen liggen. En hij zou onveranderd van zijn rustplaats zijn opgestaan. Hij zou er precies hetzelfde hebben uitgezien. We kunnen natuurlijk dateringstechnieken gebruiken om de tijd bij benadering vast te stellen, maar over het geheel genomen vertrouwen we meer op de voorwerpen en de onmiddellijke omgeving van de opgraving om het precieze tijdperk vast te stellen waartoe een lichaam behoort. Wat me terugbrengt bij onze twintigste-eeuwse mummie.' Severts zocht in zijn bureaulade en haalde er een verzegeld plastic zakje uit. Het bevatte een kleine zwarte portefeuille en een stuk zo te zien donkerbruin karton, zo groot als een pocketboek.

Fabel pakte het zakje aan en opende het. Het karton was tot een klein boek gevouwen. Op de voorkant stonden een arend en het hakenkruis van het naziregime.

'Zijn identiteitsbewijs,' zei Severts. 'Nu hebt u een naam voor uw lijk.'

Het identiteitsbewijs voelde droog en broos aan in Fabels handen. Alles had verschillende tinten van hetzelfde bruin, ook de foto, maar hij kon het strakke gezicht van een jonge, blonde man onderscheiden. Het gezicht vertoonde nog sporen van de puberteit, maar de hardere hoeken van de volwassenheid begonnen zichtbaar te worden. Het verbaasde Fabel dat hij hem onmiddellijk herkende als het lichaam bij de rivier.

Kurt. Het gezicht waar Fabel naar keek, het gezicht waar hij naar had gekeken bij de opgraving in HafenCity, was dat van Kurt Heymann, geboren in februari 1927, wonend te Hammerbrook, Hamburg. Fabel las de details nogmaals. Hij zou nu achtenzeventig zijn geweest. Fabel kon het moeilijk bevatten. De tijd was gewoon stil blijven staan voor Kurt Heymann, zestien jaar oud, in 1943. Hij was veroordeeld tot een eeuwige jeugd.

Fabel onderzocht de leren portefeuille. Ook die was stug geworden en het oppervlak was als ruw perkament onder de vingertoppen van de rechercheur. Er zaten enkele resten van Reichsmarken in en een foto van een jong, blond meisje. Fabels eerste gedachte was dat het Heymanns vriendinnetje was, maar hij zag enige gelijkenis. Een zus misschien.

Fabel bedankte Severts, stond op en gaf hem de foto van de Man uit Cherchen terug. Toen Severts de dossiermap opende om de foto terug te stoppen, ving Fabel een glimp op van een andere foto.

'Dat is iemand die ik ken...' Fabel glimlachte. 'Een Oost-Fries, net als ik. Mag ik?'

Fabel pakte de foto. In tegenstelling tot dat van de andere mummies was het gezicht bijna volledig vergaan, met slechts hier en daar stukken bruine, leerachtige huid die over de kale botten spande. Wat deze mummie bijzonder maakte, was het feit dat zijn volle, dichte haardos en zijn baard volledig intact waren gebleven. En het waren zijn haren geweest die hem zijn naam hadden gegeven. Hoewel deze mummie officieel bekend stond onder de naam van het Friese dorp in de omgeving waarvan hij in 1900 was gevonden, waren het zijn opvallend rode haren geweest die de fantasie van archeologen en publiek hadden geprikkeld.

'Inderdaad,' zei Severts. 'De beroemde *Rode Franz*. Of beter gezegd, de Man uit Neu Versen. Schitterend, nietwaar? En uit uw geboortestreek, zei u?'

'Min of meer. Ik kom uit een noordelijker deel van Oost-Friesland. Norddeich. Neu Versen ligt in het Boertanger Moeras. Maar ik ken Rode Franz al sinds ik een kind was.'

'Hij is een schoolvoorbeeld van wat ik zei over dat deze mensen een tweede leven hebben... een leven in onze tijd. Hij maakt momenteel een wereldreis in het kader van de tentoonstelling "The Mysterious People of the Bog". Als ik het goed heb is hij nu in Canada. Hij illustreert datgene wat Franz Brandt in HafenCity tegen u zei over de verschillende soorten mummificatie. Hij is een veenlijk en verschilt totaal van de Urumqi-lijken. Zijn vlees is volledig vergaan en alleen zijn huid is overgebleven, taai en gelooid door de zuren in het veen tot wat in wezen een leren zak is met daarin zijn skelet. Maar zijn haren zijn ongelooflijk. Dit is uiteraard niet de oorspronkelijke kleur. Ze zijn geverfd door de tannines in het veen.'

Fabel staarde naar de foto in zijn hand terwijl hij naar Severts luisterde. *Rode Franz*, met zijn kroon van rode haren die als vlammen uit zijn schedel barstten en zijn wijd geopende mond, scheen Fabel toe te schreeuwen. Het haar. Het rood geverfde haar.

Fabel voelde een rilling langs zijn ruggengraat trekken.

Maria had Werner gevraagd of hij een uurtje voor haar kon invallen, maar al terwijl ze het vroeg, was ze opgestaan en had haar jasje van de rugleuning van haar stoel gepakt, zodat het meer een verklaring was dan een verzoek. Werner had zijn stoel naar achteren geschoven van zijn bureau tegenover dat van Maria, had achterovergeleund en Maria taxerend aangekeken.

'Hij zal niet blij zijn als hij erachter komt...' Werner masseerde zijn stekeltjeskapsel met beide handen.

'Wie?' zei Maria. 'Waar achter komen?'

'Je weet best wat ik bedoel. Je gaat rondsnuffelen in de zaak-Olga X, is het niet? De chef heeft duidelijk gezegd dat je ermee moet stoppen.'

'Ik doe precies wat hij me gevraagd heeft. Ik ga naar Georganiseerde Misdaad om ze bij te praten over de achtergrond. Val je voor me in of niet?'

Werner reageerde op de agressieve klank in Maria's stem door zijn brede schouders op te halen. 'Ik kan alles aan wat er binnenkomt.'

Maria werd er depressief van telkens als ze het zag.

Dit gebouw had ooit een functie gehad. Ooit hadden mensen hier hun werkdagen doorgebracht, hadden hun lunch opgegeten in de kantine, met elkaar gekletst of gediscussieerd over productiviteit, winst, loonsverhoging.

Dit grote, één verdieping tellende gebouw in Altona-noord was ooit een fabriek geweest, een kleine, waarschijnlijk in de lichte metaal of iets dergelijks, maar nu was het een naargeestige, lege huls. Er was nauwelijks nog een ruit heel, de muren waren bezaaid met plekken waar het pleisterwerk ontbrak en met graffiti, op de vloeren lagen dikke lagen verpoederde pleisterkalk en hopen afval.

Het was een onwaarschijnlijk rendez-vous voor de liefde, maar dit gebouw bood de 'onderkant' van de Hamburgse prostitutie een plek om hun beroep uit te oefenen.

Het waren voornamelijk aan heroïne of andere drugs verslaafde meisjes die onder de prijzen van de aantrekkelijker Herbertstrasse- en andere Kiezhoeren doken. De meisjes die hier werkten, handelden in massagoed, deden zo snel mogelijk zo veel mogelijk kunstjes om hun verslaving te betalen of de portemonnee van hun pooier te spekken. De bewijzen waren overal schril zichtbaar in het naargeestige daglicht: de smerige werkvloer was bezaaid met gebruikte condooms.

Olga X had geen drugs gebruikt. Dat was tijdens de lijkschouwing gebleken. Olga was er door iets anders toe gedreven haar lichaam op deze vunzige, smerige plek te verkopen.

Maria stak de grote spelonk van de centrale fabriekshal over en bleef enkele meters voor de hoek staan. Het was er, ironisch genoeg, schoon en leeg: het forensisch team dat de plaats delict had onderzocht, had elk stukje afval meegenomen voor onderzoek. Dat was drie maanden geleden en het leek erop dat de meisjes die hun klanten hier mee naartoe namen, deze hoek hadden gemeden. Misschien dachten ze dat hij behekst was. Of dat het er spookte. Er was slechts één ding bijgekomen: een bosje verwelkte bloemen lag eenzaam in de hoek, door iemand achtergelaten als een meelijwekkende herinnering aan het leven dat hier gesmoord was.

Maria herinnerde zich de hoek zoals hij was toen ze hem voor het eerst had gezien. Alsof haar geest het tafereel had gefotografeerd en opgeslagen, zo verscheen het altijd perfect en compleet in haar herinnering. Olga was niet groot geweest. Ze was tenger, had lichte botten en lag als een slordig hoopje benen en armen in deze hoek. Haar bloed en het stof op de vloer hadden zich vermengd tot een donkere, korrelige brij. Maria had zich nooit zo door moordtonelen laten beïnvloeden als haar mannelijke collega's, maar deze moord had haar aangegrepen. Ze begreep niet goed waarom de aanblik van het broze stoffelijk overschot van een naamloze prostituee haar slapeloze nachten had bezorgd, maar het was meer dan eens in haar opgekomen dat het iets te maken kon hebben met het feit dat ze zelf bijna het slachtoffer was geworden van een moord. Het andere wat haar dwarszat aan de dood van dit meisje, was de manier waarop Olga was bedrogen. De meeste moorden die de afdeling Moordzaken van de Hamburgse politie onderzocht, vonden plaats in een bepaald milieu: verstokte drinkers en drugsgebruikers, dieven, dealers en natuurlijk prostituees. Maar dit meisje was met geweld die wereld binnengehaald. Wat de belofte van een nieuw leven in het Westen met een fatsoenlijke baan en een betere toekomst had geleken, was bedrog geweest. In plaats daarvan had Olga, of hoe ze ook had geheten, haar eigen geld uitgegeven, waarschijnlijk alles wat ze had of bij elkaar had kunnen schrapen, om zichzelf zonder het te weten te verkopen aan slavernij en een armzalige, anonieme dood.

Maria knielde neer en bekeek het verlepte boeket. Het stelde niet veel voor, maar er was in elk geval íémand die besefte dat een persoon, een menselijk wezen met een verleden, met hoop en dromen, hier het leven had verloren. Iemand had het zich voldoende aangetrokken om hier bloemen neer te leggen en nu, na veel discreet rondvragen, wist Maria wie die iemand was.

Ze stond op toen ze een deur aan de andere kant van de fabriek galmend dicht hoorde vallen, gevolgd door het geluid van voetstappen.

'Weet u, dit is hoogst ongebruikelijk.' Doctor Minks ging Fabel voor naar zijn spreekkamer en wees naar de leren fauteuil bij wijze van vage uitnodiging om plaats te nemen. 'Ik bedoel, ik ben niet van plan mijn zwijgplicht te schenden, zoals u zult begrijpen.' Minks zeeg ineen in de stoel tegenover Fabel en keek de hoofdinspecteur over zijn bril heen aan. 'Normaliter zou ik zonder gerechtelijk bevel niet over een cliënt praten, maar mevrouw Dreyer heeft me persoonlijk verzekerd dat ze er geen bezwaar tegen heeft dat ik haar toestand of behandeling met u bespreek. Ik moet zeggen dat ik er minder gelukkig mee ben dan zij blijkbaar is.'

'Dat begrijp ik,' zei Fabel. Hij voelde zich merkwaardig kwetsbaar in de stoel tegenover deze vreemde kleine man. Hij realiseerde zich dat hij zat waar hij ook zou zitten als hij een cliënt van doctor Minks zou zijn; hij voelde zich allesbehalve op zijn gemak. 'Maar ik moet u zeggen dat ik niet geloof dat Kristina Dreyer schuldig is aan meer dan het vernietigen van belangrijke forensische bewijzen. En zelfs dat zullen we waarschijnlijk niet vervolgen. Het was duidelijk een gevolg van haar psychische toestand.'

'Maar u hebt mijn cliënt in hechtenis,' zei doctor Minks.

'Ze wordt vandaag vrijgelaten, dat kan ik u verzekeren. Maar haar psychische gezondheid zal wel nader beoordeeld worden.'

Minks schudde zijn hoofd. 'Kristina Dreyer is mijn cliënt en ik vind dat ze volkomen geschikt is om naar de samenleving terug te keren. Uw forensisch psycholoog heeft me ook om mijn mening gevraagd. Ik heb die haar vanmorgen toegestuurd. Tussen haakjes, het verbaasde me te horen dat uw forensisch psycholoog doctor Eckhardt is.'

'U kent Susanne?' vroeg Fabel verbaasd.

'Blijkbaar niet zo goed als u, hoofdinspecteur.'

'Doctor Eckhardt en ik hebben...' Fabel zocht naar het juiste woord. Het irriteerde hem dat hij begon te blozen, '...zowel persoonlijk als beroepshalve een relatie.'

'Ik begrijp het. Ik heb Susanne Eckhardt in München gekend. Ik was haar docent. Ze was een buitengewoon intelligente student. Ik ben ervan overtuigd dat ze een geweldige aanwinst is voor de Hamburgse politie.'

'Dat is ze ook,' zei Fabel. Hij had Susanne verteld dat hij een afspraak had met Minks en vroeg zich even af waarom ze niet gezegd had dat ze hem kende.

'Ze werkt in feite niet rechtstreeks voor de Hamburgse politie. Ze werkt vanuit het Instituut voor Gerechtelijke Geneeskunde hier in Eppendorf. Ze is speciaal adviseur van de afdeling Moordzaken.'

Er viel een stilte, waarin Minks Fabel bleef bestuderen alsof hij zelf een cliënt was die moest worden beoordeeld.

Fabel verbrak het zwijgen.

'U behandelde Kristina Dreyer vanwege haar fobieën, is dat juist?'

'Strikt genomen niet. Ik behandelde mevrouw Dreyer voor een combinatie van psychische problemen. Haar irrationele angsten waren slechts de manifestatie, de symptomen van die aandoeningen. De sleutel tot haar behandeling was het ontwikkelen van strategieën om haar te helpen een enigszins normaal leven te leiden.'

'U kent de omstandigheden waaronder Kristina Dreyer werd aangetroffen... en haar verweer dat ze zich gedwongen voelde de plaats delict schoon te maken. Ik moet u op de man af vragen: denkt u dat Kristina Dreyer in staat is Hans-Joachim Hauser te vermoorden?'

'Nee. Normaliter houd ik me niet bezig met gissen waartoe de psychische staat van mijn cliënten hen kan leiden, maar nee. Ik kan u vast verzekeren dat ik, net als u, Kristina's verhaal geloof en dat ze Hauser niet heeft vermoord. Kristina is een bange vrouw. Daarom behandel ik haar hier in mijn Angstkliniek. Dat ze eerder gedood heeft, kwam doordat haar angst werd versterkt in een mate die u en ik niet volledig kunnen bevatten. Het gaf haar een kracht veel groter dan men zou verwachten van een vrouw van haar postuur. Ze reageerde op een rechtstreekse en acute bedreiging van haar leven na een periode van langdurig misbruik. Maar ja, dat weet u al, nietwaar, meneer Fabel?'

'Bedankt voor uw mening, doctor.' Fabel stond op en wachtte tot Minks dat eveneens zou doen. Maar de psycholoog bleef zitten en hield zijn zachtmoedige maar vaste blik op Fabel gericht. Zijn gezicht verraadde niets, maar Fabel voelde dat hij zijn woorden zorgvuldig wikte. Fabel ging weer zitten.

'Weet u, ik kende Hans-Joachim Hauser,' ging Minks verder. 'Uw slachtoffer.'

'O,' zei Fabel verbaasd. 'Was u met hem bevriend?'

'Nee... god, nee. Het zou misschien juister geweest zijn te zeggen dat ik hem vróéger gekend heb. Jaren geleden. Ik heb hem sindsdien een paar keer ontmoet, maar we hadden elkaar niet veel te vertellen. Ik heb hem nooit echt gemogen.' Minks zweeg even. 'Zoals u weet, behandel ik hier de oorzaken en gevolgen van angst. Fobieën en de situaties die ze veroorzaken. Een van de belangrijkste dingen die ik mijn cliënten leer, is dat ze nooit moeten toestaan dat hun fobieën hun persoonlijkheid bepalen. Ze mogen niet toestaan dat hun fobieën bepalen wie ze zijn. Maar dat is natuurlijk niet zo. We worden wél bepaald door onze angsten. Terwijl we opgroeien kunnen we leren bang te zijn voor afwijzing, falen, eenzaamheid of zelfs liefde en succes. Ik ben deskundig geworden in het analyseren van iemands achtergrond aan de hand van de angsten waarvan ze blijk geven. U bijvoorbeeld, meneer Fabel, ik denk dat u afkomstig bent uit een typisch provinciaal Noord-Duits milieu en dat u heel uw leven in het noorden hebt gewoond. U vertoont de typisch Noord-Duitse aanpak: u neemt afstand van dingen, u denkt er diep over na voordat u iets zegt of doet. En u hebt behoefte aan de geruststelling dat uw waarnemingen of handelingen door iemand anders worden bevestigd. U bent bang voor een verkeerde stap. En de gevolgen van die verkeerde stap. Daarom had u behoefte aan de troost dat ik uw visie op mevrouw Dreyer bevestig.'

'Ik heb u niet nodig om mijn theorieën goed te keuren, doctor.' Fabel slaagde er niet in de scherpte uit zijn stem te weren. 'Het enige wat ik nodig heb, is uw visie op uw patiënt. Trouwens, u hebt het mis. Ik heb niet mijn hele leven in Noord-Duitsland gewoond. Mijn moeder is Schots en ik heb als kind een tijd in het Verenigd Koninkrijk gewoond.'

'Dan moet de mentaliteit hetzelfde zijn.' Minks schokschouderde ergens in de verfomfaaide stof van zijn jasje. 'Hoe dan ook, we hebben allemaal angsten en die angsten bepalen veelal hoe we op de wereld reageren.'

'Wat heeft dit met meneer Hauser te maken?'

'Een van de meest gangbare angsten die we allemaal kennen, is die voor ontmaskering. We hebben allemaal facetten van onze persoonlijkheid die we niet blootgelegd willen zien. Zo zijn sommige mensen bang voor hun verleden. Voor de andere persoon die ze zijn geweest.'

'En u zegt dat Hauser zo iemand was?'

'U vindt het waarschijnlijk moeilijk te geloven, meneer Fabel, maar ik ben ooit tamelijk radicaal geweest. Ik studeerde in de jaren zestig en deed volop mee aan alles wat er in die tijd gebeurde. Maar ik kan uitstekend leven met alles wat ik toen deed en met wie ik was. We hebben toen allemaal dingen gedaan die misschien... onverstandig waren, maar dat had veel te maken met jeugdig vuur en de opwindende tijd. Het belangrijkste is echter dat we dingen hebben veránderd. Duitsland is dankzij onze generatie een ander land en ik ben trots op de rol die ik daarin heb gespeeld. Anderen daarentegen zijn misschien minder trots op hun daden. Ik heb Hauser voor het eerst ontmoet in 1968. Hij was een hoogdravende, zelfingenomen en ongelooflijk ijdele vent. Hij was met name dol op "hof houden" en het doorgeven van allerlei geleende ideeën en spitsvondige opmerkingen alsof het de zijne waren.'

'Ik zie niet hoe dit relevant is. Waarom zou dat iemand een reden geven om bang te zijn voor zijn verleden?'

'Het lijkt inderdaad onschuldig, nietwaar? De gedachten van anderen stelen...' Minks zat nu zo diep onderuitgezakt dat het was alsof hij de kunst van het rusten zijn hele leven had bestudeerd, maar achter de zachtmoedige ogen die op Fabel gericht bleven, brandde een soort afstandelijke schittering. 'Maar waar het om gaat is wíéns ideeën hij leende, wíéns kleren hij als de zijne gebruikte. Het probleem met een opwindende en gevaarlijke tijd is dat de opwinding je blind kan maken voor het gevaar. Men is zich er zelden van bewust dat er onder de mensen die men in zulke tijden kent gevaarlijke mensen schuilen.'

'Doctor Minks, wilt u me iets specifieks over het verleden van meneer Hauser vertellen?'

'Iets specifieks? Nee. Er is niets specifieks waar ik op kan wijzen, maar ik kan de richting aanduiden. Ik adviseer u wat aan archeologie te doen, hoofdinspecteur. Graaf wat in het verleden. Ik weet niet wat u zult vinden, maar ik weet zeker dát u iets zult vinden.'

Fabel keek de kleine man in de leunstoel aan, met zijn rimpelige pak en zijn rimpelige gezicht. Wat hij ook probeerde, hij kon zich Minks niet als revolutionair voorstellen. Hij overwoog door te vragen, maar het zou zinloos zijn. Minks had alles gezegd wat hij wilde loslaten. Hoe cryptisch ook, Minks had duidelijk zijn best gedaan om Fabel een aanwijzing te geven.

'Hebt u doctor Gunter Griebel ook gekend?' vroeg Fabel. 'Hij is op dezelfde manier vermoord als Hauser.'

'Nee, dat niet. Ik heb het in de kranten gelezen, maar ik kende hem niet.'

'Dus u weet niet of er verband bestond tussen Hauser en Griebel?'

Minks schudde zijn hoofd. 'Ik meen dat Griebel en Hauser leeftijdgenoten waren. Misschien zal uw archeologisch werk een gedeeld verleden onthullen. Maar goed, hoofdinspecteur, u kent mijn mening over Kristina. Ze is absoluut niet in staat tot de soort moord die u onderzoekt.'

Fabel stond op en wachtte tot Minks zich uit zijn stoel zou ontkreuken. Ze gaven elkaar een hand en Fabel bedankte de psycholoog voor zijn hulp.

'O, tussen haakjes,' zei Fabel toen hij bij de deur was, 'ik geloof dat u een van mijn medewerkers kent. Maria Klee.'

Minks lachte en schudde zijn hoofd. 'Nou, meneer Fabel, ik mag u dan wat speelruimte hebben gegeven, omdat ik Kristina Dreyers toestemming had, maar ik ben niet van plan mijn zwijgplicht jegens mijn patiënten te schenden door te bevestigen of te ontkennen dat ik uw collega ken.'

'Ik zei niet dat ze een cliënt was,' zei Fabel terwijl hij de deur uit liep. 'Alleen maar dat ik dacht dat u haar kende. Tot ziens, doctor.'

11.10 UUR, ALTONA-NOORD, HAMBURG

Toen de voetstappen luider werden, trok Maria zich terug in de hoek waar een jonge vrouw was mishandeld en gewurgd. Hoewel de meeste ramen van de buiten gebruik gestelde fabriek kapot waren, hing de lucht in de hoek stil, warm en zwaar om Maria heen. Er verscheen een vrouw in de deuropening die angstig rondkeek voordat ze binnenkwam. Maria stapte naar voren en de vrouw zag haar, liep toen met hernieuwd zelfvertrouwen door de fabriek heen.

'Ik kan niet lang blijven...' zei ze bij wijze van begroeting toen ze Maria naderde. Ze had een zwaar Oost-Europees accent en sprak op de manier van iemand die Duits geleerd heeft op straat. Maria schatte haar niet ouder dan drie- of vierentwintig, maar van een afstand had ze er ouder uitgezien. Ze was gekleed in een goedkope, felgekleurde jurk waarvan de zoom was ingenomen en die nog net de bovenkant van haar dijen bedekte. Hij was gemaakt van een dunne stof die tegen haar borsten kleefde en haar tepels benadrukte. Hij werd opgehouden door smalle bandjes en haar hals en schouders waren bloot. De hele outfit was bedoeld om een soort vrijpostige, beschikbare seksualiteit uit te stralen, maar de kleur vloekte met de bleke, slechte huid van het meisje en gevoegd bij haar knokige schouders en dunne armen zag ze er ziekelijk en tamelijk meelijwekkend uit.

'Je hoeft niet lang te blijven, Nadja,' antwoordde Maria. 'Ik heb alleen maar een naam nodig.'

Nadja keek langs Maria heen naar de hoek van de fabriek. De hoek waar ze de bloemen had neergelegd. 'Ik heb al gezegd dat ik niet weet hoe ze heette.'

'Het gaat me niet om háár naam, Nadja,' zei Maria op vlakke toon. 'Ik wil weten wie haar de straat op heeft gestuurd.'

'Ze had geen pooier. Niet één tenminste. Ze was nieuw in de groep.'

'De groep?'

'We werken allemaal voor dezelfde mensen. Maar ik zeg niet voor wie. Ze zouden me al vermoorden als ze wisten dat ik met u praat.'

Maria pakte Nadja's hand en draaide de palm naar boven. Met haar andere hand stopte ze er een stuk of wat vijftig eurobiljetten in en vouwde Nadja's vingers eromheen. 'Dit is belangrijk voor me.' Maria keek met haar lichte, blauwgrijze ogen strak in die van Nadja. 'Ik betaal je voor deze informatie. Niet de politie.'

Nadja opende haar vuist en keek naar de verfomfaaide briefjes. Ze stopte ze terug in Maria's hand. 'Hou uw geld maar. Ik heb niet met u afgesproken om geld van u te krijgen. Trouwens, ik verdien vanavond in een paar uur meer dan dat.'

'Maar dat mag je niet houden, toch?' Maria maakte geen aanstalten om het geld terug te nemen. 'Hoe heb je Olga leren kennen?'

Nadja lachte hol en schudde haar hoofd. Elke beweging leek geëlektrificeerd door angst. Ze zweeg even om een sigaret op te steken en Maria zag dat haar handen trilden. Ze legde haar hoofd in haar nek en blies een rookwolk in de bedompte, warme lucht. 'U denkt toch niet dat uw geld iets betekent? Ik dacht vroeger dat geld de oplossing voor alle kwaad was. En ik dacht dat het Duitsland was waar ik geld kon verdienen. En zo ben ik geëindigd. Maar ik neem uw geld aan. En ik neem het aan omdat ik moet bewijzen dat ik elke seconde dat ik buiten hun blikveld ben geld voor ze verdien.'

Nadja pakte drie briefjes van vijftig en gaf de rest terug aan Maria. 'Het meisje dat u Olga noemt, was geen Russische. Ze kwam uit Oekraïne. Ze is hierheen gehaald door de mensen die ook mij hierheen hebben gehaald.'

Maria voelde de trilling van een vermoeden dat wordt bevestigd. 'Mensensmokkelaars?'

Er klonk een geluid ergens buiten het gebouw, bij de grote deuren. De vrouwen draaiden zich om en keken even naar de deuren voordat ze hun gesprek vervolgden.

'U moet één ding weten,' zei Nadja. 'Alles is anders geworden in Hamburg. Vroeger waren er twee soorten hoeren: de meisjes die op de Kiez in Sankt Pauli werken – er zijn daar zelfs studenten die wat bijverdienen – en de drugsgebruikers die het doen om hun verslaving te bekostigen. Die zitten aan de onderkant van de markt. Nu is er iets nieuws. Wij. De andere meisjes noemen ons de Boerenmarkt. We worden vanuit het Oosten als vee hierheen gebracht en verkocht. De meesten komen uit Rusland, Wit-Rusland of Oekraïne. Ook veel uit Albanië en een paar uit Polen en Litouwen.'

'Wie runt de Boerenmarkt?'

'Als ik dat zeg, gaat u naar ze op zoek. Dan komen ze erachter wie het verteld heeft en vermoorden ze me. Maar eerst martelen ze me. Daarna vermoorden ze mijn familie. U hebt er geen idee van hoe die mensen zijn. Als ze meisjes halen, beginnen ze met ze te verkrachten. Daarna slaan ze ze en zeggen ze dat ze onze familie thuis zullen vermoorden als we niet genoeg voor ze verdienen.'

'En dat is jou overkomen?'

Nadja antwoordde niet meteen, maar er gleed een traan langs haar neus, die ze met een driftig gebaar wegveegde. 'En met het meisje dat u Olga noemt. Ze vertrouwde hen. Ze vertelden haar dat ze een goede baan voor haar hadden in het Westen. Ze vertrouwde ze, omdat ze ook Oekraïners waren.'

'Oekraïners?' Maria kreeg een beklemd gevoel, alsof haar lichaam zich samentrok rondom haar oude wond. 'Zei je dat de mensen achter de Boerenmarkt Oekraïners zijn?'

Nadja keek zenuwachtig naar de fabrieksdeur. 'Ik moet weg...'

Maria staarde de jonge, magere prostituee strak aan. 'Zegt de naam Vasyl Vitrenko je iets?'

Nadja schudde haar hoofd. Maria zocht in haar tas.

Ze haalde er een kleurenfoto uit van een man in het uniform van het Sovjet-leger. 'Vasyl Vitrenko. Misschien heb je de naam gehoord in verband met de mensen die deze Oost-Europese meisjes verhandelen. Zou dit de grote baas kunnen zijn?'

'Ik zou het niet weten. Ik ken hem niet. Ik geef mijn geld aan verschillende mannen.'

'Weet je zeker dat je hem nooit gezien hebt?' Maria hield de foto vlak voor Nadja's gezicht en haar stem klonk dringend. 'Kijk naar dit gezicht. Kíjk ernaar.'

Nadja bekeek de foto aandachtiger. 'Nee... ik heb hem nooit eerder gezien. Het is geen gezicht dat je vergeet.'

De gespannenheid leek uit Maria's houding te verdwijnen. Ze keek naar de foto in haar hand. Vasyl Vitrenko keek haar aan met groene ogen die even wreed, koud en fel waren als het middelpunt van de hel.

'Nee...' zei ze. 'Dat zal wel niet.'

12.30 UUR, DE HAVEN VAN HAMBURG

Dirk Stellamanns was uniformagent geweest toen Fabel bij de Hamburgse politie was gekomen. Dirk was een grote, vriendelijke beer van een vent met een spontane glimlach. Van hem had Fabel alles over politieagent zijn geleerd wat je niet op de politieacademie leerde: de subtiliteiten en nuances, de manier waarop je door een ruimte loopt, de situatie leest en met één oogopslag de gevaren inschat.

Dirk Stellamanns was indertijd wijkagent in Sankt Pauli, gestationeerd in het beroemde bureau Davidwache. Met tweehonderdduizend mensen die elk weekend de twee vierkante kilometers met bars, theaters, dansclubs, striptenten en, uiteraard, de beruchte Reeperbahn bezochten, was het een wijk waar het effectiefste wapen van een politieman zijn vermogen was om met mensen te praten. Dirk had Fabel laten zien hoe je een explosieve situatie met een paar welgekozen woorden onschadelijk kon maken, hoe iemand die voorbestemd leek voor aanhouding weggestuurd kon worden met een glimlach op zijn gezicht. Het hing er helemaal van af hoe je het aanpakte.

Fabel had ontzag gehad voor en was meer dan een beetje jaloers geweest op Dirks verbale vermogens. Hij was zich volledig bewust van zijn eigen sterke punten als politieagent, maar ook van zijn zwakheden; soms wist hij dat hij meer uit een verdachte of een getuige had kunnen krijgen als hij ze een beetje beter had aangepakt.

Dirk was erbij geweest toen Fabel en zijn partner neergeschoten werden. Fabel was ernstig gewond geraakt tijdens een mislukte beroving door enkele leden van een terreurgroep. Zijn partner had het niet overleefd. Franz Webern, vijfentwintig jaar oud, nog geen drie jaar getrouwd, vader van een zoontje van anderhalf, had voor de Commerzbank op straat liggen rillen van de kou, terwijl de warmte van zijn bloed hem ontglipte en donker afstak tegen het lichte asfalt.

Het was de donkerste dag uit Fabels carrière geweest. Het was ermee geëindigd dat hij gewond op een pier aan de Elbe stond, tegenover een meisje van zeventien, gewapend met politieke clichés en een automatisch handwapen dat ze weigerde te laten zakken.

Ze weigerde het wapen te laten zakken... Fabel had de zin in de loop der jaren als een mantra herhaald, in een poging de ondraaglijke last van het besef dat hij haar leven had genomen enigszins te verlichten, dat hij haar in haar hoofd had geschoten en dat ze als een kapotte pop in het donkere, koude water was gevallen. Dirk was er voor Fabel geweest. Elke dag, als hij geen dienst had. Vanaf het moment dat Fabel zelfs maar de zwakste, slapste greep op het bewustzijn had teruggekregen, was hij zich bewust geweest van Dirks stille, solide massa naast zijn ziekenhuisbed.

Er zijn banden, had Fabel geleerd, die, eenmaal gesmeed, niet verbroken kunnen worden.

Inmiddels was Dirk met pensioen. Hij runde deze snackbar bij de haven nu drie jaar. En Fabel kwam er minstens eens in de twee weken, niet omdat hij Dirks variant op de *Currywurst* nou zo bijzonder waardeerde, maar omdat beide mannen behoefte hadden aan de doelloze, zinloze, triviale scherts die over het oppervlak van hun vriendschap rimpelde.

Maar soms had Fabel behoefte om dieper te gaan. Als een zaak hem aangreep, een moord die hem na al die jaren van omgaan met de dood nog kon schokken, ging Fabel niet naar Otto Jensen, zijn beste vriend, met wie hij veel meer gemeen had. Dan ging hij naar Dirk Stellamanns.

Dirks snackbar was een verlengstuk van zijn toch al enorme persoonlijkheid. Het was er licht en brandschoon en hij stond te midden van een stel statafels met kleurige parasols. Dirk, wiens grote gestalte zich verzette tegen het strakke omhulsel van zijn spierwitte kokstuniek en schort, glimlachte stralend toen hij Fabel zag aankomen.

'Zozo... ik zie dat je je bekomst hebt van die veel te dure eethuizen in Pöseldorf...' Dirk sprak Fries met Fabel. Ze kwamen alle twee uit Oost-Friesland en hadden altijd met elkaar gecommuniceerd in de kenmerkende taal van die streek, een oeroude mengeling van Duits, Nederlands en Oud-Engels. 'Kan ik echt geen eten aan je kwijt?'

'Een Jever en een broodje kaas dan maar,' zei Fabel met een troosteloze glimlach. Hij bestelde altijd hetzelfde als hij hier rond lunchtijd kwam. Hij merkte opnieuw dat hij zich ergerde aan zijn eigen voorspelbaarheid. Hij nam een slok van het tintelende, kruidige Oost-Friese bier.

'Je ziet er zoals altijd opgewekt uit.' Dirk boog zich naar voren en zette zijn ellebogen op de toonbank. 'Wat is er?'

'Heb je gelezen over de moord op Hans-Joachim Hauser?'

'Dat Hamburgse Haarsnijder-gedoe?' Dirk kneep zijn lippen op elkaar.

'Hauser en een of andere geleerde. Ben jij daarmee bezig?'

Fabel knikte en nam nog een slok bier. 'Het is een ramp. Geen flauw idee hoe de pers de details te weten is gekomen, maar ze zijn goed op de hoogte. Die vent heeft inderdaad scalpen genomen.'

'Is het waar dat hij ze rood verft?'

Fabel knikte opnieuw.

'Wat is dat voor gedoe?' Dirk trok een ongelovig gezicht. 'God weet dat ik indertijd heel wat heb gezien, maar er is altijd wel een psychopaat die met iets nieuws komt om je te verrassen. Die vent moet compleet gestoord zijn.'

'Daar lijkt het wel op.' Fabel bestudeerde zijn bierglas voordat hij nog een slok nam. 'Het gekke is dat hij zijn trofeeën niet meeneemt. Hij hangt ze op, zodat iedereen ze kan vinden.'

'Een boodschap?'

'Dat begin ik me af te vragen.' Fabel haalde zijn schouders op. Ondanks de zon voelde hij diep van binnen een kilte. Misschien door het bier. Of misschien was het de niet ontdooide splinter van onbehagen die hem niet had verlaten sinds hij de foto van de Neu Versen-man had gezien, Rode Franz, wiens haren felrood waren gekleurd door een duizendjarige slaap in een koud, donker moeras.

'Maar waarom doet hij het?' vroeg Fabel meer aan zichzelf dan aan Dirk. 'Wat betekent de kleur rood?'

'Rood? Dat is de waarschuwingskleur, niet? Of politiek. Rood is de kleur van de revolutie, het oude Oost-Duitsland, communisme, dat soort gezwets.' Dirk zweeg even om een klant te bedienen. Hij wachtte tot ze buiten gehoorbereik was en ging toen verder: 'Speelde Hauser geen rolletje in dat gedonder in de jaren zestig en zeventig? Misschien heeft je moordenaar iets tegen "roden".'

'Zou kunnen...' verzuchtte Fabel. 'Wie weet wat er in zo'n hoofd omgaat. Ik sprak vanmorgen iemand die suggereerde dat ik in Hausers verleden moest graven. Met name zijn politieke verleden. Dieper misschien dan ik normaliter zou doen in een zaak zoals deze. Maar ik herinner me geen enkele aanwijzing dat Hauser betrokken was bij zoiets als "harde actie".'

'Je weet nooit, Jan. Er zijn een heleboel toppolitici die iets te verbergen hebben.'

Fabel nam een slok. 'Ik bekijk het in elk geval... God weet dat ik een strohalm nodig heb om me aan vast te klampen.'

Maria zat op de bank en hield haar lege wijnglas boven haar hoofd, bewoog het heen en weer alsof ze een klok luidde. Frank Grueber kwam de keuken uit en pakte het aan.

'Nog een?'

'Nog een.' Maria's stem was vlak en vreugdeloos.

'Alles in orde?' Grueber had in de keuken de borden van de maaltijd die hij had klaargemaakt in de vaatwasser gezet. Hoewel hij tweeëndertig was had hij nog steeds iets jongensachtigs. Hij had zijn mouwen tot zijn ellebogen opgerold, zodat zijn slanke onderarmen zichtbaar waren, en zijn dikke, donkere haren vielen over zijn voorhoofd, waarop een bezorgde frons lag. 'Je hebt al aardig wat op...'

'Zware dag.' Maria keek glimlachend naar hem op. 'Ik heb me verdiept in de achtergrond van dat jonge Russische meisje dat drie maanden geleden vermoord is.' Ze corrigeerde zichzelf. 'Oekraïense meisje.'

'Maar ik dacht dat je de dader had?' riep Grueber vanuit de keuken. Hij kwam terug met een glas rode wijn, dat hij voor Maria op tafel zetten voordat hij naast haar op de bank ging zitten.

'Heb ik ook... hebben we ook. Alleen, ze heeft geen naam. Geen echte naam. Die wil ik haar teruggeven. Ze wilde alleen maar een nieuw leven. Ergens anders zijn, íemand anders. God weet dat ik me dat soms heel goed kan voorstellen.' Maria nam een grote slok barolo.

Grueber legde zijn arm op de rugleuning van de bank en streelde Maria's haren.

Ze glimlachte vaag.

'Ik maak me zorgen over je, Maria. Ben je nog naar die dokter geweest?'

Maria haalde haar schouders op. 'Ik heb deze week een afspraak. Ik zie ertegenop. En ik heb geen idee of het iets uithaalt. Ik weet niet of er íéts is wat iets zou uithalen. Maar goed, ander onderwerp...' Ze wees naar het grote antieke buffet tegen de muur van de woonkamer. 'Nieuw?' vroeg ze.

Grueber zuchtte en bleef haar haren strelen. 'Ja... afgelopen weekend gekocht.' Zijn toon maakte duidelijk dat hij met tegenzin een ander onderwerp aansneed. 'Ik had iets nodig voor die muur.'

'Duur, zo te zien,' zei Maria. 'Zoals alles hier...' Ze gebaarde met haar wijnglas naar de kamer en het huis in zijn algemeenheid.

'Sorry,' zei Grueber.

'Hoezo?'

'Dat ik rijk ben. Je hebt je ouders niet voor het uitkiezen, weet je wel. Ik heb net zomin om rijke ouders gevraagd als andere mensen om arme ouders.'

'Mij maakt het niet uit...' zei Maria.

'Echt niet? Ik ga mijn eigen gang, hoor. Altijd gedaan.'

Maria haalde opnieuw haar schouders op. 'Zoals ik zei, mij maakt het niet uit. Het is vast leuk om geld te hebben.'

Ze nam de kamer in zich op. De inrichting was smaakvol en overduidelijk kostbaar. Maria wist dat Grueber de eigenaar was van dit grote, twee verdiepingen tellende appartement, de benedenverdiepingen van een gigantische villa in de wijk Hochkamp van Osdorf. Ze vermoedde dat hij ook de eigenaar was van de rest van het huis, die verhuurd werd. Het appartement zelf was al een behoorlijk waardevol stukje vastgoed; naar de waarde van de hele villa kon Maria slechts raden. Hamburg is de rijkste stad van Duitsland en Gruebers ouders, wist Maria, waren zelfs naar Hamburgse maatstaven rijk. Bovendien was Frank Grueber enig kind. Hij had Maria eens verteld dat zijn ouders de hoop ooit een kind te krijgen al bijna hadden opgegeven. Als gevolg daarvan was Grueber opgegroeid in een wereld waarin hij werd overladen met alles wat hij maar wenste. En nu stond hij op het punt een fortuin te erven en kon hij reeds over aanzienlijke financiële middelen beschikken. Waarom, had Maria zich vaak afgevraagd, zou je kiezen voor een carrière als forensisch onderzoeker als je alles kon doet wat je verkoos?

'Geld is geen garantie voor geluk,' zei Grueber.

'Dat is grappig,' zei Maria met een bittere glimlach. 'Géén geld is een garantie voor ongeluk...' Ze dacht weer aan Olga X en aan Nadja, en aan de dromen die ze hadden gekoesterd over een nieuw leven in het Westen. Voor Olga zou Gruebers appartement waarschijnlijk de verwezenlijking van haar droom zijn geweest, waarvan een stukje, had ze in haar onschuld waarschijnlijk gedacht, bereikbaar zou zijn door middel van hard werken in een Duits hotel of restaurant. Maria stelde zich Olga's achtergrond altijd hetzelfde voor: een stereotiep dorpje op een eindeloze steppe, met pronte baboesjka's met zwarte hoofddoeken op die grote, zwaar beladen manden droegen. En altijd zag ze een frisse, glimlachende Olga voor zich die vol verwachting naar het westen keek. Maria wist dat de kans groter was dat Olga afkomstig was uit een of andere grauwe, troosteloze postcommunistische metropool, maar ze kon het cliché niet van zich afzetten.

'Je bent een goed mens, Frank,' zei Maria glimlachend. 'Weet je dat? Je bent aardig, je bent lief. Een fatsoenlijk mens. Ik snap niet dat je je druk maakt om mij, met al mijn complexen. Je leven zou zonder mij veel eenvoudiger zijn.'

'Zou het?' zei Grueber. 'Het is mijn keus. En ik ben er gelukkig mee.'

Maria keek Grueber aan. Ze kende hem nu een jaar. Ze hadden zes maanden een relatie, maar hadden nog steeds geen seks. Ze keek naar zijn grote, blauwe ogen, zijn jongensachtige gezicht en de grote bos zwart haar. Ze wilde hem. Ze zette haar glas weg en boog zich naar voren, legde haar hand achter zijn hoofd en trok hem naar zich toe. Ze kusten elkaar en ze duwde haar tong in zijn mond. Hij sloeg zijn arm om haar heen en ze voelde de hitte van zijn lichaam tegen het hare.

'Laten we naar de slaapkamer gaan,' zei ze terwijl ze opstond en hem meetrok.

Maria kleedde zich zo haastig uit dat er een knoop van haar blouse sprong. Ze wilde het moment niet voorbij laten gaan, wilde niet dat dit venster naar normaliteit opeens zou dichtvallen. Ze ging op het bed liggen en trok hem op haar. Ze hunkerde naar hem. Toen voelde ze Grueber bovenop haar, tegen haar aan. Ze voelde zijn lichaam op het hare en opeens voelde ze zich gesmoord, verstikt. Er sloeg een golf van misselijkheid over haar heen en ze wilde gillen dat hij van haar af moest gaan, haar niet meer moest aanraken. Ze keek op naar het zachtmoedige, jongensachtig knappe gezicht van Frank Grueber en voelde een intense, heftige afkeer. Grueber merkte dat er iets mis was en trok zich terug. Maar Maria sloot haar ogen en trok hem tegen zich aan. Ze stelde zich voor dat ze door haar gesloten oogleden heen een ander gezicht zag en haar afkeer verdween.

Maria hield haar ogen gesloten en toen Frank Grueber in haar kwam, hield ze haar walging in toom door zich een ander gezicht voor de geest te halen, een hoekig, wreed gezicht. Een gezicht dat haar aankeek met liefdeloze, kille, groene ogen.

7

Negen dagen na de eerste moord, zaterdag 27 augustus 2005
20.30 uur, Neumühlen, Hamburg

Susanne had niet rechtstreeks iets gezegd, maar Fabel voelde dat ze het niet leuk vond dat hij niet enthousiaster had gereageerd op een van de appartementen die ze rood omcirkeld had. Hij wist dat het deels kwam doordat hij elke aangeboden woning niet zag als een kans om hun relatie vooruit te brengen, maar als een verlies. Verlies van zijn onafhankelijkheid. Verlies van zijn eigen ruimte. Hij was er vast van overtuigd geweest dat hij het wilde, maar nu het dichterbij kwam voelde Fabel een vage onzekerheid knagen.

De andere reden waarom hij niet besluitvaardiger was over de appartementen, was dat al zijn geestelijke vermogens gericht waren op het vinden van een opening in de zaak van de Hamburgse Haarsnijder; een nieuw appartement zoeken verdween domweg van zijn radar.

Zijn onzekerheid was nog groter geworden na een middag met zijn dochter Gabi. Ze hadden elkaar in het centrum getroffen en Fabel had een onderdrukte paniek gevoeld toen hij zijn zestienjarige dochter zag aankomen. Gabi werd te snel volwassen en Fabel had het gevoel dat de tijd hem door zijn handen glipte, dat hij een groot deel van het leven van zijn dochter had gemist.

Ze hadden de middag doorgebracht met winkelen in modezaken op Neuer Wall, iets wat slechts een jaar eerder taboe zou zijn geweest voor de jongensachtige Gabi. Het deed Fabel ook een beetje pijn te zien hoe sterk Gabi op haar moeder begon te lijken, Fabels ex-vrouw Renate. Ze droeg haar haren de laatste tijd langer en de geest van Renates rode haren brandde in haar kastanjebruine. Terwijl hij haar haar inkopen zag doen, betrapte hij zich erop dat hij Gabi's gebaren, haar maniertjes observeerde. Zoals haar haren de geest van Renate bevatten, zo klonken er in Gabi's bewegingen echo's door van Fabels moeder en in haar glimlach en losse houding echo's van zijn broer. Het deed Fabel denken aan wat Severts had gezegd, dat we allemaal veel dichter bij ons verleden staan dan we denken.

Na het winkelen dronken Fabel en Gabi een kop koffie in de Alsterarkaden. Op de Rathausmarkt en overal langs de Alster wemelde het van toeristen. Het Hamburgse toeristenbureau had onlangs bekendgemaakt dat het afgelopen jaar het beste aller tijden voor het Hamburgse toerisme was geweest en Fabel en Gabi ondervonden het aan den lijve toen ze meer dan tien minuten op een tafel moesten wachten. De ober had er enige tijd voor nodig om de rommel die door een Amerikaans gezin was achtergelaten op te ruimen en toen konden Fabel en Gabi plaatsnemen en uitkijken over de Alsterfleet en de Rathausmarkt daarachter. Fabel nam Gabi in vertrouwen over zijn dilemma.

'Als het je niet lekker zit om samen te gaan wonen, moet je het niet doen,' zei ze.

'Maar ik heb het zelf voorgesteld. Ik drong er om te beginnen op aan.'

'Je twijfelt blijkbaar, *dad*.' Gabi gebruikte zoals gewoonlijk het Engelse woord. 'Het is een té grote stap om te zetten als je er niet absoluut zeker van bent. Misschien is Susanne toch niet de ware voor je.'

Plotseling geneerde Fabel zich dat hij zijn liefdesleven met zijn dochter besprak. Hij had tenslotte ook gedacht dat Gabi's moeder 'de ware voor hem' was. 'Ik dacht dat je Susanne wel mocht,' zei hij.

'Dat is ook zo. Ze is perfect.' Gabi zweeg even en keek uit over de Alsterfleet. 'Dat is het punt, *dad*... ze is perfect. Ze is mooi, intelligent, makkelijk in de omgang... ze heeft een supergave baan... Zoals ik zei: perfect.'

'Waarom heb ik het gevoel dat je dat zegt alsof het negatief is?'

'Dat doe ik niet... Het is gewoon zo dat Susanne wel eens té perfect kan zijn.'

'Ik snap niet wat je bedoelt,' loog Fabel.

'Kweenie... ze is echt heel relaxed, maar soms lijkt ze nog verkrampter dan...' Gabi maakte haar zin niet af.

'... dan ik?' Fabel glimlachte.

'Nou ja, inderdaad. Het is alsof ze steeds iets opkropt. Misschien is ze tegenover jou heel anders, maar ik krijg het gevoel dat we alleen de Susanne zien die Susanne ons wil laten zien... de perfécte Susanne.' Gabi haalde gefrustreerd haar schouders op. 'Ach, je weet wat ik bedoel... maar hoe dan ook, er is absoluut niets mis met haar. Het probleem ligt bij jou. Of je er wel of niet klaar voor bent je te binden.'

Fabel grinnikte naar zijn dochter. Ze was pas zestien, maar soms leek ze oneindig veel wijzer dan Fabel. En terwijl ze daar tussen de toeristen en de winkelende mensen zaten en keken naar de zwanen die over de Alsterfleet gleden, bedacht Fabel hoezeer Gabi het bij het rechte eind had wat Susanne betrof.

Ongeacht de uiteindelijke beslissing, wist Fabel dat Susanne zich begon te ergeren aan zijn besluiteloosheid. Hij besloot een tafel te reserveren in een duur restaurant in Neumühlen. Het was maar een paar minuten van Susannes appartement in Övelgönne, dus troffen ze elkaar daar voordat ze naar het restaurant gingen. Het had grote ramen die een weids uitzicht boden over de Elbe en op een woud van hijskranen aan de overkant. De enorme kolossen van verlichte containerschepen gleden geruisloos voorbij. Het was een industrielandschap, maar een van een vreemde, hypnotiserende schoonheid, en Fabel merkte dat vele gasten erdoor gefascineerd werden. Ze arriveerden om halfnegen en het warme avondlicht streek langs de grote ruiten. Voor het eerst in enkele dagen voelde Fabel zich ontspannen. Zijn stemming klaarde nog meer op toen hij en Susanne naar een tafel bij het raam werden gebracht.

Vanavond, dacht Fabel, ga ik de boel niet verpesten door over het werk te praten. Hij glimlachte naar Susanne en bewonderde de volmaakte vorm van haar hoofd en nek. Ze was een mooie, intelligente, edelmoedige vrouw. Ze was perfect. Precies zoals Gabi had gezegd. Ze bestelden hun maaltijd en praatten wat tot de eerste gang arriveerde. Opeens werd Fabel zich bewust van iemand die naast hem stond en hij keek op, in de verwachting dat hij de ober zou zien. De man naast hun tafel was lang en duur gekleed. Zodra Fabel hem zag, besefte hij dat hij de goed verzorgde man ergens van kende, maar hij kon hem niet thuisbrengen.

'Jannick?' De lange man gebruikte de verkleinvorm van Fabels voornaam. Zo hadden zijn ouders en zijn broer hem altijd genoemd, zo stond hij bekend op school, maar de enige in Hamburg die Fabel ooit Jannick noemde was Fabels streekgenoot, Dirk Stellamanns. 'Jannick Fabel... ben jij dat?' Hij wendde zich tot Susanne en maakte een lichte buiging. 'Neem me niet kwalijk dat ik u stoor, maar ik ben een oude schoolkameraad van uw man.'

Susanne lachte, maar corrigeerde de onbekende niet. 'Geen enkel punt...' Ze wendde zich tot Fabel en glimlachte ondeugend. 'Wil je ons niet voorstellen... Jannick?'

'Natuurlijk.' Fabel stond op en gaf de man een hand. Op dat moment vielen alle puzzelstukjes op hun plaats en hij beantwoorde Susannes grijns uit de hoogte. 'Susanne, mag ik je Roland Bartz voorstellen? Roland was op school een van mijn beste vrienden.'

Susanne gaf Bartz een hand en hij verontschuldigde zich opnieuw voor de onderbreking.

'Luister, Jan,' zei Bartz. 'Ik wil jullie echt niet storen, maar we moeten absoluut bijpraten. Ik ben hier met mijn vrouw...'

'Waarom komen jullie er niet bij zitten?' stelde Susanne voor.

'Nee, echt, we willen ons niet opdringen.'

'Helemaal niet,' zei Fabel en hij wenkte een ober. 'Het zal leuk zijn om bij te praten...'

Bartz keerde even terug naar zijn tafel en kwam terug met een aantrekkelijke vrouw, die duidelijk veel jonger was dan hij. Fabel had gehoord, van zijn moeder waarschijnlijk, dat Bartz een paar jaar geleden van zijn eerste vrouw was gescheiden. De nieuwe mevrouw Bartz, die zich voorstelde als Helena, gaf Susanne en Fabel een hand en nam plaats aan hun tafel.

Fabel en Bartz waren weldra verdiept in een gesprek over hoe het hun schoolkameraden was vergaan. Namen die Fabel vergeten was, werden opgehaald en hij had vaak moeite om een naam aan een gezicht te koppelen. Als het lukte, was het meestal het gezicht van een tiener van wie hij zich niet kon voorstellen dat hij inmiddels van middelbare leeftijd was. Zelfs Bartz klopte niet in Fabels ogen. Hij was een onhandige, slungelige jongen geweest, de eerste in hun klas die rookte, wat niet bevorderlijk was geweest voor de jeugdpuistjes waarmee zijn bleke huid bezaaid was. Nu was hij een elegante, middelbare man met grijze strepen in zijn haren en een huid die niet meer bleek en pukkelig was, maar gebruind door een zon die niet op Hamburg scheen. Hij had kennelijk goed geboerd en het gesprek kwam op wat de twee mannen hadden gedaan sinds ze elkaar voor het laatst hadden gezien. Bartz was onthutst door het nieuws dat Fabel rechercheur moordzaken was.

'God, Jannick... sorry hoor, maar het is zo bizar. Ik zou het nooit hebben gedacht. Ik dacht dat je geschiedenis was gaan studeren...'

'Dat heb ik ook gedaan,' zei Fabel. 'Ik ben op een ander spoor terechtgekomen.'

'Grote god... politieman. Hoofdinspecteur nog wel. Wie had dat gedacht?'

'Zeg dat wel,' zei Fabel. Hij begon zich te ergeren aan Bartz' onvermogen om hem als politieman te zien.

Bartz merkte het blijkbaar. 'Sorry, ik wilde je niet kwetsen. Het komt gewoon doordat je altijd zo vastbesloten was om historicus te worden. Ik bedoel, het is geweldig wat je doet... God weet dat ik het niet zou kunnen.'

'Ik denk weleens dat ik het evenmin kan. Het is een baan die je niet in je koude kleren gaat zitten. En jij?'

'Ik? O, ik zit al jaren in de softwarebusiness. Eigen bedrijf. We zijn gespecialiseerd in software voor research en academische doeleinden. We hebben vierhonderd mensen in dienst en exporteren over de hele wereld. Er is nauwelijks een universiteit op het westelijk halfrond die niet op een of andere faculteit een van onze systemen gebruikt.'

Vervolgens begonnen de twee stellen aan een gezamenlijk gesprek. Helena, de vrouw van Bartz, was een aardige, opgewekte vrouw, maar niet bepaald een boeiende gesprekspartner. Het was Fabel duidelijk dat zijn vriend niet met haar was getrouwd vanwege haar intelligentie. Fabel merkte dat hij genoot van het gesprek met zijn oude schoolmakker en begon de man met wie hij als jongen bevriend was geweest weer te mogen. Susanne nam de twee zoals gewoonlijk voor zich in met haar ontspannen optreden. Af en toe echter zag Fabel dat Bartz hem op een vreemde manier aankeek. Bijna alsof hij hem taxeerde.

Ze aten en praatten tot het restaurant leeg begon te lopen. Bartz wilde per se afrekenen en hij bestelde een taxi om hem en zijn vrouw terug te brengen naar Blankenese, waar ze 'een leuk huis' hadden, zoals Bartz het genoemd had.

De avondlucht was nog aangenaam warm toen Fabel en Susanne met Roland en Helena Bartz naar hun taxi liepen. De lucht was helder en de sterren sprankelden boven de twinkelende lichten van de werven aan de overkant van de Elbe.

'Kunnen we jullie ergens afzetten?' vroeg Bartz.

'Nee, bedankt, het is prima zo. Ik vond het geweldig leuk je weer te zien, Roland. We moeten proberen contact te houden.'

De twee vrouwen kusten elkaar en namen afscheid en Helena Bartz stapte achter in de taxi, maar Roland talmde even.

'Luister, Jan. Je vindt het hopelijk niet erg dat ik het zeg, maar je klonk niet erg tevreden toen je het over je werk had.' Bartz overhandigde Fabel een visitekaartje. 'Toevallig zoek ik een verkoopdirecteur buitenland. Iemand om met de Yanks en de Britten te onderhandelen. Ik weet dat je vloeiend Engels spreekt en je was op school altijd de beste.'

Fabel stond paf. 'Jee... bedankt, Roland. Maar ik weet echt níéts van computers...'

'Daar gaat het niet om. Ik heb vierhonderd mensen in dienst die alles van computers weten. Ik heb iemand nodig die alles van mensen weet. God weet dat je in jouw werk moet weten wat mensen drijft. En wat je niet over computers weet, kun je binnen een paar maanden leren, dat weet ik. Zoals ik al zei: je was op school altijd de beste.'

'Ik weet het niet, Roland...'

'Luister, Jan, vergeleken met wat je bij mij kunt verdienen', is je politiesalaris een schijntje. En de werktijden zouden verdomd veel gunstiger zijn. En veel minder stress. Susanne vertelde vanavond dat jullie samen op zoek zijn naar een ander huis. Geloof me, deze baan zou een wereld van verschil maken in wat je je zou kunnen permitteren. Ik heb je altijd gemogen, Jannick. Ik weet dat we andere mensen zijn geworden. Volwassen geworden. Maar ik weet niet of we innerlijk echt zoveel veranderen. Ik vraag je alleen maar erover na te denken.'

'Dat zal ik doen, Roland.' Fabel gaf zijn oude schoolkameraad een warme hand. 'Dat beloof ik.'

'Bel me en de baan is voor jou. Maar wacht niet te lang. Ik moet binnenkort iemand hebben.'

Toen ze weg waren, stak Susanne haar arm door die van Fabel.

'Waar ging dat over?'

'O, niks.' Fabel draaide zich naar haar toe en kuste haar. 'Leuk stel, vind je ook niet?' zei hij en hij liet Bartz' visitekaartje in zijn zak glijden.

8

Cornelius Tamm vroeg zich af hoe breed de generatiekloof tussen hem en de jongeman tegenover hem precies zou zijn. Hij was in elk geval jong genoeg om Cornelius' zoon te kunnen zijn en zonder de fantasie of de chronologie te veel geweld aan te doen zelfs zijn kleinzoon. Maar Cornelius' hogere leeftijd weerhield de jongeman met zijn gelkapsel, lelijke oren en bespottelijke sikje, die zich als 'Ronni' had voorgesteld, er niet van de informele aanspreekvorm *du* te gebruiken tegenover Cornelius. Hij vond blijkbaar dat ze collega's waren of dat zijn positie als hoofd van de productie hem het recht gaf om informeel te zijn.

'Cornelius Tamm... Cornelius Tamm...' Ronni had de afgelopen tien minuten uitgeweid over Cornelius' carrière en had daarbij opvallend in de verleden tijd gesproken. Nu herhaalde hij Cornelius' naam en keek hem over zijn grote bureau aan alsof hij een of ander souvenir bekeek dat nostalgie opwekte zonder de waarde van echt antiek te hebben. 'Zeg eens, Cornelius...' De jongen met de grootse ideeën en de nog grotere oren strekte zijn lippen boven het sikje in een onoprechte grijns. 'Als ik vragen mag, als je een Greatest Hits-cd wilt maken, waarom doe je dat dan niet bij je huidige label? Het zou veel makkelijker zijn qua rechten en zo.'

'Ik zou het niet mijn húídige label willen noemen. Ik heb in geen jaren iets voor ze opgenomen. Ik doe tegenwoordig voornamelijk liveoptredens. Veel leuker... ik krijg een kick van de interactie met...'

'Ik zag dat je cd's verkoopt via je website,' viel de jongeman Cornelius in de rede. 'Hoe loopt dat? Verkoop je echt iets?'

'Gaat wel...' Cornelius had de jongeman meteen niet gemogen. Net als zijn irritante sikje was 'Ronni' klein en hij had opvallend grote oren, waarvan het ene, het rechter, vreemd genoeg veel haakser op zijn hoofd stond dan het andere. Ronni was er in opmerkelijk korte tijd in geslaagd Cornelius' vage antipathie te veranderen in een intense, vurige afkeer.

'Het zullen wel voornamelijk ouderen zijn die je dingen kopen... Niet dat daar iets mis mee is. Mijn vader was een grote fan van je. Al die jaren-zestig protestsongs.' Cornelius had uren aan zijn presentatie gewerkt om uit te leggen waarom hij dacht dat een cd met zijn grootste hits niet alleen gekocht zou worden door zijn traditionele fans, maar ook aan een nieuwe generatie vervreemde jongeren. Het document lag voor Ronni op het bureau. Ongeopend.

'Er zijn er zoveel van jouw generatie zangers en liedjesschrijvers. Ik ben bang dat ze gewoon niet meer verkopen. Degenen die wel scoren, zijn degenen die geprobeerd hebben met nieuw materiaal te komen dat ook nu nog relevant is... Reinhard Mey bijvoorbeeld. Maar de mensen willen eerlijk gezegd geen politiek meer in hun muziek.' Ronni haalde zijn schouders op. 'Sorry, Cornelius, ik denk niet dat we bij elkaar horen... ons label en jouw stijl, bedoel ik.'

Cornelius zag Ronni's glimlach en voelde zijn afkeer nog feller opvlammen. Niet alleen omdat Ronni's glimlach ongeïnteresseerd en onoprecht was, maar omdat hij Cornelius wilde laten vóélen dat hij ongeïnteresseerd en onoprecht was. Hij pakte zijn voorstel op en glimlachte terug. 'Nou, *Ronni*, je stelt me teleur.' Zonder een hand te geven liep hij naar de deur. 'Het is immers duidelijk dat je een goed oor hebt voor muziek. Het rechter althans...'

10.30 UUR, UNIVERSITAIR MEDISCH CENTRUM, HAMBURG-EPPENDORF, HAMBURG

Het was duidelijk dat professor Von Halen vond dat hij bij het verhoor aanwezig moest zijn, als een verantwoordelijke volwassene die erbij is terwijl twee kinderen door de politie worden ondervraagd. Pas toen Fabel had gevraagd of hij alleen kon praten met Alois Kahlberg en Elisabeth Marksen, de twee wetenschappers die met Gunter Griebel hadden samengewerkt, stelde hij zijn kantoor met tegenzin ter beschikking.

Beide wetenschappers waren jonger dan Griebel en tijdens de ondervraging werd duidelijk dat ze enorm veel achting hadden voor hun overleden collega. Ontzag bijna. Alois Kahlberg was midden veertig, een kleine, vogelachtige man die de gewoonte had zijn hoofd achterover te houden om zijn gezichtshoek aan te passen in plaats van zijn ouderwets grote, sterke bril hoger op zijn neus te zetten. Elisabeth Marksen was een jaar of tien jonger en was een onaantrekkelijke, uitzonderlijk lange vrouw met een eeuwig blozende huid.

Fabel ondervroeg hen over de gewoonten van hun overleden collega, over zijn privéleven, maar het enige wat onthuld werd was Griebels tweedimensionaliteit. Hoeveel licht er ook op hem werd gericht, er ontstonden geen schaduwen, geen gevoel van diepte of structuur. Hij had domweg nooit een gesprek gehad met Marksen of Kahlberg dat niet met het werk te maken had of meer dan oppervlakkig gekeuvel was geweest.

'En zijn vrouw?' vroeg hij.

'Die is een jaar of vijf geleden gestorven. Kanker,' antwoordde Elisabeth Marksen. 'Ze was docent, meen ik. Hij praatte nooit over haar. Ik heb haar één keer ontmoet, ongeveer een jaar voor haar dood, tijdens een officiële gelegenheid. Ze was stil, net als hij, en leek zich niet erg op haar gemak te voelen onder de mensen. Het was zo'n universiteitsaangelegenheid die we min of meer verplicht moeten bijwonen en Griebel en zijn vrouw zaten het grootste gedeelte van de tijd in een hoek met elkaar te praten.'

'Had haar dood veel invloed op hem? Veranderde zijn gedrag heel sterk? Of was hij bijzonder depressief?'

'Dat was bij doctor Griebel altijd moeilijk te zeggen. Uiterlijk was er niet veel aan hem te merken. Ik weet dat hij elke week naar haar graf ging. Ze is in de buurt van Lurup begraven, waar ze vandaan kwam. Op het Altonaer Volkspark Hauptfriedhof of op het Flottbeker Friedhof.'

'Ze hadden geen kinderen?'

'Hij heeft het er nooit over gehad.'

Fabel keek Von Halens kostbaar ingerichte kantoor rond. In een van de van glazen deuren voorziene kasten lag een stapel glimmende brochures, die vermoedelijk bedoeld waren om de faculteit te promoten bij investeerders en commerciële partners.

'Met wat voor onderzoek hield doctor Griebel zich precies bezig?' vroeg hij. 'Professor Von Halen had het erover, maar ik begreep het niet echt.'

'Epigenetica,' antwoordde Kahlberg vanachter zijn dikke brillenglazen. 'Een nieuw en uiterst gespecialiseerd gebied van de genetica. Het onderzoekt hoe genen zichzelf in- en uitschakelen en de invloed daarvan op gezondheid en levensduur.'

'Iemand had het over genetisch geheugen. Wat is dat?'

'Aha...' Kahlberg werd enthousiaster dan Fabel dacht dat hij ooit zou worden. 'Dat is het allernieuwste terrein van epigenetisch onderzoek. Het is eigenlijk heel eenvoudig. Er zijn steeds meer aanwijzingen dat we het slachtoffer kunnen worden van ziekten en aandoeningen die we niet hoeven te krijgen... die eigenlijk bij onze voorouders horen.'

'Ik ben bang dat het mij niet zo eenvoudig in de oren klinkt.'

'Goed, laat ik het zo zeggen... Er zijn in wezen twee oorzaken van ziekten. Er zijn aandoeningen waarvoor we genetisch gepredisponeerd zijn... waarvoor we een aangeboren aanleg hebben. Verder zijn er milieuoorzaken van ziekten: roken, vervuiling, voeding enzovoort... Die werden altijd als volstrekt anders beschouwd, maar uit recent onderzoek is gebleken dat we door het milieu veroorzaakte aandoeningen kunnen erven.'

Fabel leek nog steeds niet veel wijzer, dus nam Elisabeth Marksen het stokje over.

'We denken allemaal dat we los staan van ons verleden, maar dat blijkt niet zo te zijn. In het noorden van Zweden ligt een stadje, Överkalix. Het is een heel welvarende samenleving en de levensstandaard is er heel hoog. Desondanks merkten plaatselijke artsen op dat de inwoners gezondheidsproblemen ontwikkelden die normaliter alleen geassocieerd worden met slechte voeding. Er zijn nóg twee factoren die Överkalix bijzonder maken. Ten eerste: het ligt ten noorden van de poolcirkel en is altijd betrekkelijk geïsoleerd geweest, wat betekent dat de huidige bevolking grotendeels afstamt van dezelfde families die er honderd of tweehonderd jaar geleden woonden. Ten tweede bezit Överkalix bijzonder gedetailleerde kerkelijke en burgerlijke registers, waarin niet alleen geboorte en overlijden worden opgetekend, maar ook de doodsoorzaken en goede en slechte oogsten. Het stadje werd het onderwerp van een grootschalig onderzoeksproject en daaruit bleek dat het, doordat het afhankelijk was van de landbouw, honderd à honderdvijftig jaar geleden enkele hongersnoden heeft gekend. Daarbij kwamen velen om het leven, maar van de overlevenden leed een nog groter aantal aan medische aandoeningen die gerelateerd zijn aan een slechte voeding. Door gebruik te maken van hedendaagse medische dossiers en die te vergelijken met die van vroeger, werd duidelijk dat de nakomelingen van hongersnoodslachtoffers exact dezelfde gezondheidsproblemen vertoonden, hoewel zij en hun ouders nooit honger hadden gekend. Dat bewijst dat we het mis hebben als we denken dat we alleen die chromosomen en genen waarmee we geboren zijn compleet en ongewijzigd doorgeven aan onze kinderen. Het is een feit dat onze ervaringen, de milieufactoren om ons heen, een rechtstreeks effect kunnen hebben op onze nakomelingen.'

'Ongelooflijk. En die theorie is louter en alleen gebaseerd op dat Zweedse stadje?'

'In het begin wel. Later werd het onderzoek uitgebreid en werden er enkele andere voorbeelden gevonden. Van nakomelingen van overlevenden van de holocaust is gebleken dat ze bevattelijk zijn voor aan stress en trauma's gerelateerde aandoeningen. Een, twee, drie generaties later lijden ze aan de posttraumatische stresssymptomen van iets wat ze zelf niet hebben meegemaakt. Aanvankelijk werd dit afgedaan als het resultaat van het feit dat hun ouders of grootouders over hun ervaringen hadden verteld, maar men ontdekte dat dezelfde stressindicatoren, waaronder een verhoogde cortisolspiegel in het speeksel, teruggevonden werden in nakomelingen die niet uit de eerste hand verhalen over de holocaust hadden gehoord.'

'Ik snap nog steeds niet hoe het werkt,' zei Fabel. 'Hoe wordt dit van generatie tot generatie doorgegeven?'

'Dat hangt af van het geslacht. Bij mannen wordt de generaties overschrijdende respons overgebracht via het sperma, bij vrouw door middel van foetale programmering.'

Het was Fabel nog steeds onduidelijk.

'Deze milieu- en ervaringsfactoren die worden doorgegeven, zijn met name die welke worden ervaren door jongens in de puberteit en de prepuberteit, en door vrouwelijke foetussen in de baarmoeder. Het komt erop neer dat de "data", bij gebrek aan een beter woord, worden opgeslagen in het sperma dat in de puberteit wordt gevormd. Meisjes komen met al hun eitjes ter wereld, dus de doorslaggevende tijd is die in de baarmoeder. Wat de zwangere vrouw tijdens of vóór de zwangerschap meemaakt, wordt aan de foetus doorgegeven, die de genetische herinnering opslaat in de zich vormende eitjes.'

'Onvoorstelbaar. En daar deed doctor Griebel onderzoek naar?' vroeg Fabel.

'Er wordt wereldwijd heel veel onderzoek naar gedaan. Epigenetica is een belangrijk en steeds groeiend onderzoeksterrein geworden. U herinnert zich waarschijnlijk de hooggespannen verwachtingen met betrekking tot het Menselijk Genoomproject. Men dacht dat we het gen voor elke ziekte en aandoening zouden kunnen opsporen, maar we werden teleurgesteld. Er is een onvoorstelbare hoeveelheid geld, mankracht en computertijd in het Menselijk Genoomproject gestoken, tot men merkte dat het al met al niet zo ingewikkeld was. De complexiteit is gelegen in alle combinaties en permutaties binnen het genoom. De epigenetica zou de sleutel kunnen zijn die we zoeken. Doctor Griebel behoorde tot het handje vol wetenschappers die de weg wezen naar het begrijpen van de mechanismen van genetische overdracht.'

Fabel dacht een ogenblik na over wat de twee wetenschappers hem hadden verteld. Ze wachtten geduldig; de vogelachtige Kahlberg achter de dikke glazen van zijn bril, Marksen met een uitdrukkingsloos, blozend gezicht, alsof ze begrepen dat een leek er even voor nodig had om de informatie te verwerken. Fabel vond het fascinerend, maar het leek nutteloos voor zijn onderzoek. Wat voor motief kon de moordenaar van Griebels in diens werk hebben gevonden?

'Professor Von Halen zei iets over troetelprojecten van doctor Griebel waarin hij hem zijn zin gaf,' zei hij ten slotte.

Kahlberg en Marksen keken elkaar veelbetekenend aan.

'Als er niet onmiddellijk een commerciële toepassing voor is,' zei Kahlberg, 'is het volgens professor Von Halen een omweg. In werkelijkheid onderzocht doctor Griebel het wijdere terrein van genetische overerving. Met name de mogelijkheid van overgeërfde herinneringen. Niet alleen op chromosomatisch niveau, maar echte herinneringen die van de ene generatie op de andere worden doorgegeven.'

'Dat kan toch niet?'

'Er zijn aanwijzingen voor bij andere soorten. We weten bijvoorbeeld dat bij ratten een gevaar dat de ene generatie leert kennen, door de volgende wordt gemeden. Alleen, we begrijpen het mechanisme achter dat overgeerfde besef niet. Doctor Griebel zei vaak dat "instinct" het meest onwetenschappelijke van alle wetenschappelijke begrippen was. Hij beweerde dat we dingen "instinctief" doen omdat we de herinnering aan een noodzakelijk overlevingsgedrag hebben geërfd. Zoals een menselijke baby binnen enkele minuten na de geboorte loopbewegingen maakt, maar bijna een jaar later opnieuw moet leren lopen: een instinct dat we ergens in ons verre genetische verleden hebben geleerd, toen we op de steppen woonden en niet bewegen mogelijk fataal was. Doctor Griebel werd erdoor gefascineerd. Geobsedeerd bijna.'

'Gelooft u zelf in overgeërfde herinneringen?'

Kahlberg knikte. 'Volgens mij is het heel goed mogelijk. Waarschijnlijk zelfs. Maar zoals ik zei, we begrijpen het mechanisme nog niet. Het volledig onderzoek moet nog gebeuren.'

Elisabeth Marksen glimlachte somber: 'En zonder doctor Griebel zal het wat langer moeten wachten.'

'Iets bereikt?' vroeg Werner toen Fabel hem vanuit zijn auto op het parkeerterrein van het Universitair Medisch Centrum belde.

'Niets. Griebels werk heeft, voor zover ik het kan zien, niets met zijn dood te maken. Hoe is het ginds?'

'Anna heeft iets. Ze legt het wel uit als je terug bent. En commissaris Van Heiden wil dat jij en Maria verslag uitbrengen, om drie uur.'

Fabel fronste zijn wenkbrauwen. 'Vroeg hij speciaal naar Maria?'

'Heel speciaal.'

11.45 uur, Hoofdbureau van Politie, Hamburg

Anna Wolff klopte op Fabels deur en liep door zonder op antwoord te wachten. Fabel deed altijd verwoede pogingen om niet op te merken hoe aantrekkelijk Anna was, maar haar huid straalde in het ochtendlicht dat door het raam van zijn kantoor viel en de rode lippenstift benadrukte haar volle lippen. Ze zag er jong, fris en energiek uit en Fabel merkte dat hij haar haar jeugd en schaamteloze seksualiteit benijdde.

'Wat heb je?'

'Ik heb Sebastian Lang verhoord, de vriend van Hauser, die Kristina Dreyer aantrof terwijl ze de plaats delict aan het schoonmaken was. Het lijkt erop dat hij en Hauser ver van samenwonen verwijderd waren. Volgens Lang stond hun relatie op losse schroeven als gevolg van Hausers roofzuchtige promiscuïteit. Hij was blijkbaar dol op losse contacten, of hij nu een relatie had of niet. En hij had ze graag jong. Lang wilde er eigenlijk niet over praten. Ik denk dat hij bang is dat zijn jaloezie als een mogelijk motief zal worden gezien, maar zijn alibi voor het tijdstip van Hausers dood lijkt te kloppen.'

Fabel verwerkte de informatie even. 'Het zou dus zo kunnen zijn dat het inderdaad verband houdt met Hausers homoseksualiteit. In dat geval zouden we Griebels seksualiteit nader onder de loep moeten nemen. Waar pikte Hauser zijn scharrels op?'

'Waar hij Lang heeft leren kennen blijkbaar. Een homoclub in Sankt Pauli... een Engelse naam...' Anna fronste haar wenkbrauwen en bladerde haar aantekeningen door. 'Ja, een tent die *The Firestation* heet.'

Fabel knikte. 'Ga ermee door. Jij en Paul gaan erheen en doen navraag.'

Anna staarde Fabel een ogenblik wezenloos en verward aan. 'Je bedoelt ik en Hénk?'

Enkele seconden lang had Fabel geen idee wat hij moest zeggen. Paul Lindemann was Anna's partner geweest. Lindemanns dood had Anna dieper geraakt dan wie ook van het team, en het hád het team diep geraakt. Waarom had hij dat gezegd? Had hij Henk Hermann gekozen als opvolger van Paul alleen maar omdat Henk hem aan zijn overleden jonge agent deed denken? Twee namen door elkaar halen, dat gebeurde zo vaak, zeker de namen van twee mensen die als het ware dezelfde ruimte bezetten. Maar Fabel haalde nooit namen door elkaar.

'God, Anna, sorry...'

'Geeft niet, chef,' zei Anna. 'Ik vergeet ook telkens weer dat Paul er niet meer is. Henk en ik gaan die homoclub controleren en alles wat we verder over Hausers achtergrond kunnen vinden.'

Fabel liep achter Anna aan zijn kantoor uit en begaf zich naar Maria's bureau, tegenover dat van Werner. Hij zag dat beide bureaus keurig opgeruimd waren. Hij had Maria en Werner aan elkaar gekoppeld, omdat hij het idee had dat ze volkomen verschillende vaardigheden en benaderingen combineerden, een team van compleet tegenovergestelden. Het grappige was dat ze even consciëntieus waren. Fabel dacht er weer aan hoe hij Paul en Henk door elkaar had gehaald toen hij met Anna praatte. Hij had zichzelf altijd wijsgemaakt dat hij vernieuwend en creatief was in de keuze van teamleden. Misschien was hij al met al toch niet zo vernieuwend; misschien koos hij zonder erbij na te denken slechts variaties op een thema.

'Het wordt tijd om naar Van Heidens kantoor te gaan,' zei hij tegen Maria. 'Heb jij enig idee waar het over gaat?' Fabel werd vaak genoeg door zijn baas ontboden, zeker in de loop van een geruchtmakend onderzoek, maar het kwam zelden voor dat Van Heiden een van Fabels ondergeschikten liet meekomen.

Maria haalde haar schouders op. 'Geen enkel, chef.'

In Fabels ogen vertegenwoordigde zijn baas de eeuwige politieman: er had altijd een politieman zoals Horst van Heiden bestaan, in elk politiekorps, in elk land, al zolang als het verschijnsel politieagent bestond. En zelfs vóór die tijd kon Fabel zich iemand zoals Van Heiden voorstellen als nachtwacht in een middeleeuwse stad of als koddebeier.

Commissaris Van Heiden was midden vijftig en niet bijzonder groot, maar zijn kaarsrechte rug en brede schouders gaven hem een postuur dat niet in verhouding stond tot zijn lengte. Hij kleedde zich altijd keurig, maar fantasieloos en vandaag droeg hij een goed gesneden blauw kostuum en een hagelwit overhemd met een donkerrode das. Het pak, het overhemd en de das zagen er allemaal even duur uit, maar op de een of andere manier slaagde Van Heiden er altijd weer in zelfs het duurste kostuum eruit te laten zien als een politie-uniform.

Behalve Van Heiden zaten er nog twee mannen op Fabel en Maria te wachten. Fabel herkende de gedrongen, krachtig gebouwde man in zakenkostuum als Markus Ullrich van het Bundeskriminalamt BKA, de federale recherche die in heel Duitsland opereert. Fabel en Ullrich hadden elkaar eerder ontmoet tijdens enkele belangrijke onderzoeken en de BKA-man had op Fabel de indruk gemaakt van iemand met wie het goed zakendoen was, zij het dat hij zijn territorium wat angstvallig afschermde. De andere man was van dezelfde lengte als Ullrich, maar zonder diens gespierde bouw. Hij droeg een bril zonder montuur, waarachter de kleine knikkers van zijn lichtblauwe ogen schitterden van een scherpe intelligentie. Zijn dikke blonde haardos was vanaf zijn brede voorhoofd zorgvuldig achterover gekamd.

'Meneer Ullrich kennen jullie uiteraard al,' zei van Heiden, 'maar mag ik jullie de heer Viktor Turchenko voorstellen? Meneer Turchenko is een hooggeplaatste rechercheur van de Oekraïense politie.'

Fabel voelde een kilte diep van binnen, alsof iemand een deur open had laten staan naar een vergeten winter. Hij keek Maria aan; haar gezicht verraadde niets.

'Het is me een genoegen u beiden te ontmoeten,' zei Turchenko terwijl hij de beide agenten een hand gaf. Er verscheen een brede, innemende glimlach op zijn gezicht, maar zijn plechtstatige Duits en zijn zware tongval riepen te veel herinneringen op en Fabel voelde de kilte van binnen intenser worden.

'Meneer Turchenko is hier in het kader van een onderzoek in Oekraïne,' vervolgde Van Heiden toen iedereen had plaatsgenomen. 'Hij vroeg of we deze ontmoeting konden regelen. Meneer Turchenko wilde met name met u praten, mevrouw Klee.'

'O?' Maria's stem was een en al argwaan.

'Inderdaad, mevrouw Klee. Ik meen dat u gewerkt hebt aan een zaak... twee zaken eigenlijk... die rechtstreeks verband houden met mijn onderzoek.' Turchenko haalde een foto uit zijn aktetas en gaf die aan Maria. Terwijl hij dat deed werd de hartelijke glimlach verdrongen door een sombere uitdrukking. 'Ik heb een naam voor u, een naam waarnaar u op zoek bent geweest, geloof ik.'

Maria keek naar de foto. Een tienermeisje van een jaar of zeventien. Het was een wat korrelige foto en Maria vermoedde dat het een uitvergroot detail was van een grotere foto. Het meisje glimlachte naar iemand of iets ver buiten beeld. In de verte. Misschien, dacht Maria, keek ze naar het Westen.

'Hoe heette ze?' vroeg Maria met toonloze stem. 'Haar echte naam, bedoel ik.'

Turchenko zuchtte. 'Magda Savitska. Achttien jaar oud. Uit de omgeving van Lviv, in het westen van Oekraïne.'

'Magda Savitska...' Maria sprak de naam hardop uit terwijl ze de foto doorgaf aan Fabel. 'Olga X.'

'Ze komt uit hetzelfde deel van Oekraïne als ik,' ging Turchenko verder. 'Uit een fatsoenlijk gezin. We denken dat Magda het slachtoffer is geworden van een zwendel die een dekmantel vormt voor sekshandel. Ze kwam thuis met een brief die haar was gegeven en waarin haar een opleiding aan een kappersschool in Polen werd beloofd, waarna ze verzekerd zou zijn van een baan in een kapsalon hier in Duitsland. We hebben het adres van de kappersschool in Warschau gecheckt. Het bestond uiteraard niet. Geen school in Polen, geen baan in Duitsland.'

'U hebt een verre reis gemaakt om dit ene meisje te vinden,' zei Fabel terwijl hij de Oekraïner de foto teruggaf.

Turchenko pakte hem aan en keek er even naar voordat hij antwoordde. 'Dit meisje is een van de velen. Er worden duizenden meisjes in de val gelokt of ontvoerd en tot slavernij gedwongen... elk jaar. Magda Savitska is niet uniek. Maar ze is wel representatief. En ze is iemands dochter, iemands zus.' Hij keek op van de foto. 'Ik meen dat u haar moordenaar in hechtenis hebt.'

'Dat is juist. De zaak is rond,' zei Maria terwijl ze Fabel aankeek. 'Ze werkte als prostituee hier in Hamburg en is vermoord door een van haar cliënten. Hij heeft bekend. Maar dank u dat u ons haar ware identiteit hebt gegeven.'

'Meneer Turchenko is niet hier om haar moordenaar te vinden,' zei Ullrich, de BKA-man. 'Zoals hij al zei, zijn bezoek houdt ook verband met een andere zaak.'

'Ik zit achter de georganiseerde criminelen aan die Magda hebben verhandeld en tot prostitutie hebben gedwongen,' zei Turchenko. 'Ik wil de organisatie onthoofden. Wat me bij de andere zaak brengt waarbij u betrokken bent geweest...' Turchenko haalde een tweede foto uit zijn aktetas en gaf die aan Maria.

'Verdomme,' zei Maria met een plotselinge felheid. Ze wierp een vluchtige blik op de foto en gaf hem aan Fabel. Ze hoefde het gezicht niet te onderzoeken. Het achtervolgde haar tenslotte in haar dromen en wanneer ze wakker was. Het was hetzelfde gezicht, een kopie van dezelfde foto als die ze in haar handtas had. 'Ik wist het wel! Ik wist dat die klootzak betrokken was bij de "Boerenmarkt". Verdomde Oekraïners.'

Turchenko glimlachte even en haalde zijn schouders op. 'Ik verzeker u, mevrouw Klee, dat we niet allemaal hetzelfde zijn.'

Fabel staarde naar de foto van Vasyl Vitrenko.

'Ik weet dat het oude wonden openrijt,' zei Ullrich.

Fabel viel hem in de rede. 'Een tamelijk smakeloze formulering van zeggen, meneer Ullrich.'

'Sorry... ik wilde niet...'

Maria wuifde Ullrichs verontschuldiging weg. 'Ik wist dat er Oekraïners betrokken waren bij de vrouwenhandel naar Hamburg. Ik vermoedde dat Vitrenko erachter zat.'

'Op een afstand,' ging Ullrich verder. 'We hebben aardig goed werk geleverd en met "we" bedoel ik de afdeling Georganiseerde Criminaliteit van de Hamburgse politie en het BKA. We zijn erin geslaagd de organisatie van Vitrenko in Hamburg te ontmantelen. En u en uw team speelden natuurlijk een centrale rol in de jacht op Vitrenko. Er waren echter enkele dingen die we niet begrepen. We denken dat Vitrenko zijn machtsbasis in Duitsland opnieuw opbouwt.'

'Is Vitrenko nog steeds in Duitsland?' Maria verbleekte.

'Niet per se,' zei Turchenko. 'Zoals u weet is Vitrenko een meester in het opbouwen van complexe bevelstructuren die hem scheiden van de activiteit en tegelijkertijd voor die sterke persoonlijke loyaliteit zorgen. Het is mogelijk dat hij de operatie op afstand runt. Hij is zeker niet in Hamburg en regisseert de boel misschien zelfs vanuit het buitenland. Misschien zelfs vanuit Oekraïne. Maar inderdaad, ik vermoed dat hij ergens in Duitsland is. En ik ben hier om hem te zoeken.'

'We hebben ook geconstateerd dat zijn operaties zich niet langer concentreren in Hamburg of een andere Duitse stad,' zei Ullrich. 'Vitrenko maakt nu gebruik van een netwerk van criminele "niche"-activiteiten om een machtsbasis op te bouwen. De vorige keer probeerde hij de hele georganiseerde misdaad in Hamburg over te nemen. Nu richt hij zich schijnbaar op lucratieve sleutelactiviteiten in de hele Bondsrepubliek, waaronder mensensmokkel, met name voor de sekshandel.'

Maria keek ontsteld. 'Maar we hebben de meeste sleutelfiguren opgepakt, het zogenaamde "Topteam". Wie gebruikt hij nu om zijn machtsbasis op te bouwen?'

'Net als toen maakt hij gebruik van ex-Spetsnazmanschappen. De beste die hij kan vinden. En net als toen hebben ze een persoonlijke band met hem. Maar hij heeft zichzelf vernieuwd... evenals zijn operatie. Deze laatste incarnatie van Vasyl Vitrenko is zo mogelijk nog schimmiger dan de vorige.' Ullrich wees naar de foto in Fabels handen. 'Voor hetzelfde geld ziet hij er zelfs niet zo meer uit. Het is heel goed mogelijk dat hij een nieuw gezicht heeft. Een nieuw gezicht en een nieuw, totaal ander leven.'

'Dus hoe kunnen we u helpen?' vroeg Fabel weinig enthousiast. Hij voelde zich omringd door geesten die tegen hun zin waren opgeroepen toen hij kort voor deze bijeenkomst de naam van Paul Lindemann had genoemd. Voor iemand die geschiedenis had gestudeerd begon Fabel een hekel te krijgen aan het verleden en aan hoe het bleef terugkeren om hem te achtervolgen.

Het was Van Heiden, die tot nu toe niets aan het gesprek had bijgedragen, die Fabels vraag beantwoordde. 'Eigenlijk is het inspecteur Klee die kan helpen. Mevrouw Klee, ik meen dat u een... Ik denk dat ik het het best kan omschrijven als een achtergrondonderzoek dat u hebt ingesteld naar de dood van het meisje. We moeten alles weten wat u tot nu toe ontdekt hebt.'

'Ik had gezegd dat je het moest laten rusten, Maria,' zei Fabel scherp. 'Waarom heb je mijn bevel niet opgevolgd?'

'Ik heb alleen wat navraag gedaan...' Ze wendde zich tot Van Heiden en vertelde hem over haar ontmoeting met Nadja en wat haar verteld was over de 'Boerenmarkt'. 'Meer heb ik niet kunnen ontdekken. Het leek alsof niemand iets aan die mensensmokkelaars deed.'

Markus Ullrich kwam naar Maria toe en legde een reeks grote foto's voor haar op het bureau, alsof hij kaarten deelde. Ze toonden Maria op straat in gesprek met prostituees, in clubs in gesprek met barkeepers en gastvrouwen. Ullrich legde de laatste foto boven op alle andere alsof het zijn troefkaart was. 'Kent u dit meisje? Is dit "Nadja"?'

Maria stond op. 'Hebt u me laten schaduwen?'

Ullrich lachte cynisch. 'Geloof me, mevrouw Klee, u bent niet belangrijk genoeg om te laten schaduwen. We hebben echter wel een langdurige, uiterst complexe en uiterst kostbare schaduwoperatie, gericht op de activiteiten van deze Oekraïense bende. Die de laatste tijd moeilijk uit te voeren was zonder dat u het beeld binnen struinde. Letterlijk. Welnu, mevrouw Klee, kent u dit meisje?'

Maria ging weer zitten. Ze knikte zonder Ullrich aan te kijken. 'Nadja... haar achternaam ken ik niet. Ze helpt me. Zo goed als ze kan tenminste. Ze was bevriend met Olga...' Maria corrigeerde zichzelf. 'Ik bedoel Magda.'

'Zoals u ziet, mevrouw Klee,' nam Van Heiden de draad weer op, 'was er wél iemand die iets aan die mensensmokkelaars deed. We hielden de hele operatie, met de hulp van surveillancespecialisten van het BKA en de medewerking van onze Oekraïense collega's, nauwgezet in de gaten. Het is een grote operatie, gericht op het vinden en aanhouden van de man die u zo ernstig heeft verwond. En u hebt die hele operatie in gevaar gebracht.'

'Erger nog...' Ullrich wees naar de foto van Maria in gesprek met Nadja. 'U bent waarschijnlijk de oorzaak van haar dood. We weten niet wat er met haar is gebeurd. Ze is van onze radar verdwenen... kort nadat ze met u had gesproken.'

'Ik moet erop wijzen,' zei Maria, 'dat ik al mijn aantekeningen over de zogenaamde zaak-Olga X heb overgedragen aan de afdeling Georganiseerde Misdaad. Ik heb ze ook verteld over mijn vermoeden dat er een grote mensensmokkelorganisatie achter zit... of zelfs achter de dood van Olga... of moet ik Magda zeggen? Ik zou het verstandig hebben gevonden als u me indertijd had verteld dat u er actief mee bezig was. Dan –'

'Inspecteur Klee,' viel Van Heiden haar in de rede. 'Uw superieur had u opdracht gegeven alles aan LKA6 over te dragen en u verder niet meer met de zaak te bemoeien. Uw tussenkomst kan een jonge vrouw het leven hebben gekost en de kloof tussen ons onderzoek en het ultieme doel ervan, het vinden van aanhouden van Vitrenko, hebben vergroot.'

Maria's gezicht werd harder, maar ze zweeg.

'Met het grootste respect voor uw collega's van LKA6 en het BKA,' zei Fabel. 'Ik moet erop wijzen dat de enigen die Vitrenko ooit bijna hebben opgepakt ikzelf en mevrouw Klee zijn. En mevrouw Klee heeft er bijna met haar leven voor betaald. Dus hoewel ik toegeef dat het tegen de voorschriften was dat ze haar onderzoek alleen heeft voortgezet, vind ik dat ze als professioneel politieagent meer respect verdient dat hier wordt getoond.'

Van Heidens gezicht betrok, maar voordat hij kon reageren nam Turchenko het woord.

'Ik heb het dossier gelezen over wat er die avond is gebeurd en ik ben me bewust van de grote moed die mevrouw Klee, uzelf en de twee onfortuinlijke agenten die het leven hebben verloren aan de dag hebben gelegd. Het is mijn taak kolonel Vitrenko op te sporen en ik ben dankbaar voor wat u al hebt gedaan. Ik schaam me dat mijn land zo'n monster heeft voortgebracht en ik garandeer u dat ik al het mogelijk zal doen om Vasyl Vitrenko voor het gerecht te brengen. Ik doe Hamburg als het ware op doorreis aan terwijl ik zijn spoor volg. Ik zou bijzonder dankbaar zijn als ik eventuele vragen die me tijdens mijn verblijf hier te binnen schieten zou mogen stellen.'

Fabel keek de Oekraïner onderzoekend aan. Hij zag er meer uit als een intellectueel dan als een politieagent en zijn rustige, vastberaden houding en het uitstekende, zij het hoogdravende Duits dat hij sprak wekten vertrouwen. 'Als we u tot hulp kunnen zijn, zullen we dat uiteraard doen.'

'Intussen,' Ullrich wendde zich rechtstreeks tot Maria, 'zou u me een genoegen doen als u me een volledig verslag zou kunnen geven van uw contacten met de vermiste prostituee en alles wat u ontdekt hebt.'

Fabel en Maria maakten aanstalten om te gaan.

'Voordat u gaat, meneer Fabel,' Van Heiden leunde naar voren en zette zijn ellebogen op het bureau, 'hoever zijn we met die twee scalpeermoorden?'

'We weten dat de vrouw die op de plaats delict werd aangetroffen niet rechtstreeks in verband kan worden gebracht met de moord en de technische recherche probeert erachter te komen van wie de haren zijn die als signatuur zijn achtergelaten. De mogelijkheid bestaat – maar in dit stadium is het echt niet meer dan een mogelijkheid – dat de slachtoffers geselecteerd zijn omdat ze homoseksueel zijn. Dat checken we momenteel. Voor het overige hebben we nauwelijks aanknopingspunten.'

Van Heidens uitdrukking was er een van verwachte teleurstelling. 'Hou me op de hoogte, Fabel.'

Fabel en Maria wisselden geen woord tot ze uit de lift stapten.

'Mijn kantoor...' zei Fabel. 'Nu.'

Op aanwijzing van Fabel deed Maria de deur achter zich dicht.

'Wat is er verdomme gaande, Maria?' Fabels zachte stem stond strak van nauwelijks ingehouden woede. 'Ik verwacht dit soort gedrag af en toe van Anna, maar niet van jou. Waarom wil je per se dingen voor me achterhouden?'

'Het spijt me, chef. Ik weet dat je zei dat ik moest stoppen met de zaak-Olga X...'

'Daar heb ik het niet alleen over. Ik heb het over achterhouden in het algemeen. Dingen die ik zou moeten weten. Waarom heb je me verdomme bijvoorbeeld niet verteld dat je cliënt bent van de Angstkliniek van doctor Minks?'

Het bleef even stil en Maria staarde Fabel uitdrukkingsloos aan. 'Omdat het, eerlijk gezegd,' zei ze ten slotte, 'een privékwestie is die je volgens mij niets aangaat.'

'In godsnaam, Maria, je psychische toestand is zodanig dat je behandeld moet worden in een fobiekliniek en je zegt dat het mij, als je meerdere, niets aangaat? En zeg nou niet dat het niets met het werk te maken heeft. Ik heb je gezicht gezien toen Turchenko vertelde wie zijn doelwit is.' Fabel leunde achterover en liet de spanning uit zijn schouders zakken. 'Maria, ik dacht dat je me vertrouwde.'

Opnieuw antwoordde Maria niet onmiddellijk. Ze draaide zich om naar het raam en staarde over de kruinen van de dichte, hoge groep bomen van het Winterhude Stadtpark. Toen sprak ze met zachte, vlakke stem, zonder Fabel aan te kijken. 'Ik lijd aan aphenphosmfobie. Een betrekkelijk milde vorm, maar het wordt steeds erger, en doctor Minks heeft me ervoor behandeld. Het betekent dat ik bang ben om te worden aangeraakt. Daar behandelt doctor Minks me voor. Ik kan de intieme fysieke aanwezigheid van anderen niet verdragen. En dat is een rechtstreeks gevolg van het feit dat Vitrenko me heeft neergestoken.'

Fabel zuchtte. 'Ik snap het. Heeft de behandeling effect?'

Maria haalde haar schouders op. 'Soms heb ik het gevoel van wel. Maar dan laait het ineens weer op.'

'En die obsessie met de zaak-Olga X, dat kwam zeker doordat je dacht dat Vitrenko erbij betrokken was?'

'Aanvankelijk niet. Het kwam gewoon... Nou ja, je hebt de plaats delict gezien. Het greep me aan. Arm kind. Ik vond het onrechtvaardig dat ze op die manier was gestorven. Toen, ja... zag ik dat er mogelijk verband bestond met Vitrenko.'

'Maria, de zaak-Vitrenko was niet meer dan dat... een zaak. We kunnen er geen persoonlijke kruistocht van maken. Zoals Turchenko zei: we willen Vitrenko allemaal voor het gerecht brengen.'

'Maar dat is het hem nou net...' Er lag een dringende klank in Maria's stem die Fabel nooit eerder had gehoord. 'Ik wil hem niet voor het gerecht brengen. Ik wil hem vermoorden...'

14.30 UUR, HAMBURG ALTSTADT, HAMBURG

Paul Scheibe stond voor het Rathaus. De grote vlakte van de Rathausmarkt, het grootste plein van Hamburg, leek onder de hete zomerzon te bezwijken onder toeristen en winkelende mensen. Scheibe had een lichtgewicht pak van zwart linnen en een wit overhemd zonder boord aangetrokken voor zijn ontmoeting met de burgemeester van Hamburg, Hans Schreiber, en de senator van Milieu, Bertholdt Müller-Voigt, maar ondanks de lichte stof voelde Scheibe hoe klamme stroompjes zweet zich verzamelden in zijn nek en zijn lenden. De ontmoeting was belegd om hem geluk te wensen met de keuze van zijn *KulturZentrumEins*-ontwerp voor het Überseequartier van HafenCity en Scheibe had zijn best gedaan om blij en geïnteresseerd te lijken. Misschien was dat de reden geweest waarom zoveel mensen hem hadden gevraagd of alles goed was: Scheibes professionele handelsmerk was altijd zijn arrogantie geweest, zijn verhevenheid boven de platvloerse commerciële aspecten van de architectuur. Maar iedereen was tevreden geweest en de kurken hadden geknald. De champagne had rijkelijk gestroomd en Scheibe had nu een naar koper smakende, droge mond en het enige effect van de alcohol was dat hij zich slap voelde.

Het leven moet doorgaan, had hij zichzelf voorgehouden. En misschien zal het dat ook doen. Misschien was het toeval dat twee acteurs uit het toneelstuk van zijn vroegere leven vermoord waren. Op dezelfde manier. Door dezelfde dader. Of misschien ook niet.

Hij keek naar de toeristen en de winkelende mensen, de kantoorbedienden en zakenlieden die over de Rathausmarkt schuifelden. Een straatmuzikant speelde Rimksy-Korsakov op een accordeon ergens bij de Schleusenbrücke over de Alster. Hij werd omringd door mensen, door geluid; hij stond in het hart van een grote stad. Paul Scheibe had zich nooit zo geïsoleerd of kwetsbaar gevoeld. Voelde het zo als je opgejaagd werd?

Hij liep. Hij liep snel en met een doelgerichtheid die hij niet begreep, alsof een daad van weloverwogen bewegen zou leiden tot een idee over wat hij nu moest doen. Hij stak de Rathausmarkt schuin over en liep de Mönckebergstrasse in. De mensenmenigte werd dichter toen hij het voetgangersgebied bereikte, omzoomd door winkels. Nog steeds liet hij zich door zijn voeten leiden. Hij voelde zich verhit en vies, zijn haar kleefde aan zijn klamme schedel en hij wilde dat hij de mantel van warme zomerlucht kon afwerpen die zijn denkvermogen leek te smoren. Hij wilde niet dood. Hij wilde niet naar de gevangenis. Hij had naam gemaakt en hij wist dat één misstap die naam voorgoed zou bezoedelen.

Hij bleef voor een witgoedzaak staan. Op een groot tv-scherm achter de etalageruit was geluidloos een nieuwsprogramma van de NDR te zien. Het was een tevoren opgenomen interview met Bertholdt Müller-Voigt. Scheibe had het al moeilijk genoeg gevonden om Müller-Voigts spottende, neerbuigende aanwezigheid tijdens de lunch te verdragen en nu keek hij toe terwijl hij hem door het glas zijn politicusglimlach toewierp. Het was alsof hij de spot dreef met Scheibe, zoals hij dat al die jaren geleden had gedaan.

Müller-Voigt had altijd, van nature en zonder moeite, de zelfverzekerde houding en intellectuele geloofwaardigheid bezeten waar Scheibe zo zijn best voor deed. Müller-Voigt was altijd slimmer geweest, altijd cooler, altijd het middelpunt. Paul Scheibe vond het onmogelijk Bertholdt Müller-Voigt al die dingen te vergeven. Maar er was nog iets wat Scheibes afkeer van zijn leeftijdgenoot voedde, iets diepers en fundamentelers dat witheet brandde in de kern van zijn haat: Müller-Voigt had Beate van hem afgepakt.

Natuurlijk, ze hadden indertijd zoiets burgerlijks al monogamie afgezworen en Beate, de ravenzwarte, half-Italiaanse wiskundestudent op wie Scheibe dolverliefd was geweest, zou nooit hebben toegestaan dat een man haar als zijn eigendom beschouwde, maar dichter bij de liefde was Paul nooit gekomen. Het ging er niet om dat Müller-Voigt met Beate naar bed was geweest, het ging erom dat hij dat had gedaan met dezelfde gedachteloze arrogantie waarmee hij met tientallen andere vrouwen naar bed was geweest. Het had toen niets voor hem betekend en Scheibe was er tamelijk zeker van dat Müller-Voigt het zich nu niet eens meer zou herinneren.

En nu, twintig jaar later, elke keer als Paul Scheibe Müller-Voigt ontmoette of de naam van de politicus maar hoorde noemen, riep dat exact dezelfde gevoelens van jaloezie en afkeer in hem op als indertijd, toen ze student waren. Later was Scheibe een nieuw leven begonnen, een ander en geslaagd leven. Maar Müller-Voigt had het op de een of andere manier voor elkaar gekregen een nóg geslaagder nieuw leven te beginnen. En vooral, Müller-Voigt was aan de randen van Scheibes wereld gebleven, een constante en onwelkome herinnering aan vroeger. Maar nu was Müller-Voigt niet meer de enige herinnering aan die tijd.

Scheibe drukte zijn voorhoofd tegen het glas, in de verwachting dat het koel zou zijn, maar het weerkaatste de klamme warmte van zijn voorhoofd. Een voorbijganger botste tegen hem aan en schudde hem uit zijn dagdroom. Wat deed hij hier? Wat moest hij nu doen? Hij wist dat hij de Rathausmarkt verlaten had met het vaste voornemen een antwoord te vinden.

Hij moest een plek vinden om na te denken. Een plek om alles op een rijtje te zetten.

Hij scheurde zijn blik los van het tv-scherm en liep doelgericht door de Mönckebergstrasse. Naar het centraal station van Hamburg.

14.30 UUR, HOOFDBUREAU VAN POLITIE, HAMBURG

Er bestaat een bureaucratie van de dood: elke moordzaak genereert een berg formulieren om in te vullen en rapporten om op te bergen. Na de ontmoeting met de Oekraïense politieman en Markus Ullrich had Fabel moeite gehad om zich op het opgestapelde papierwerk te concentreren. Er gingen zoveel dingen door zijn hoofd dat hij de tijd vergat en hij zich opeens realiseerde dat hij sinds het ontbijt niets meer had gegeten.

Hij nam de lift naar de kantine van het hoofdbureau en zette een broodje en een kop koffie op zijn dienblad. De kantine was nagenoeg verlaten en hij liep naar het raam om plaats te nemen. Op dat moment zag hij Maria bij Turchenko zitten. De Oekraïense rechercheur leunde achterover op zijn stoel, staarde naar de kop koffie die voor hem op tafel stond en was zo te zien verwikkeld in een gedetailleerde uiteenzetting over iets. Maria concentreerde zich op de woorden van de Oekraïner. Het had iets wat Fabel niet lekker zat.

'Mag ik erbij komen zitten?' vroeg hij.

Turchenko keek op en glimlachte breed. 'Met alle genoegen, hoofdinspecteur. Ga uw gang.'

Ook Maria glimlachte, maar naar haar gezicht te oordelen ergerde ze zich aan de onderbreking.

'U spreekt uitstekend Duits, meneer Turchenko,' zei Fabel.

'Ik heb Duits gestudeerd aan de universiteit. Tegelijk met rechten. Ik heb als student enige tijd in het voormalige Oost-Duitsland gewoond. Duitsland heeft me altijd geboeid. Waardoor ik de voor de hand liggende persoon was om hierheen te sturen om Vitrenko op te sporen.'

'Bent u ook lid van een speciale eenheid geweest?' vroeg Fabel.

Turchenko lachte. 'God nee... Ik ben zelfs nog niet zo lang bij de politie. Ik ben strafpleiter en civielrechtelijk advocaat geweest in Lviv. Na de Oranje Revolutie, waarin ik actief ben geweest, werd ik openbaar aanklager en later werd ik benaderd door de nieuwe regering. Ze vroegen me leiding te geven aan het oprichten van een nieuwe afdeling Georganiseerde Misdaad om mensensmokkel en gedwongen prostitutie te bestrijden. Mijn taak komt erop neer dat ik een eind moet maken aan wat de nieuwe slavenhandel is geworden. Ik werd gekozen omdat ik niet besmet was door het oude regime.'

'Alles verandert in Oekraïne, geloof ik.'

Turchenko glimlachte. 'Oekraïne is een mooi land, meneer Fabel. Een van de mooiste van Europa. De mensen hier hebben daar geen idee van. Het is ook een land dat rijk is aan bijna alle natuurlijke rijkdommen, een ongelooflijk vruchtbaar land, dat de graanschuur van de voormalige Sovjet-Unie was. Het is ook rijk aan alle soorten delfstoffen en heeft enorme toeristische mogelijkheden. Ik hou van mijn land en ik geloof vast in wat het kan worden. En ik denk dat het een van de succesvolste en rijkste landen van Europa kan worden. Daar zal uiteraard meer dan één generatie voor nodig zijn, maar het zal gebeuren. En de eerste stappen zijn gezet: democratie en liberalisering. Maar er zijn ook problemen. Oekraïne is verdeeld. In het westen van het land kijken we voor onze toekomst naar het Westen, maar in het oosten zijn er nog steeds mensen die vinden dat we een soort eenheid met Rusland vormen.' Turchenko zweeg even. 'Duitsers moeten zich dat kunnen voorstellen. Uw land is vele malen herboren en soms is de reïncarnatie niet zo best geweest. Dit is onze wedergeboorte in Oekraïne. Ons land begint aan een nieuw leven. Een leven waarvoor we de straat op zijn gegaan. En waar geen plaats is voor mensen zoals Vasyl Vitrenko.'

'Vitrenko is een uitermate gevaarlijke prooi,' zei Fabel. 'U zult ontzettend voorzichtig moeten zijn.'

'Ik ben voorzichtig van nature. En ik heb jullie politie om me te beschermen.' Turchenko maakte een weids gebaar alsof hij het hele hoofdbureau omarmde. 'Ik heb altijd een lijfwacht van GSG9 bij me.' Hij lachte even en tikte met zijn wijsvinger tegen zijn slaap. 'Ik ben geen man van actie. Ik ben een denker. Ik geloof dat, om dit monster te vinden en te vangen, je hem te slim af moet zijn.'

Fabel glimlachte. Hij mocht de kleine Oekraïner wel; het was een man die overduidelijk geloofde in wat hij zei. Die enthousiast was voor wat hij deed voor de kost. Fabel merkte dat hij hem benijdde.

'Ik wens u veel succes,' zei hij.

15.40 UUR, HOHENFELDE, HAMBURG

'Hoe ging het?' Julia fronste haar wenkbrauwen terwijl ze dit zei.

Cornelius had er de pest over in dat haar frons zo weinig rimpels op haar voorhoofd veroorzaakte, alsof haar jeugd weigerde te zwichten voor haar bezorgdheid. Cornelius had het idee dat hij omringd werd door jeugd. Die hem bespotte waar hij ook ging.

'Slecht.' Cornelius gooide zijn sleutels op de tafel en trok zijn jack uit.

Julia was tweeëndertig, Cornelius precies dertig jaar ouder. Hij had zijn vrouw drie jaar geleden verlaten voor Julia, kort voor zijn negenenvijftigste verjaardag. Zijn huwelijk was bijna even oud geweest als de vrouw voor wie hij er een einde aan had gemaakt, en Julia's leeftijd lag dichter bij die van zijn kinderen dan bij de zijne. Indertijd had hij het gevoel gehad dat hij opnieuw jong werd, sterk. Nu voelde hij zich alleen maar voortdurend moe en oud. Hij ging aan tafel zitten.

'Wat zei hij?' Julia schonk een kop koffie voor hem in en ging tegenover hem zitten.

'Hij zei dat ik uit de tijd ben. Daar kwam het op neer.' Hij staarde Julia aan alsof hij probeerde te bedenken wat ze in zijn keuken deed, zijn appartement. Zijn leven. 'En weet je, hij heeft gelijk. De wereld is verdergegaan. En heeft mij ergens onderweg achtergelaten.' Cornelius schoof de koffie weg. Hij pakte een glas en een fles scotch uit een keukenkast en schonk zichzelf een groot glas in.

'Dat helpt niet,' zei Julia.

'Het mag de ziekte dan niet genezen,' hij nam een grote slok en trok een gezicht, 'maar het helpt beslist tegen de symptomen. Het verdooft.'

'Maak je geen zorgen.' Julia's troostende glimlach maakte Cornelius alleen maar pissiger. 'Binnenkort krijg je een contract. Je zult het zien. Tussen haakjes, er heeft iemand voor je gebeld toen je weg was. Een kwartier geleden ongeveer.'

'Wie?'

'Hij wilde aanvankelijk zijn naam niet noemen. Daarna zei hij dat ik moest zeggen dat Paul had gebeld en dat hij nog wel zou bellen.'

'Paul?' Cornelius fronste zijn wenkbrauwen terwijl hij probeerde te bedenken welke Paul het kon zijn, zette het toen schouderophalend van zich af. 'Ik ga naar mijn werkkamer. En ik neem mijn verdoving mee.'

Het was een andere naam die zijn aandacht trok. Toen hij opstond, zag hij de *Hamburger Morgenpost* op tafel liggen. Hij zette zijn glas neer en pakte de krant op. Hij staarde er lang en strak naar.

'Wat is er?' vroeg Julia. 'Is er iets mis?'

Cornelius antwoordde niet en concentreerde zich op het artikel. Het ging over iemand die gestorven was. Vermoord was. Maar de naam was voor Cornelius al twintig jaar dood. Het was het verslag van de dood van een geest.

'Niets,' zei hij en hij legde de krant weg. 'Helemaal niets.'

Op dat moment drong het tot hem door wie Paul was.

19.40 UUR, STATION NORDENHAM, 145 KILOMETER TEN WESTEN VAN HAMBURG

Het was een mooie avond. De laatste sintels van de zon hingen laag in de lucht achter Nordenham en de Weser glinsterde stil op zijn weg naar de Noordzee. Paul Scheibe was nog nooit in Nordenham geweest, wat merkwaardig was als je bedacht hoe dit provinciestadje een reusachtige schaduw over zijn leven had geworpen.

Een ogenblik lang werd Scheibe weer louter de architect toen hij naar het station van Nordenham keek. Bouwkundig gezien was het niet echt zijn smaak, maar het was niettemin een markant gebouw, zij het in die degelijke, soms strenge, traditionele Noord-Duitse stijl. Hij herinnerde zich gelezen te hebben dat het meer dan een eeuw oud was en onder monumentenzorg viel.

Hier.

Hier was het gebeurd. Op dit perron. Dit was het toneel waarop het belangrijkste drama in zijn leven zich had afgespeeld en hij was er niet bij geweest. Net zomin als de anderen. Zes mensen, honderdvijftig kilometer hier vandaan, hadden het besluit genomen op dit perron een menselijk wezen te offeren. Eén leven was beëindigd, zes levens waren vrij geweest om opnieuw te beginnen. Maar er was meer dan één leven verloren gegaan op deze plek. Ook Piet was hier gestorven. En Michaela en een politieagent. Maar Paul Scheibe had zich nooit schuldig gevoeld over die verloren levens – alles was verdrongen door het intense gevoel van opluchting, van bevrijding in het besef dat alles voorbij was. Maar het was niet voorbij geweest. Iets, iemand was teruggekeerd uit die donkere tijd.

Zoek het uit, hield hij zichzelf steeds weer voor. Zoek het uit. Wie vermoordt de leden van de groep? Het moest iets te maken hebben met deze plek en met wat hier gebeurd was. Maar wie zat erachter? Kon het een van de vier overgeblevenen zijn? Scheibe kon het zich bijna niet voorstellen; het leverde domweg niets op en er was geen sprake van wrok, van oude rekeningen die vereffend moesten worden. Alleen het verlangen niets met elkaar te maken te hebben.

Scheibe voelde zich gegrepen door een kilte. Stel dat Franz hier niet was gestorven. Ze hadden van Franz gehouden, hadden hem gevolgd, maar boven alles waren ze bang van hem geweest. Stel dat zijn dood komedie was geweest, een samenzwering, een akkoordje met de autoriteiten? Stel dat hij het op de een of andere manier had overleefd?

Het sloeg nergens op, maar die moorden móésten iets te maken hebben met wat hier was gebeurd, twintig jaar geleden, op dit perron in een provinciestad. Scheibe had er al spijt van dat hij een bericht voor Cornelius had achtergelaten. Hij was niet van plan het de moordenaar makkelijker te maken en hij was niet van plan zijn carrière op het spel te zetten door contacten te hernieuwen die maar beter vergeten konden worden. Hij had te hard gewerkt voor alles wat hij had bereikt sinds ze elkaar voor het laatst hadden ontmoet; hij was niet van plan dat op te geven.

Scheibe keek op zijn horloge: bijna acht uur. Hij voelde zich moe en vies. Hij had sinds de lunch in het stadhuis niet meer gegeten en hij voelde zich leeg van binnen. Hij ging op een bank op het perron zitten en staarde blind voor zich uit over de rails, over het vlakke landschap erachter en over de Weser naar de Luneplate aan de overkant.

Hij kon dit logisch overdenken. Daarvoor hadden ze indertijd altijd een beroep op hem gedaan, vanwege zijn vermogen om een strategie te plannen, zoals hij een gebouw kon plannen. Meer dan een structuur, maar met inbegrip van alle details. Hij was de architect geweest van wat er toen hier was gebeurd. Nu moest hij dat nogmaals doen. Hij stak zijn hand in de jas van zijn gekreukte zwartlinnen jasje en pakte zijn gsm. Nee, zijn nummer kon worden getraceerd; hij was tenslotte kort geleden nog op de onveiligheid van mobiele telefoons gewezen. Hij wist dat hij dit voorzichtig moest spelen. Hij zou de politie bellen. Anoniem. Hij zou een deal sluiten waardoor hij erbuiten bleef. Net als toen.

Een telefooncel. Hij moest een telefooncel vinden. Hij draaide zich om en keek om zich heen.

Op dat moment kwam de jongeman met de donkere haren het perron op. Er was geen vaag gevoel van herkenning. Paul worstelde niet met de vraag waar of wanneer of hoe hij het gezicht eerder had gezien. Misschien doordat hij het in deze context zag.

De jongeman kwam doelbewust op Paul af.

'Ik weet wie je bent,' zei Paul. 'Ik weet precies wie je bent.'

De jongeman glimlachte en haalde zijn hand even uit zijn jaszak om de automatische Makarov te laten zien.

'Laten we ergens op een rustiger plekje gaan praten. Mijn auto staat buiten,' zei hij terwijl hij in de richting van de uitgang knikte.

20.00 uur, Sankt Pauli, Hamburg

'Zeg het gewoon als ik je stijl verpest,' zei Anna Wolff grijnzend tegen Henk Hermann toen ze naar de bar liepen.

The Firehouse was een groot, plomp gebouw in de Kiez in Sankt Pauli. Aan de buitenkant was het een van die onopvallende bakstenen gebouwen uit de jaren vijftig, die als onkruid waren opgeschoten op de lege plekken als gevolg van de bombardementen tijdens de Tweede Wereldoorlog. Binnen was het even onopvallend, maar op een heel andere manier. De inrichting was een variant op hetzelfde thema van naamloos *designercool* dat je kon aantreffen in bars en clubs overal ter wereld, een nooit verrassende, niet inspirerende, vaag nostalgische wereldwijsheid. Zelfs de achtergrondmuziek was de voorspelbare rustgevende soundtrack. *The Firehouse* liet Anna, die de voorkeur gaf aan clubs en bars die iets speciaals hadden, volmaakt koud. Maar ja, de club richtte zich ook niet op Anna. Of welke vrouw ook.

'Heel leuk,' mompelde Henk en hij knikte in de richting van de kaalgeschoren barkeeper die naar hun kant van de bar kwam.

'Wat kan ik inschenken?' De zwarte barkeeper sprak Duits dat doorspekt was met iets wat het midden hield tussen een Afrikaans en een Engels accent.

Bij wijze van antwoord liet Henk zijn ovale penning van de recherche zien. 'We zouden je iets willen vragen over een van je klanten.'

'O?'

'In verband met een moordonderzoek,' zei Anna. 'We denken dat het slachtoffer hier regelmatig kwam.' Ze legde een foto van Hauser op de bar. 'Ken je hem?'

De barkeeper bekeek de foto even en knikte. 'Dat is Hauser. Ja, ik ken hem. Of kende hem. Ik heb in de krant gelezen dat hij dood is. Afschuwelijk. Ja, hij kwam hier regelmatig.'

'Met iemand in het bijzonder?'

'Niet voor zover ik weet. Een heleboel mannen in het algemeen...'

De twee andere barkeepers waren bezig en de zwarte barkeeper werd geroepen door een klant aan de andere kant van de bar.

'Momentje..?' Terwijl hij de klant ging bedienen, liet Anna haar blik door de club glijden. Het vroege tijdstip in aanmerking genomen, en zo vroeg in de week, was het er tamelijk druk. Zoals ze verwacht had werd hij bezocht door louter mannelijke klanten, maar verder onderscheidde hij zich in niets van elke willekeurige bar of club. Sommige klanten zagen eruit alsof ze rechtstreeks van kantoor kwamen. Anna kon zich Hauser moeilijk hier voorstellen, het leek allemaal te collectief, te doorsnee. De zwarte barkeeper kwam terug en verontschuldigde zich voor de onderbreking.

'Hauser kwam hier vaak, maar hij trok meestal op met jongere mannen. Veel jongere mannen. Ik heb het er net met de andere barkeepers over gehad. Volgens Martin was hij vaak in gezelschap van een man met donkere haren.'

'Sebastian Lang?' Anna legde een foto van Lang op de bar naast die van Hauser.

'Ik zou het niet weten... Martin?' De barkeeper riep zijn collega, die naar hen toe kwam en de foto bekeek.

'Dat is hem,' bevestigde de tweede barkeeper. 'Ze zijn een tijd lang samen gekomen, maar toen bleef de jongere man weg. Maar vóór hem dronk Hauser vaak samen met een man van meer zijn eigen leeftijd. Ik geloof niet dat ze iets met elkaar hadden. Ik denk dat ze gewoon bevriend waren.'

'Weet je de naam van die vriend?'

'Nee, het spijt me.'

'Komt hij nog steeds hier?'

De barkeeper schudde zijn hoofd. 'Ik zou niet kunnen zeggen wanneer hij weer komt. Ik denk dat hij alleen voor Hauser kwam.'

'Bedankt,' zei Henk en hij gaf de barkeeper zijn naamkaartje van de Hamburgse politie. 'Als je hem ziet, kun je me op dit nummer bellen.'

De barkeeper nam het kaartje aan. 'Oké.' Hij fronste zijn wenkbrauwen. 'Jullie denken toch niet dat hij iets met de moord op Hauser te maken heeft, hè?'

'Momenteel proberen we alleen maar een beeld te krijgen van de laatste dagen van het slachtoffer,' zei Anna. 'En van de mensen met wie hij omging. Dat is alles.'

Maar terwijl zij en Henk *The Firestation* verlieten, dacht Anna onwille-keurig dat ze absoluut geen beeld hadden gekregen.

9

Fabel belde Markus Ullrich, de BKA-agent, vanuit zijn kantoor op de afdeling Moordzaken. Ullrich leek verrast van Fabel te horen, maar uit niets bleek dat de BKA-man op zijn hoede was.

'Wat kan ik voor u doen, hoofdinspecteur? Gaat het over mevrouw Klee?'

'Nee, dat niet, meneer Ullrich.' In werkelijkheid wilde Fabel het er nog eens met Ullrich over hebben, maar dit was niet het geschikte moment. Fabel wilde om een gunst vragen. 'U zult zich herinneren dat commissaris Van Heiden informeerde naar de zaak waar ik mee bezig ben. De zogenaamde "Hamburgse Haarsnijder".'

'Ja, dat herinner ik me.'

'Iemand heeft gesuggereerd dat ik het verleden van de slachtoffers eens onder de loep zou moeten nemen. Met name de vraag of ze een geheim hebben uit hun tijd als studentenactivist, of later, tijdens de woelige jaren. Ze waren allebei in verschillende mate politiek actief en ik dacht dat, als er verdenkingen tegen hen zouden zijn...'

'...dat we bij het BKA een dossier over ze zouden hebben, bedoelt u?'

'Het is maar een idee...' Fabel gaf een kort overzicht van wat ze tot dusver over de slachtoffers te weten waren gekomen.

'Oké,' zei Ullrich. 'Ik zal zien wat ik kan doen.'

Fabel hing op en liep naar het grote kantoor van de afdeling Moordzaken om met Anna Wolff te praten. Hij gaf haar alle details over de identiteitskaart uit de Tweede Wereldoorlog van de mummie in HafenCity.

'Zou je naar het staatsarchief willen gaan om te zien of we iets kunnen opgraven? Ik wil weten of er nog nabestaanden zijn die we moeten inlichten.'

Anna bekeek de informatie die Fabel haar had gegeven en haalde haar schouders op. 'Oké, chef.'

Fabel deed de ronde langs zijn medewerkers om de laatste vorderingen te vernemen. De twee scalpmoorden hadden al het andere verdrongen en Fabel was blij dat de moord tijdens de knokpartij in de Kiez de enige andere lopende zaak was, want die was betrekkelijk makkelijk af te handelen. Fabel betrapte zichzelf vaak op dergelijke gedachten, dat hij blij was dat het gewelddadig beëindigen van een leven zo simpel was gegaan en dus minder beslag legde op zijn team. Hij haatte de gedwongen gevoelloosheid van zijn taak als onderzoeker van de dood van anderen.

'Nog steeds niets over de telefoonrekeningen van de slachtoffers,' was Henk Hermann Fabels vraag voor. 'We hebben geen onverklaarbare nummers gevonden.'

Fabel bedankte Henk en ging terug naar zijn kantoor. Het bleef aan hem knagen. Zijn intuïtie zei hem dat de slachtoffers hun moordenaar hadden gekend.

11.45 UUR, SCHANZENVIERTEL, HAMBURG

Het vertrek was vervuld van de rijke, zoete geur van wierook. De jaloezieen waren neergelaten en het vertrek werd verlicht door het zachte, dansende schijnsel van een stuk of vijfentwintig kaarsen.

Beate Brandt zat met gesloten ogen, één hand op het voorhoofd en de andere op de borst van haar cliënt. Haar haren waren lang en vielen als een waterval over haar schouders, net als toen ze achttien was. Maar de glanzende, sensuele luister waarmee ze ooit mannenharten had veroverd was meer dan tien jaar geleden vervaagd. Nu waren ze meer grijs dan zwart en de glans had plaats gemaakt voor dorre stugheid. Ook Beates donkere schoonheid, geërfd van haar Italiaanse moeder, was vervaagd. De sterke botstructuur en de verfijnde trekken waren gebleven, maar de huid eroverheen was geplooid en gerimpeld, alsof iemand een mooi schilderij slordig had opgeslagen.

'Diep inademen...' zei ze tegen de cliënt, wiens leeftijd ze schatte op die van haar eigen zoon en die met stijf gesloten ogen op zijn rug lag. 'We reizen terug. Terug naar een tijd voorbij het leven, maar vóór de dood. Pas als we het voorgaande leven onder ogen zien, kunnen we wedergeboorte ervaren.'

Ze drukte op het voorhoofd van haar cliënt. Haar vingers waren bedekt met grote ringen, op sommige waarvan astrologische symbolen stonden. Haar cliënt had een bleke, gave huid en ze vergeleek de gladde perfectie van zijn voorhoofd met de rimpels op de rug van haar hand en haar mollige, ooit zo slanke vingers. Waarom, dacht ze, wordt ons lichaam ouder, terwijl we ons innerlijk precies hetzelfde voelen als een heel leven geleden?

'Ga terug...' Haar stem kwam net boven een fluistering uit. 'Ga terug naar je jeugd. Herinner je je dat nog? Nu verder terug. Verder terug...'

Beate had altijd moeite gehad om de eindjes aan elkaar te knopen. Beter gezegd: ze had moeite gehad om de eindjes aan elkaar te knopen en tegelijkertijd niet op te vallen. Ze had het idee om een kleine kapitalist te worden verafschuwd, maar het idee om voor iemand anders te werken nog meer. Beate moest ook aan haar zoon denken. Ze had haar best gedaan om ervoor te zorgen dat het hem aan niets ontbrak. Als alleenstaande moeder had ze het er niet makkelijk mee gehad. En daar was uiteraard altijd nog de vraag bij gekomen hoe ver men in haar verleden zou duiken als ze ergens solliciteerde. Ze was begonnen met een kleine modezaak in het Schanzenviertel, maar na verloop van tijd was gebleken dat Beates idee van Schanzenviertel-chic achterliep – tien jaar achterliep – op wat haar klanten zochten. Toen de zaak was gesloten, had ze alles gedaan om iets te vinden waarmee ze geld kon verdienen. Toen had ze het *rebirthing*-concept bedacht. Beate wist dat het flauwekul was. Ergens diep van binnen vond ze het idee van reïncarnatie aantrekkelijk, aannemelijk zelfs, maar dat hele *rebirthing induction*-gedoe was larie. Zij kon het weten; ze had het tenslotte zelf bedacht.

Ze keek naar de cliënt die voor haar op de grond lag. Hij was een vaste klant en kwam nu al drie maanden. Sinds de moord op Hans-Joachim en Gunter had ze besloten geen nieuwe cliënten meer aan te nemen. Geen onbekenden. De sterfgevallen hadden haar geschokt. Bang gemaakt. Hoewel hun wegen elkaar twintig jaar niet hadden gekruist, had Hans-Joachim tenslotte maar een paar straten verderop gewoond.

Nee, ze zou alleen cliënten ontvangen die ze al enige tijd kende. Ze had zelfs geprobeerd een nieuwe draad te spinnen, 'groepstherapie', zodat ze meer dan één cliënt tegelijk zou kunnen ontvangen. Maar gezien het intieme, persoonlijke karakter van haar 'behandeling' waren haar cliënten niet happig op groepsbijeenkomsten. Beates beste idee was het maken van een website geweest, waarop ze online consulten kon doen. Ze had zelfs een programma gekocht waarmee mensen hun geboortedatum en geboorteplaats konden invoeren, waarna ze een schets ontvingen van een waarschijnlijk vorig leven. Betaald door middel van een veilig online creditcardsysteem. Geen risico, geen onkosten, alleen maar winst.

De kern van Beates bedrijfje werd gevormd door een in wezen simpel idee: dat iedereen al eens eerder heeft geleefd, verscheidene keren, en dat er een sleutel moet bestaan om die vorige levens te ontsluiten. Natuurlijk was het, met de exponentieel groeiende wereldbevolking, statistisch gezien onmogelijk dat iedereen een vorig leven had geleid. Dat wist Beate, die toegepaste wiskunde had gestudeerd aan de universiteit van Hamburg, maar al te goed. Maar er was een tijd geweest, lang geleden, waarin ze bereid was geweest haar ongeloof op te schorten in naam van iets groters. Bovendien wemelde het tegenwoordig van mensen die iets zochten om zin te geven aan hun bestaan, toevlucht te zoeken in een of andere waarheid, een ander leven, alles wat iets bood dat minder banaal was dan hun dagelijks bestaan. Dus had Beate, de atheïst, de rationalist, de mathematicus, zich gevestigd als een newagegoeroe die mensen hielp om hun vorige leven te ontdekken. Ze had zich de basisprincipes van hypnotiseren eigen gemaakt, hoewel ze betwijfelde of ze ooit een cliënt met succes onder hypnose had gebracht. Waarschijnlijk maakten ze zichzelf wijs dat ze onder hypnose waren, zodat ze konden geloven in de onzin die ze spuiden over een vorig leven, dat het voortkwam uit iets diepers dan een mix van fantasie, wensdenken en iets wat ze waarschijnlijk een keer ergens gelezen hadden. Maar om zichzelf in te dekken, sprak ze over 'geleide meditatie' en had de bewijslast voor de hypnose bij de cliënt zelf gelegd.

Maar het oorspronkelijke idee was aangetast: Beate was er snel achtergekomen dat, zodra ze een cliënt had geholpen om een 'vorig leven' te ontdekken, deze tevreden wegging – en een bron van inkomsten de deur uit liep. Ze had zich gerealiseerd dat ze een dimensie moest toevoegen aan haar 'therapie', iets waardoor de behandeling langer zou duren. Op dat moment was ze op het idee voor de website gekomen en op het concept van 'Whole Person Rebirth'. Het achterliggende idee was dat, om 'compleet' te zijn, men álle vorige levens moest ontdekken, die moest combineren met het huidige bestaan en dan een 'wedergeboorte' ondergaan, waarna men één geheel werd, alles in het verleden achterliet en opnieuw begon. Een waarlijk nieuw leven.

De ironie was niet verspild aan Beate. Hier, in deze kamer in haar appartement, spuide ze haar eigen mengsel van newagenonsens en psychologisch geleuter over reïncarnatie en wedergeboorte. Net als de anderen van de groep had ze zichzelf opnieuw uitgevonden, afstand gecreëerd tussen zichzelf en haar vorige leven. Maar in tegenstelling tot de meeste anderen had Beate ervoor gekozen zo min mogelijk op te vallen. Terwijl sommigen van de groep zich blijkbaar veilig voelden voor ontdekking, had zij de anonimiteit gezocht. Maar het leek erop dat niet opvallen geen bescherming bood. Hans-Joachim Hauser was altijd al een opdringerige, zelfingenomen egoïst geweest, maar ze vermoedde dat Gunter Griebel er net als zij voor had gekozen zo onopvallend mogelijk te leven.

Ze wierp een blik op de wandklok. Deze sessie leek eeuwen te duren. De jonge patiënt was ervan overtuigd dat hij vele vorige levens moest ontdekken, maar hij beweerde dat er een obstakel in de weg stond, iets waar hij niet omheen kon. Beate zuchtte geduldig en probeerde hem door de jaren, de eeuwen te leiden om te ontdekken wie en wanneer hij eerder was geweest.

Af en toe had ze zin om haar cliënten toe te schreeuwen dat het allemaal bedrog was, oplichterij, dat er niets anders te ontdekken viel dan hun eigen ontoereikendheid en onvermogen om zich neer te leggen bij het feit dat deze wereld, vandaag, alles was wat het leven inhoudt. Beate vond het altijd weer grappig dat de meesten van haar cliënten tijdens de zoektocht naar hun vorige levens blijk gaven van hetzelfde gebrek aan chronologische en technische nauwkeurigheid als de gemiddelde schrijver van historische romans. Vele cliënten waren vrouwen van middelbare leeftijd die een fantasie in vervulling lieten gaan door zich een vorig leven te herinneren als mooie courtisane, wulpse dorpsmeid of sprookjesprinses. In weinig 'vorige levens' was sprake van de plagen, ziektes, hongersnoden en de bittere armoe die door de hele geschiedenis heen schering en inslag waren geweest.

Maar deze jongeman was anders. Hij had het hele proces serieus aangepakt. Hij had vanaf het begin vol overtuiging gesproken over zijn behoefte om een vorig leven te bezoeken. Alsof hij een soort waarheid zocht. Een echt verleden. Een echt leven.

Het enige wat Beate niet kon leveren.

'Zie je al iets?' vroeg ze.

De jongeman fronste zijn brede, lichte voorhoofd in concentratie. Beate had al bij hun eerste ontmoeting gezien hoe aantrekkelijk hij was. En ze had het merkwaardige gevoel gehad dat ze hem ergens van kende. Ooit had ze hem kunnen krijgen. Ooit had ze iedere man kunnen krijgen. Alles. De wereld had zich voor haar ontvouwd, weids en fris en schoon, wachtend op Beates voetstap. Toen was alles tot stof vergaan.

'Ik zie iets,' zei hij aarzelend. 'Ja, ik zie iets. Een plek. Ik sta voor een groot gebouw en ik wacht op iets of iemand.'

'In dit leven of in een vorig?'

'Een vorig. Het was een vorig leven.'

'Beschrijf het gebouw eens.'

'Het is groot. Drie verdiepingen. Het heeft een brede voorgevel met meer deuren. Ik sta ervoor.' De jongeman hield zijn ogen dicht, maar plotseling klonk zijn stem indringend. 'Ik zie het. Het is allemaal zo helder.'

'Wat zie je?' Beate keek opnieuw naar de wandklok. Als hij een vorig leven had gezien, kon het maar beter kort zijn geweest, anders zou hij voor een extra uur betalen.

'Twee levens. Drie levens, dit meegeteld. Het is allemaal zo helder en ik zie ze alsof ik aan gisteren denk.'

'Drie levens, zei je?'

'Drie levens, maar één leven. Een continuüm. De dood was niet het einde, het was niet meer dan een korte onderbreking. Een pauze.'

Die moet ik onthouden, dacht Beate. 'Een continuüm met de dood als korte onderbreking.' Briljant. Dat kan ik gebruiken. 'Ga door,' spoorde ze haar jonge cliënt aan. 'Vertel me over je eerste leven. Stond je toen voor dat grote gebouw?'

'Nee... nee, dat was de tweede keer. De vorige keer.'

'Vertel me over je eerste leven. Waar ben je? Wie ben je?' Beate moest moeite doen om niet ongeduldig te klinken.

'Dat is niet belangrijk. Mijn eerste leven was gewoon voorbereiding... Ik werd voorbereid.'

'Wanneer was dat?'

'Duizend jaar geleden. Langer. Ik werd geofferd en in het moeras gelegd. In het modderige water. Toen legden ze hazelaar- en berkentakken over me heen en verzwaarden ze met stenen. Het was zo koud. Zo donker. Tien keer honderd jaar in het donker en de kou. Toen werd ik herboren.'

'Als wie werd je herboren?'

'Iemand...' Zijn frons werd dieper. 'Iemand... die u gekénd hebt.'

'Heb ík je gekend?' Ze keek naar haar cliënt en bestudeerde zijn gezicht. Zijn ogen bleven gesloten. Om de een of andere reden had zijn bewering haar van streek gemaakt. Het was natuurlijk allemaal onzin, maar ze dacht terug aan de eerste sessie. Ze had meteen gedacht dat ze hem herkende, dat ze hem ergens van kende. Maar toen had ze zich gerealiseerd dat hij haar gewoon aan iemand anders deed denken, iemand die ze op dat moment niet kon noemen.

'Ik ben er nu. Het gebouw. Ik zie het duidelijk...' De jongeman negeerde haar vraag. Hij opende zijn ogen en staarde naar het plafond, maar zijn blik was gericht op iets anders, een andere tijd. 'Het is een station. Nu zie ik het. Ik sta voor een station. Een klein station, maar het gebouw achter me is groot en oud. Recht voor me, voorbij het volgende perron, is het land verlaten en vlak. Er is een brede rivier...' Hij zweeg even en er verscheen een uitdrukking van opperste concentratie op zijn gezicht. 'Sorry...' Voor het eerst sinds het begin van de sessie keek hij haar rechtstreeks aan. Hij glimlachte verontschuldigend. 'Het is weg.'

'Je zei dat je me in dat vorige leven kende.'

Haar cliënt zwaaide zijn benen over de rand van de therapiebank en ging zitten. 'Kweenie... het was niet meer dan een gevoel. Ik kan het niet verklaren of zo.'

Beate dacht even na over zijn woorden. Toen keek ze op haar horloge. Het uur was om. 'Nou, misschien kunnen we de volgende keer doorgaan waar we gebleven zijn.' Ze raadpleegde haar agenda en bevestigde datum en tijdstip.

Haar cliënt stond op en trok zijn jas aan.

'Ik geloof dat de sessie je deze week goed heeft gedaan,' zei ze. 'Je ziet er ontspannener uit dan ooit sinds je voor het eerst kwam.'

'Ik voel me ook ontspannener,' zei hij glimlachend terwijl hij naar de deur liep. 'Ik heb het gevoel dat ik een heel speciale, heel vreedzame geestestoestand bereik. De Japanners hebben er een naam voor...'

'O?' Beate hield de deur voor hem open. Haar middagafspraak kon elk moment komen.

'Ja,' zei hij terwijl hij vertrok. 'Ze noemen het *zanshin*.'

12.40 UUR, VEERHUIS WINTERHUDE, HAMBURG

Het café bij het veerhuis van Winterhude is niet ver van het hoofdbureau van politie. Fabel maakte er vaak gebruik van als plaats van bijeenkomst voor zijn team om een zaak minder officieel te bespreken, op een andere plek dan de afdeling Moordzaken. Toen Markus Ullrich Fabel die ochtend had opgebeld, had Fabel voorgesteld elkaar in het veerhuiscafé te treffen.

Fabel arriveerde vroeg en bestelde een kop koffie bij de ober die Fabel kende als een regelmatige gast, maar er geen idee van had dat hij rechercheur moordzaken was. Het beviel Fabel wel dat de meeste mensen zich niet konden voorstellen dat hij politieagent was en hij vertelde het nooit uit zichzelf. Het was alsof hij twee identiteiten had, twee afzonderlijke levens in twee verschillende Hamburgs: de stad waar hij woonde en waar hij van hield, en de stad die hij bewaakte. Zelfs na al die tijd vroeg hij zich vaak af of hij het juiste beroep had gekozen. Hij wist dat hij er goed in was, maar elke nieuwe zaak, elke nieuwe wreedheid die mensen elkaar aandeden vrat aan hem. Niet voor het eerst dacht hij aan wat had kunnen zijn, wie hij had kunnen zijn, als hij niet had besloten bij de Hamburgse politie te gaan. En al die tijd was hij zich bewust van het visitekaartje van Roland Bartz in zijn portefeuille, een retourticket naar een normaal leven.

Hij ontwaakte met een schok uit zijn overpeinzingen toen hij de gedrongen gestalte van Ullrich de trap naar het café af zag komen. De BKA-man was gekleed in een donker pak met een donker overhemd en das, en hij had een kleine aktetas bij zich. Hij had kunnen komen om Fabel een verzekering aan te smeren. Fabel dacht aan zijn ontmoeting met professor Von Halen, de in kostuum gestoken geneticus; het was alsof de hele wereld tegenwoordig in het bedrijfsleven zat.

'Bedankt dat u dit doet,' zei hij terwijl hij Ullrich een hand gaf. 'Ik dacht, gezien hun achtergrond, dat er een kleine kans was dat u een dossier over een of beide slachtoffers zou hebben.'

De twee mannen namen plaats en het gesprek werd even opgeschort toen de ober kwam om hun bestelling op te nemen.

'Ik heb een paar interessante dingen voor u, meneer Fabel.' Ullrich zette de aktetas op zijn knieën en klopte erop, alsof hij wilde wijzen op de verborgen schatten die erin zaten. Toen zette hij, heel weloverwogen en met een duidelijk 'voor straks'-gebaar, de tas naast zich op de grond. 'We hebben heel wat te bespreken, maar eerst wil ik de lucht zuiveren over de kwestie met Maria Klee... U vindt hopelijk niet dat ik haar te hard heb aangepakt, maar ze bracht een belangrijke operatie in gevaar.'

'Ik had liever gezien dat u het eerst met mij had besproken in plaats van meteen naar commissaris Van Heiden te stappen.'

Ullrich haalde zijn schouders op. 'Ik kreeg de kans niet om het zo te doen. De leiding, met name, moet ik zeggen, die van de LKA6 van de Hamburgse politie, was woedend dat mevrouw Klee dwars door hun zaak heen banjerde. Het was een uiterst gevoelige operatie.'

'Maar in godsnaam, Ullrich, u weet hoe náúw mijn team bij het Vitrenko-onderzoek betrokken was.'

'Dat was een vorige zaak. Het spijt me, Fabel, maar het leven gaat door. We hebben nu te maken met de bedreiging die Vitrenko momenteel vormt. En die is veel te groot voor de Hamburgse politie alleen. We werken samen met agenten van het BKA, van LKA6, van de douane, van de afdeling Georganiseerde Misdaad van de politie in Keulen... Er zijn heel wat manuren in gaan zitten. Het spijt me dat ik het niet met u persoonlijk kon bespreken, maar er kwam ook een heleboel politiek bij kijken. Ik wilde u alleen maar duidelijk maken dat ik niet met opzet achter uw rug om heb gewerkt.'

'Oké,' zei Fabel.

'Hoe dan ook...' Ullrich pakte zijn aktetas op. 'Ik heb gedaan wat u vroeg en heb uw twee moordslachtoffers nagetrokken.'

'En?'

'En hoewel de connecties vaag zijn, zijn er, althans in mijn ogen, te veel toevalligheden om te denken dat uw zogenaamde Hamburgse Haarsnijder willekeurige keuzes maakt. Zoals u al vermoedde, hebben zowel het Hamburgse LKA als het BKA inlichtingendossiers over Hans-Joachim Hauser. Hij was in de jaren tachtig bijzonder actief. Ik dacht dat het van belang zou zijn voor u. Gewoon als achtergrond. Ik heb het dossier laten kopiëren...' Ullrich haalde een dikke map uit zijn aktetas en legde die op het witgelakte blad van de metalen cafétafel. Niets op het lichtbruine omslag wees op wat erin zat. Fabel wilde de map al oppakken toen Ullrich zijn hand erop legde. 'Raak het alstublieft niet kwijt. Het is maar een kopie, maar het zou bijzonder pijnlijk zijn. Er staat niet veel verrassends in, meneer Fabel. Maar hier wordt het interessant...' Hij legde een tweede map op de eerste. 'Ook over uw tweede slachtoffer bestaat een BKA-dossier.'

Fabel boog zich naar voren. 'Werd Griebel gevolgd?'

'Ik dacht wel dat het u zou interesseren.' Ullrich glimlachte. 'Voor zover ik het kan bekijken bestaat er op het eerste gezicht geen verband tussen Hauser en Griebel, afgezien dan van het feit dat ze, zoals u zei, rond dezelfde tijd aan de universiteit van Hamburg studeerden en alle twee politiek actief waren, zij het in verschillende mate. Maar het interessantste is dat beide mannen er later van werden verdacht dat ze figureerden in het zogenaamde RAF-Umfeld.'

'Griebel ook?' Fabel kende de term: RAF-Umfeld had betrekking op het vage, algemene netwerk van medestanders die steun verleenden, vaak financieel of logistiek, aan de Rote Armee Fraktion ofwel de Baader-Meinhoff-bende en andere terroristische organisaties.

'Griebel ook,' bevestigde Ullrich. 'Zoals u weet werden anarchistische terreurgroepen in Duitsland in de jaren zeventig en tachtig door deze netwerken gesteund. Om te beginnen was er de Schili, "chic links", dat voornamelijk bestond uit liberalen uit de middenklasse die de activiteiten van de anarchisten financierden. De Schili waren voornamelijk linkse advocaten, journalisten, docenten aan de universiteit en zo, die genoeg geld ophoestten om de "directe actie" van de anarchisten mogelijk te maken. Totdat die "directe actie" van "walk-ins" in dure restaurants, het kalken van leuzen op overheidsgebouwen en naakt voor de pers poseren veranderde in ontvoeren, moorden en bommen gooien. De activisten werden terroristen en dat werd trendy links te gortig. Het kaf werd van het koren gescheiden en de terreurgroepen hielden alleen de harde kern van medestanders over, die ingezet werden voor dingen waarmee ze niet echt in overtreding waren.'

'Ik weet het,' zei Fabel. 'De zogenaamde legalen.'

'Precies. Maar naast de legalen was er een landelijk netwerk van slapers. Die konden worden opgeroepen om de wet te overtreden om de activiteiten van de grote terreurgroep te ondersteunen, misschien zelfs een opzienbarende moord te plegen, maar oppervlakkig gezien leidden ze een normaal leven en trokken ze geen aandacht. De terreurgroepen kozen dikwijls mensen die nooit officieel in verband waren gebracht met de protestbeweging of een andere politieke activiteit.' Ullrich schoof het dossier naar Fabel toe. 'Hierin zult u zien dat Hans-Joachim Hauser ervan werd verdacht een "legaal" te zijn: hij steunde de "zaak" openlijk, maar overtrad de wet niet. Doctor Griebel daarentegen werd gezien als een potentiële slapende agent...'

'En werden ze verdacht van connecties met de Rote Armee Fraktion?'

'Dat is het punt. Zoals u weet vond er nogal wat kruisbestuiving plaats... het Socialistisch Patiëntencollectief, de Revolutionaire Cellen, Rote Zora en de Baader-Meinhofgroep... En er waren nogal wat freelancers, om dat woord maar te gebruiken. Ik weet dat u in het begin van uw politieloopbaan een van die splintergroeperingen heeft ontmoet.'

Fabel knikte kort. Ullrich zinspeelde uiteraard op de schietpartij in de Commerzbank in 1983, door de Radicale Actiegroep van Hendrik Svensson, waarbij Franz Webern was gedood en Fabel gewond was geraakt en zich genoodzaakt had gezien een leven te nemen om het zijne te redden. Het zat hem niet lekker dat de BKA-man hem waarschijnlijk ooit had nagetrokken. Maar ja, hield hij zichzelf voor, dat was nou eenmaal het werk van Markus Ullrich.

'U zult zich herinneren,' ging Ullrich verder, 'dat het Duitse binnenlandse terrorisme na de zelfmoord van Meinhof, Baader, Ensslin en Raspe in de Stammheimgevangenis in zesenzeventig en zevenenzeventig uiteenviel en versplinterd raakte... wat ons werk veel moeilijker maakte. Het resulteerde ook in veel meer en veel heftiger geweld. Hauser en Griebel hadden eigenlijk nauwelijks prioriteit, en van een verband tussen hen is nooit iets gebleken. Ze hadden gemeenschappelijke kennissen, maar dat geldt voor iedereen die zelfs maar zijdelings bij dat wereldje betrokken was. Er is nog iets over Griebel.'

'O?'

'Ik zag dat zijn dossier onlangs is bijgewerkt. Hij is recentelijk opnieuw nagetrokken. Een paar jaar geleden, om precies te zijn. Ik heb het idee dat het met zijn terrein van onderzoek te maken had. Waaróm zijn specialisme van belang was, zou ik u niet kunnen vertellen, maar onze terrorismebestrijders vonden het nodig hem nogmaals onder de loep te nemen. Maar ook nu weer: weinig prioriteit. Hoe dan ook: veel plezier ermee.'

'Ik waardeer het bijzonder dat u dit voor me doet,' zei Fabel toen hun lunch arriveerde.

'Graag gedaan. Alles wat ik wil vragen is: als de politieke achtergrond van uw moordslachtoffers een duidelijk motief blijkt te zijn, laat het me dan alstublieft weten. Mogelijk dat een "dimensie" van deze zaak ons belangstelling heeft. En, meneer Fabel...' Ullrich keek onzeker, alsof hij afwoog wat hij wel of niet kon zeggen.

'Ja?'

'Wees voorzichtig. Zoals u in de dossiers zult zien, zijn enkelen van de figuren die vroeger onderwerp van onderzoek zijn geweest, belangrijke mensen geworden. Kijk alleen maar naar het kabinet van Gerhard Schröder. Een minister van Buitenlandse Zaken die toegeeft dat hij geweld heeft gebruikt, en een minister van Binnenlandse Zaken die als advocaat de Baader-Meinhofgroep verdedigde.' Ullrich doelde op Joschka Fischer die 'uit de kast was gekomen' toen Bettina Röhl, de dochter van Ulrike Meinhof, de pers foto's in handen had gespeeld van Fischer, die een politieagent aanviel, en op Otto Schily, die als jonge advocaat de terroristen had verdedigd. 'En veel dichter bij huis zijn er nog meer met grote ambities...'

'Zoals Müller-Voigt?'

'Precies. Als uw onderzoek in die richting voert, wees dan op uw hoede.'

Fabel lachte grimmig. 'Ik ben niet bang voor politieke druk. Daar ben ik inmiddels aan gewend.'

'Politieke druk is niet alles waar u bang voor moet zijn...' zei Ullrich. 'Ik kan me niet voorstellen dat die zogenaamde slapers van toen nog steeds in die onzin geloven, maar ze leiden nu al twintig jaar een normáál leven. Ik ben ervan overtuigd dat sommigen van hen tot alles bereid zijn om zichzelf in te dekken. Zoals ik zei: wees voorzichtig.'

19.30 uur, Pöseldorf, Hamburg

Fabel besteedde de namiddag aan het lezen van de BKA-dossiers. Alles was zoals Ullrich het had beschreven: Hauser en Griebel hadden in hetzelfde landschap gewoond, hadden soortgelijke wegen gevolgd, dezelfde mensen gekend, maar niets wees erop dat die wegen elkaar ooit hadden gekruist. Maar de logica suggereerde dat het niet onmogelijk was dat ze van elkaars bestaan wisten. En dat de geheime diensten geen contact hadden kunnen vaststellen, betekende niet dat ze elkaar inderdaad nooit hadden ontmoet.

Susanne werkte tot laat op het Instituut voor Gerechtelijke Geneeskunde, dus Fabel ging alleen naar huis. Door zijn lunch met Ullrich had hij hoegenaamd nog geen trek en hij nam een paar boterhammen en een fles Jever mee naar de woonkamer en zette ze op de salontafel naast zijn laptop en de dossiers. Hij nam een slok bier en staarde door de grote ramen uit over het Alsterpark en de brede Alster, waarvan het water zacht glinsterde in het namiddaglicht. Het was een tafereel dat hem anders tot rust zou hebben gebracht, maar er knaagde iets aan hem dat hij niet kon benoemen. Fabel was een ordelijk mens, hij had behoefte aan evenwicht in zijn universum, aan logica in zijn dagelijks bestaan. Zoals bij de meeste ordelijke mensen kwam deze obsessie voort uit zijn angst voor de chaos die vaak in hem woedde. De aanblik van dezelfde paranoia in haar meest extreme vorm bij Katarina Dreyer had hem angst aangejaagd. De vage verbanden en de toevalligheden rondom de twee moordslachtoffers maakten inbreuk op zijn behoefte aan orde. Als hij het van een afstand bekeek, zag hij een netwerk van onderling verbonden draden, maar als hij dichterbij kwam, viel het uiteen als een spinnenweb in de wind.

Fabel hoorde de deur van zijn flat opengaan en Susannes stem die haar komst aankondigde. Ze kwam binnen en plofte met een overdreven gebaar van uitputting naast Fabel op de bank en liet haar sleutels, tas en gsm naast zich vallen. Ze kuste Fabel.

'Zware dag gehad?' vroeg hij.

Susanne knikte vermoeid. 'Jij ook?'

'Eerder verwarrend dan vermoeiend. Ik zal een glas wijn voor je halen.' Toen hij terugkwam uit de keuken, vertelde hij over zijn ontmoeting met

Ullrich en de informatie in de dossiers. 'Denk je dat ik op het verkeerde spoor zit? Met het privéverleden van de slachtoffers, bedoel ik.'

'Eerlijk gezegd, ja.' Er lag een klank van vermoeide irritatie in Susannes stem. Fabel overtrad hun onuitgesproken regel dat ze in hun vrije tijd niet over hun werk zouden praten. 'Je maakt het te ingewikkeld. Denk nog eens goed na. Neem nou de verminking van de lichamen. De kleine rituelen van de moordenaar, zoals het openlijk ophangen van de scalpen. Dat is het werk van een psychopaat. Je ziet een betekenis in de achtergrond van de slachtoffers, maar ze hebben een soortgelijke achtergrond doordat ze ongeveer even oud zijn. Het zou best kunnen dat je moordenaar psychotisch vijandig staat tegenover middelbare mannen. En de verminking van de lichamen schrééuwt gewoon psychose. Denk eens aan een politiek gemotiveerde moord... Negen van de tien keer hebben we het over een aanslag... een bom op straat, een kogel door het hoofd...'

Fabel nam een slok bier. 'Je zou wel eens gelijk kunnen hebben,' zei hij terwijl hij opstond. 'Hoe dan ook, ik ga iets te eten voor je klaarmaken.'

19.40 UUR, SCHANZENVIERTEL, HAMBURG

Stefan Schreiner hield van het Schanzenviertel. Het was in zijn ogen het levendigste, gevarieerdste, opwindendste deel van Hamburg. Daar was zijn appartement. Daar ook was zijn wijk.

Schreiner was al zeven jaar brigadier bij de uniformdienst van de Hamburgse politie en de laatste vier daarvan deed hij de ronde door het Schanzenviertel. Schreiner ging er prat op dat hij in harmonie was met het Schanzenviertel; hij stond bij winkeliers, wijkbewoners en zelfs bij degenen die af en toe wat dealden bekend als een bedaarde, laconieke agent. Maar ze wisten ook dat, hoewel hij bereid was af en toe iets door de vingers te zien als het geen kwaad kon, Stefan Schreier een eerlijke, toegewijde en efficiënte politieagent was. Dat kon niet gezegd worden van de agent met wie hij een team vormde, Peter Reinhard, die de blauwe sterren van een surveillant op zijn schouder had en dientengevolge Schreiners ondergeschikte was. Schreiner vermoedde dat Reinhard het bij de Hamburgse politie nooit verder zou schoppen dan surveillant. Hij keek toe terwijl zijn ondergeschikte van de snackbar terugkwam naar de auto, met in elke hand een kartonnen koffiebeker met deksel. Reinhard was een boom van een vent die overdreven veel tijd besteedde aan gewichtheffen in de sportzaal, en zijn bewegingen hadden iets opscheperigs. Het is niet slim om in het Schanzenviertel opschepperig te doen als je politieagent bent, bedacht Schreiner. Hij had er veel tijd in gestoken om hier contacten te leggen en Reinhard was niet de soort partner met wie hij graag geassocieerd werd.

Reinhard wurmde zich op de passagiersstoel van de zilver-met-blauwe Mercedes-patrouillewagen en overhandigde Schreiner een van de bekers. Terwijl hij dat deed, streek hij zijn blauwe das en overhemd glad en controleerde of hij er op gemorst had. 'Die nieuwe uniformen zijn cool, vind je ook niet?' zei hij.

'Zal wel.' Het was niet iets waar Schreiner zich erg druk over maakte. De uniformen van de Hamburgse politie waren vorig jaar veranderd van het traditionele groen en mosterdkleurig in donkerblauw.

'Ze doen me aan Amerikaanse uniformen denken...' Reinhard zweeg even. 'N...Y...P...D...' Hij sprak de afkorting op zijn Engels uit. 'Die ouwe waren maar niks... daarin leek je net een boswachter.'

'Mmm...' Schreiner luisterde maar half. Hij nam een slok koffie en keek naar een fietser die in de steeg dichterbij kwam. Schreiner bedacht opeens dat het veel beter zou zijn om in deze wijk per fiets te patrouilleren. In andere wijken gebeurde dat al. Hij zou eens informeren. De fietser kwam dichterbij. Een bijkomend voordeel zou zijn dat er op een fiets geen plaats zou zijn voor Reinhard.

'In vind gewoon dat deze meer op politie-uniformen lijken...' Reinhard vond het blijkbaar best om de discussie in zijn eentje voort te zetten. 'Ik bedoel, blauw is de internationale politiekleur...'

De fiets passeerde de patrouillewagen en Schreiner knikte naar de fietser, die hem negeerde. Het was in het Schanzenviertel niet ongewoon dat de inwoners argwanend of zelfs vijandig stonden tegenover de politie. Ze hadden nog steeds een kater van de radicalere tijden, toen politieagenten door de gemiddelde wijkbewoner als fascisten werden beschouwd.

'Verrek!' Schreiner kwam abrupt in actie. Hij stopte Reinhard zijn beker in de hand en morste daarbij op diens dierbare blauwe uniformhemd. Schreiner smeet het portier open en stapte uit.

'Wacht even! Stop!' riep hij naar de fietser, die omkeek naar de politieagent en reageerde door van hem weg te sprinten. Schreiner sprong terug in de auto, smeet het portier dicht en gaf gas. Hij trok zo snel op dat er nog meer koffie op Reinhards overhemd klotste.

19.40 UUR, PÖSELDORF, HAMBURG

'Wat ik niet snap,' zei Fabel terwijl hij een bord pasta voor Susanne neerzette, 'is waarom het BKA Griebel onlangs opnieuw heeft nagetrokken. Er zullen toch geen nationale belangen gemoeid zijn met Griebels research?'

'Je zei toch dat hij epigeneticus was?' Susanne nam een hap te hete pasta en maakte wapperende bewegingen voor haar mond voordat ze verder ging. 'Waar was hij mee bezig?'

Fabel gaf een overzicht van alles wat hij wist en van het weinige dat hij had begrepen van Griebels werk. 'Een paar andere dingen waar hij bij betrokken was... Je weet wel, dat overgeërfd geheugen, lijken me, nou ja, tamelijk onwetenschappelijk.'

'Niet echt,' zei Susanne. 'Van een heel groot deel van het DNA dat van generatie op generatie wordt doorgegeven is niet bekend welk nut het heeft. Toen het menselijk genoom in kaart werd gebracht, bleek dat meer dan 98 procent van ons DNA zogenaamd junk-DNA is... of om het juiste woord te gebruiken, "niet-coderend".'

'Wat denk jij dat de functie van dat DNA is?'

'Wie zal het weten. Sommige wetenschappers denken dat het de geaccumuleerde verdediging vormt tegen retrovirussen. Je weet wel, alle bacteriën waartegen we tijdens ons bestaan als soort weerstand hebben opgebouwd. Anderen denken dat een deel ervan specifieke functies heeft die we domweg niet begrijpen. Eén theorie luidt dat we via dat DNA instinctief gedrag erven, of zelfs dat het genetische herinneringen bevat. Dat feitelijke ervaringen van een voorouder kunnen worden doorgegeven aan zijn of haar nakomelingen.'

'Het klinkt allemaal tamelijk onwaarschijnlijk.'

'Het is natuurlijk niet echt mijn terrein,' zei Susanne schouderophalend. 'Maar ik heb er weleens mee te maken. Er is een theorie die zegt dat sommige irrationele angsten of fobieën hun ontstaan danken aan genetisch geheugen dat in dat junk-DNA is opgeslagen. Hoogtevrees bijvoorbeeld wordt gecodeerd doordat een voorouder getraumatiseerd werd door een val of doordat hij getuige was van de dood van een ander die was gevallen. Precies zoals we angst voor vuur, claustrofobie en zo kunnen ontwikkelen als gevolg van een trauma in onze directe ervaring, is het mogelijk dat fobieën die geen rechtstreekse bron lijken te hebben geërfd zijn.'

Fabel dacht aan Maria en aan haar angst voor aanraking als gevolg van haar traumatische ervaring. Hij kreeg kippenvel bij de gedachte dat zulke angsten van generatie op generatie konden worden doorgegeven.

'Maar het is toch zeker allemaal speculatie?' zei hij.

'Er zijn een heleboel dingen die niet verklaard kunnen worden vanuit de normale chromosomatische overerving. Lactosetolerantie bijvoorbeeld. Eigenlijk zouden we de melk van een andere soort niet moeten kunnen drinken, maar in alle culturen waarin het hoeden en houden van koeien, geiten, yaks en zo gewoon was, ontwikkelden we een tolerantie voor het drinken van melk van vee. Maar die tolerantie hoefde niet door elke generatie opnieuw te worden ontwikkeld... Ze werd, eenmaal verworven, gewoon doorgegeven. En dat kan niet verklaard worden vanuit natuurlijke selectie of het doorgeven van congenitaal DNA. Er moet een ander mechanisme voor genetische overdracht zijn.'

Fabel trok het gezicht van iemand die nadenkt over dingen die hij niet volledig begrijpt. 'En herinneringen dan? Denk je dat die van de ene generatie op de andere kunnen overgaan?'

'Ik zou het eerlijk gezegd niet weten. Het voornaamste probleem zijn de totaal verschillende en afzonderlijke processen. Herinneringen zijn neurologische verschijnselen. Ze hebben te maken met hersenkwabben, hersencellen, het zenuwstelsel. DNA-overerving is een genetisch proces. Ik begrijp niet welk biomoleculair mechanisme ervoor kan zorgen dat die elkaar beïnvloeden.'

'Maar...?'

'Maar instinctief gedrag is moeilijk te verklaren, vooral de meer abstracte vormen van instinct die niets met onze oorsprong als soort te maken hebben. Natuurlijk, in de psychologie hebben we de Jungiaanse stroming gehad, die die theorieën gewoon veel te ver doorvoerde, maar er zijn simpele gemeenschappelijke ervaringen die me intrigeren.'

'Zoals?'

'Toen we op Sylt waren, vertelde je dat je, de eerste keer dat je op het eiland kwam, het gevoel had dat je het al je hele leven kende. Dat is een betrekkelijke gewone psychologische ervaring... zo zou je het kunnen noemen. Neem bijvoorbeeld een boer die nooit verder dan Beieren is geweest, laat staan verder dan Duitsland, en eindelijk in het buitenland op vakantie gaat... zeg in Spanje. Maar als onze weerspannige maagdelijke toerist die nooit blijk heeft gegeven van enige belangstelling voor Spanje, in een afgelegen bergdorp aankomt, krijgt hij een onverklaarbaar gevoel van vertrouwdheid. Hij weet instinctief waar hij naartoe moet gaan om een kasteel te zoeken, het oude deel van de stad, een rivier enzovoort. En als hij weer thuis is, in Oberbayern, lijdt hij aan een rare vorm van heimwee.'

'Komt dat vaak voor?'

'Tamelijk. Het verschijnsel wordt momenteel druk bestudeerd. Let wel, we hebben het niet over een soort uitgebreid déjà vu. Die mensen bezitten specifieke kennis van een plaats waar ze nooit eerder zijn geweest.'

'Dus wat betekent dat? Een soort bewijs van reïncarnatie?'

'Zo wordt het door veel mensen opgevat. Wat natuurlijk onzin is, maar de logica, of het gebrek daaraan, als je begrijpt wat ik bedoel, is te begrijpen. Maar sommige serieuze psychologen en genetici denken dat het hét bewijs kan zijn voor een vorm van geërfd of genetisch geheugen. Maar, zoals ik zei, ik begrijp niet hoe het neurologische of psychologische verschijnsel geheugen kan worden overgedragen en gestempeld op de fysieke, biomoleculaire structuur van DNA. Ik ben geneigd te denken dat deze ervaringen ontstaan uit informatie die mogelijk in stukjes is opgedaan tijdens een leven van lezen, televisiekijken enzovoort. Verspreid door het hele onderbewustzijn, maar samengebracht door een enkel herkenningspunt. Bijvoorbeeld, onze Beierse boer ziet de spits van de kerktoren als hij uit de bus stapt. Hij krijgt een vreemd, déjà-vu-achtig gevoel van vertrouwdheid doordat zijn onderbewustzijn dat beeld combineert met verspreide legpuzzelstukjes informatie.'

'Maar andere geleerden, zoals Gunter Griebel, denken dat het iets te maken heeft met die DNA-soep die we allemaal met ons meedragen.'

'Ja. Bijvoorbeeld dat onze Beierse boer een verre voorouder had die in dat gedeelte van Spanje woonde en dat hij voorouderlijke herinneringen eraan heeft geërfd. En dan is er natuurlijk nog een verschijnsel dat we allemaal kennen. Het gevoel dat je iemand ergens eerder hebt ontmoet, hoewel je hem of haar voor het eerst ziet. Niet alleen hun uiterlijk, maar ook hun persoonlijkheid. Of de manier waarop we iemand op het eerste gezicht wel of niet mogen, zonder de geringste basis voor ons vooroordeel. Het is een favoriet gezegde onder reïncarnationisten dat een groep individuen verbonden is via al hun incarnaties. En dat we hen herkennen zodra we hen in een nieuw leven opnieuw ontmoeten.'

Fabel ging naar de koelkast en nam nog een fles Jever. 'En wat is de wetenschappelijke theorie achter dat verschijnsel?'

'God, Jan... dat hangt ervan af hoe je het bekijkt. Als psycholoog zou ik tientallen psychologische factoren kunnen aanwijzen die een vals gevoel van herkenning stimuleren, maar ik weet dat er heel wat wilde theorieën over zijn. Het is een feit dat alle bewoners van deze planeet aan elkaar verwant zijn, via een hoe ver ook verwijderde gezamenlijk genetische voorouder. De wereldbevolking telt zesenhalf miljard mensen. Maar als we slechts drieduizend jaar teruggaan, tot omstreeks de tijd van de mummies in het westen van China waarover je me vertelde, zouden het er... nog geen tweehonderd miljoen zijn. We zijn allemaal niet meer dan variaties op hetzelfde thema, telkens weer. Het is dan ook heel goed denkbaar dat dezelfde combinatie van kenmerken bij hetzelfde type persoonlijkheid terugkomt. We hebben allemaal de neiging bepaalde kenmerken te associëren met bepaalde persoonlijkheden en beoordelen mensen op hun uiterlijk. We zeggen dat iemand er intelligent of aardig of arrogant uitziet, op grond van uiterlijke kenmerken en onze ervaringen met mensen met een soortgelijk uiterlijk. En soms, als we mensen voor het eerst ontmoeten, hebben we het gevoel dat we ze eerder hebben ontmoet, omdat we een samengesteld beeld vormen van een aantal mensen die op elkaar leken en een overeenkomstige persoonlijkheid hadden.'

Susanne nam een slok wijn en haalde haar schouders op. 'Het is geen reïncarnatie. Het is toeval.'

Het had een ongelijke strijd moeten zijn, een Mercedes-patrouilleauto tegen een oude fiets. Maar het Schanzenviertel is een doolhof van smalle straten met aan weerszijden geparkeerde auto's en Stefan Schreiner was gedwongen telkens weer gas te geven en te remmen.

Terwijl hij om obstakels en hoeken heen reed in zijn jacht op de fietser, zat zijn partner Peter Reinhard te worstelen om de plastic deksels weer op de koffiebekers te doen en die in de bekerhouders te zetten. 'Zou je me verdomme willen vertellen wat er aan de hand is?' Reinhard had een papieren servet gevonden en depte zijn van koffie drijfnatte overhemd.

'Die fiets...' Schreiber bleef zich concentreren op zijn prooi, '... is gestolen.'

Ze waren nu in een straat met eenrichtingsverkeer met opnieuw aan weerszijden geparkeerde auto's, zodat ze niet konden keren. De fietser realiseerde zich blijkbaar dat de politie in het nadeel was en stopte plotseling, zodat Schreiber vol op de rem moest. Maar voordat de politieagenten tijd hadden om uit te stappen, glipte de fietser tussen twee auto's door het trottoir op en reed terug in de richting waaruit ze gekomen waren. Schreiner ramde de auto in zijn achteruit, draaide zich om op zijn stoel en reed zo snel als de breedte van de straat en de obstakels hem toestonden achteruit.

'Wat?' vroeg Reinhard ongelovig. 'Ik ben zeiknat vanwege een gestolen fiets?'

'Niet zomaar een gestolen fiets.' Schreiner zweeg terwijl hij de Mercedes achterstevoren de Lipmannsstrasse in stuurde. Met gillende banden scheurde hij weer achter de fietser aan. 'Degene van wie hij is gestolen, was Hans-Joachim Hauser. Dit zou de moordenaar weleens kunnen zijn.'

De fietser had nu niet meer het voordeel van geparkeerde auto's die de snelheid van de politieauto belemmerden en reed opnieuw het trottoir op.

Reinhard boog zich naar voren en was de op zijn uniformhemd gemorste koffie volledig vergeten. 'Dan pakken we die klootzak op.'

Schreiner merkte dat de fietser het Schanzenviertel goed kende. Hij sloeg abrupt links af de Eifflerstrasse in, tegen de verkeersstroom in de eenrichtingsstraat in, zodat Schreiner boven op zijn rem moest om een tegemoetkomende Volkswagen te ontwijken. Schreiner sprong uit de auto en rende de fietser over het trottoir achterna, op de hielen gezeten door Reinhard en met de verwensingen van de vw-bestuurder in zijn oren. De fietser ging harder. Hij keek grijnzend om naar de politieagenten en stak uitdagend zijn vuist op. Het was van korte duur. Zich niet bewust van de achtervolging op het trottoir gooide de bestuurder van een geparkeerde auto zijn portier open en raakte de passerende fiets, die tegen de muur van een van de gebouwen knalde. Tegen de tijd dat de fietser op zijn rug lag en zijn bezeerde knie vasthield, hadden de politieagenten hem ingehaald en torenden boven hem uit, hun handwapen op zijn hoofd gericht.

'Blijf liggen!' schreeuwde Reinhard naar de stomverbaasde fietsendief. 'Steek je handen boven je hoofd.'

De fietser deed precies wat hem gezegd werd. 'Oké... oké...' zei hij met een blik op de op hem gerichte vuurwapens. 'Ik beken, verdomme... ik heb die rotfiets gejat!'

21.10 uur, Hoofdbureau van Politie, Hamburg

Het was voor Fabel zo klaar als een klontje dat de bleke, blonde jongeman in de verhoorruimte van de afdeling Moordzaken niets met de moord op Hans-Joachim Hauser te maken had. Leonard Schüler leek wel een dier dat gevangen zat in de koplampen van een auto. En afgaande op wat Fabel had gelezen in Schülers dossier, kon deze kruimeldief onmogelijk de moordenaar van Hauser zijn. Fabel leunde met zijn rug tegen de muur naast de deur en liet Anna en Henk het verhoor afnemen.

'Ik weet niks over een moord,' verklaarde Schüler, wiens blik heen en weer flitste tussen de twee politieagenten alsof hij bevestiging zocht dat ze hem geloofden. 'Ik bedoel, ik heb wel gehóórd dat die Hauser vermoord is, maar voordat ik werd gearresteerd, wist ik zelfs niet dat het zijn huis was waar ik die fiets gepikt had.'

'Nou,' zei Anna met een glimlach, 'het slechte nieuws voor jou is dat je op dit moment alles bent wat we hebben. Meneer Hauser legde zijn fiets aan de ketting toen hij rond tien uur thuiskwam en de volgende morgen om negen uur vond zijn schoonmaakster hem zonder zijn haren. Er is maar één persoon van wie we weten dat hij tussen die twee tijdstippen in zijn buurt is geweest. Jij.'

'Maar ik ben helemaal niet bij hem geweest,' protesteerde Schüler. 'Ik heb er geen voet over de drempel gezet. Ik zag gewoon zijn fiets en jatte hem.'

'Hoe laat was dat?' vroeg Henk.

'Ik schat om een uur of elf. Halftwaalf. Ik had wat gedronken met vrienden en ik denk dat ik wat te veel op had. Ik liep door de straat en zag die fiets. En ik dacht, nou ja, waarom lopen als je kunt fietsen? Het was maar een geintje. Een grap. Hij stond aan de ketting, maar ik kon het slot open peuteren.'

'Waarmee? We hebben begrepen dat Hauser nogal gek was met zijn fiets en het lijkt me dat hij er een behoorlijke stevige ketting om had gelegd.'

'Ik had een schroevendraaier bij me.' Schüler zweeg even. 'En een tang.'

'Ga je altijd uit met je zakken vol gereedschap?' Henk gooide een rammelende plastic zak op tafel. 'Dit is op je gevonden toen je vanavond werd gearresteerd... Schroevendraaier, tang, het blad van een ijzerzaag... en dit is heel interessant... een paar latex wegwerphandschoenen. Wat ben je nou eigenlijk: een voltijddoe-het-zelver of een bijklussende chirurg?'

Schüler keek weer van Henk naar Anna en terug, alsof hij hoopte dat ze hem een idee zouden geven van wat hij moest zeggen.

'Luister, Leonard,' ging Henk verder. 'Je bent drie keer veroordeeld voor inbraak in privéwoningen en een keer voor autodiefstal. Daarom nam je de benen toen de patrouilleauto je probeerde aan te houden. Niet omdat je bang was dat je betrapt zou worden op een gestolen fiets. Je had kunnen zeggen dat je hem onbeheerd had aangetroffen. Je was op zoek naar een appartement om in te breken. Net als op de avond dat je die fiets stal. Ik vind het moeilijk te geloven dat je het niet de moeite waard hebt gevonden om even te kijken of er nog meer te halen viel.'

'Ik zeg toch... Ik ben er niet in de buurt geweest. Ik was een beetje narrig en daarom jatte ik die fiets. Jezus, je denkt toch niet dat ik die zou hebben gehouden als ik de eigenaar ervan koud had gemaakt?'

'Daar heb je een punt...' Fabel kwam dichterbij vanaf de deur waar hij naar het verhoor had staan luisteren. Hij trok een stoel bij naast Leonard en bracht zijn gezicht vlak bij dat van de jongeman. Toen zei hij op kalme, weloverwogen dreigende toon: 'Ik wil dat je naar me luistert, Leonard. Ik wil dat je iets heel goed begrijpt. Ik jaag op mensen. In dit geval jaag ik op een heel speciale man, die net als ik op andere mensen jaagt. Het verschil is dat hij ze achtervolgt, ze vindt en dan dit met ze doet...' Fabel keek Anna aan en knipte ongeduldig met zijn vingers. Ze gaf hem het dossier met de foto's van de plaats delict. Fabel haalde er een uit de map en hield hem zó vlak voor Schülers gezicht dat deze terugdeinsde. Toen Schüler het beeld bekeek, vertrok zijn gezicht van afkeer. Fabel verving de foto door een andere. 'Zie je wat die man doet? Dit is degene die me interesseert, Leonard. Dit is degene op wie ik het gemunt heb. Jij daarentegen bent een waardeloos stuk stront waarvoor ik alleen tijd heb om het van mijn schoen te vegen.' Fabel leunde achterover. 'Het lijkt me belangrijk zulke dingen in de juiste verhoudingen te zien. Ik wil dat je dat begrijpt. Dat begrijp je toch, Leonard?'

Schüler knikte zwijgend. Het bleef even stil.

'Ik wil ook dat je dit begrijpt.' Fabel legde de foto's van de beide slachtoffers met het gezicht naar boven op het tafelblad. Zoals alle foto's van een plaats delict was het contrast schril door het flitslicht. De doodse ogen van Hans-Joachim Hauser en Gunter Griebel staarden onder een verminkte schedel naar het plafond. 'Als je me niet binnen twee minuten ervan overtuigt dat je me de absolute waarheid vertelt, weet je wat ik dan doe?'

'Nee...' Schüler probeerde te doen alsof Fabel hem niet op stang had gejaagd. Het lukte hem niet. 'Nee... Wat doet u dan?'

Fabel stond op. 'Dan laat ik je gaan.'

Schüler lachte beduusd en keek naar Anna en Henk, die uitdrukkingsloos terugkeken.

'Ik laat je weggaan,' ging Fabel verder. 'En ik zal ervoor zorgen dat iedereen weet dat je onze belangrijkste getuige bent voor deze moord. Misschien geef ik een van de minder scrupuleuze lokale kranten zelfs het idee dat ze me je naam en adres hebben ontfutseld. En dan...' Fabel lachte even vals. 'O, dan, Leonard, jongen, hoef je je nooit meer druk over ons te maken. Zoals ik zei: ik jaag niet op kleine prooien zoals jij. Maar ik kan je als aas gebruiken.' Fabel boog zich weer naar Schüler toe. 'Je begrijpt deze man niet. Je zult in de verste verte niet op dezelfde manier kunnen denken. Ik wel. Ik heb al op zoveel moordenaars zoals hij jacht gemaakt. Te veel. Geloof me, ze zien of voelen de wereld niet op dezelfde manier als wij. Sommigen van hen voelen geen angst. Ik meen het. Sommigen... de meesten eigenlijk... doden alleen maar om te zien hoe het is als een ander menselijk wezen sterft. En er zijn er heel wat die genieten van elke dood, zoals wij zouden genieten van een goede wijn of een lekkere maaltijd. En dat betekent dat ze de ervaring willen rekken. Om van elke seconde te genieten. En geloof me, Leonard, als mijn vriend hier denkt dat jij ons naar hem zou kunnen leiden, dat je hem misschien gezien hebt zonder dat hij jou zag, zal hij je zonder aarzeling opsporen en vermoorden. Maar hij moordt niet zomaar. Stel je eens voor hoe het moet zijn om vastgebonden te zijn aan een stoel terwijl hij je in stukken snijdt en scalpeert. En al die pijn, al die verschrikkingen, zouden het laatste zijn wat je ervaart. Een eeuwigdurend moment. O nee, Leonard, hij zal je niet alleen maar vermoorden. Hij zal je eerst meenemen naar de hel.' Fabel stond op en strekte zijn arm uit naar de deur. 'Dus, Leonard, zal ik je vrijlaten?'

Schüler schudde vastbesloten zijn hoofd. 'Ik zal u alles vertellen. Alles wat ik weet. Als u er maar voor zorgt dat mijn naam niet uitlekt.'

Fabel glimlachte. 'Zo wil ik het horen.' Hij wendde zich tot Anna en Henk terwijl hij naar de deur liep. 'Ik laat het verder aan jullie over...'

Teruggekeerd in zijn kantoor schonk Fabel zichzelf een kop koffie in. Hij ging aan zijn bureau zitten, hing zijn jack over de rugleuning van zijn stoel en keek op zijn horloge. Het was nu halfnegen. Soms had Fabel het gevoel dat zijn werk hem niet losliet, dat het hem kon bereiken waar hij ook was of hoe laat het ook was. Het zat hem dwars dat hij de zaak met Susanne in hun vrije tijd had besproken, ook al was het slechts over Griebels werk gegaan. Hij had er zelfs spijt van dat hij de dossiers die Ullrich hem had gegeven mee naar huis had genomen. Maar er was iets wat onafgebroken aan hem knaagde met betrekking tot het tweede slachtoffer en hij kon er zijn vinger niet op leggen. Alsof er een steentje in je schoen zat dat je niet kon vinden, maar wel bij elke stap voelde.

Fabel haalde een groot schetsboek uit de la van zijn bureau. Hij sloeg het open op de bladzijde waarop hij begonnen was met het in kaart brengen van de zaak van de Hamburgse Haarsnijder. Het was iets wat Fabel al zo vaak eerder had gedaan, bij zo veel zaken; een verkrachting van de creatieve functie waarvoor schetsboeken bedoeld waren. Fabel schetste de profielen van zieke, verwrongen geesten, van dood en pijn. Hij dacht terug aan wat hij tegen Schüler had gezegd. Allemaal bluf natuurlijk, maar het beklemde hem dat het waar was als hij zei dat hij op mensen jaagde en dat het hem steeds minder moeite kostte om zich te verplaatsen in degenen op wie hij jacht maakte.

Voor de zoveelste keer vroeg Fabel zich af hoe het zo ver had kunnen komen dat hij hier zat, tot zijn nek in het bloed en de drek van anderen. Dit leven had hem beslopen, met besliste, onopvallende stappen. De eerste was de moord op Hanna Dorn geweest, zijn vriendin toen hij studeerde. Hij had haar niet eens zo lang of zo goed gekend, maar ze was een belangrijke figuur geweest in zijn wereld. En ze was eruit weggerukt, abrupt en gewelddadig, door een moordenaar die haar volslagen willekeurig als slachtoffer had gekozen. Fabel was even verward als verdrietig geweest en meteen na zijn afstuderen was hij bij de Hamburgse politie gegaan. Daarna was er de schietpartij in de Commerzbank geweest. Fabel – de pacifist Fabel, die ervoor had gekozen zijn dienstplicht te vervullen als ambulancechauffeur in zijn geboorteplaats Norden in plaats van een kortere diensttijd bij de krijgsmacht – had zich genoodzaakt gezien iets te doen waarvan hij altijd had gezworen dat hij het nooit zou doen. Hij had een menselijk leven genomen. Daarna, bij de afdeling Moordzaken, had elke nieuwe zaak aan hem geknaagd, hem gevormd tot iemand die hij nooit verwacht had te zullen worden.

Soms had Fabel het gevoel dat hij andermans leven droeg, alsof hij een verkeerde jas had meegenomen uit de garderobe van een restaurant. Dit was absoluut niet wat hij voor zichzelf had gepland.

Hij staarde naar het schetsboek zonder het te zien en probeerde in een ander leven te kijken. Ditmaal niet in het hoofd van een moordenaar of het leven van een moordslachtoffer, maar in een leven dat het zijne had moeten, had kunnen zijn. Misschien was dat wat Fabel was geworden: zelf een moordslachtoffer.

Hij tastte in zijn jack en pakte zijn portefeuille. Hij haalde er het stukje papier uit dat Sonja Brun hem had gegeven met haar telefoonnummer erop en het kaartje van Roland Bartz, en legde ze op zijn bureau. Een nieuw leven. Hij kon de telefoon pakken, twee gesprekken voeren en alles veranderen. Hoe zou het zijn, vroeg hij zich af, om alleen kleine zorgen te hebben?

Geen beslissingen over leven of dood te hoeven nemen? Hij keek een ogenblik naar het telefoontoestel op zijn bureau, stelde zich voor dat het een deur naar een nieuw leven was, zuchtte toen en stopte het papiertje en het visitekaartje terug in zijn portefeuille alvorens zijn aandacht weer op het schetsboek te richten.

Twee slachtoffers op één dag. Geen duidelijke aanwijzingen en weinig onderlinge verbanden. De één een schreeuwerige aandachttrekker, de ander bijna een kluizenaar. Het enige gemeenschappelijke dat Fabel zag, afgezien van de suggestie van politiek extremisme in hun jeugd, was dat ze alleen in spiegelbeeld leken te bestaan. Hauser had getracht zich als milieugoeroe en belangrijk figuur ter linkerzijde op te werpen en was een voetnoot in de biografie van anderen geworden. Griebel leek alleen via en voor zijn werk te bestaan, zelfs toen zijn vrouw nog leefde.

Eerder had Fabel de naam van Kristina Dreyer op de bladzijde geschreven, er met een markeerstift een kring omheen gezet en een pijl naar die van Hauser. Ook had hij de naam van Sebastian Lang verbonden met die van Hauser. Fabel had Lang niet zelf ondervraagd, maar Anna had hem verzekerd dat Langs alibi deugdelijk was. Een vraagteken duidde de oudere man aan die volgens Anna met Hauser was gezien in *The Firehouse*. Kon het Griebel geweest zijn? Er waren nauwelijks duidelijke foto's van de cameraschuwe wetenschapper in leven en de mortuariumfoto van hem waarop de bovenkant van zijn hoofd was weggesneden, maakte identificatie er niet eenvoudiger op. Fabel maakte een aantekening dat hij Anna met een politietekening van Griebel naar *The Firehouse* moest sturen om te zien of iemand van het personeel hem herkende.

Er werd geklopt en Anna Wolff kwam, zoals gewoonlijk onuitgenodigd, binnen, gevolgd door Henk Hermann.

'Bedankt dat je Schüler hebt overgehaald,' zei Anna, op een toon waardoor Fabel niet wist of ze het wel of niet meende, terwijl ze tegenover Fabel ging zitten. 'Het viel niet mee om hem de mond te snoeren, zo bang is hij voor de boeman die je op hem af dreigde te sturen.'

'Iets nuttigs?' vroeg Fabel.

'Ja, chef,' zei Henk. 'Schüler gaf toe dat hij de buurt te voet afstruinde om mogelijke appartementen en huizen te verkennen. Volgens zijn eigen zeggen was het niet meer dan een halfslachtige verkenningstocht... hij verzet zijn beste werk blijkbaar in de kleine uurtjes, als de bewoners slapen, maar het Schanzenviertel wemelt van clubs en pubs, dus hoopte hij op dat tijdstip een paar verlaten flats te kunnen vinden. Maar goed, hij had geen geluk en was bijna betrapt door een huiseigenaar, zodat hij besloten had het voor gezien te houden. Onderweg naar huis zag hij de fiets die voor Hausers appartement aan de ketting lag en hij dacht: "Waarom ook niet?" Het interessante is dat hij bij het appartement wilde kijken, gewoon voor het geval dat, dus ging hij achterom, waar een kleine binnenplaats is met een ingang naar de ramen van de zitkamer, de slaapkamer en de badkamer. Hij zei dat hij het daarbij liet, omdat hij zag dat de bewoner thuis was.'

'Heeft hij Hauser gezien?'

'Ja,' zei Anna. 'Levend en wel. Hij zat met een drankje in de huiskamer, dus besloot Schüler genoegen te nemen met de fiets.'

'Maar het belangrijkste is dat Hauser niet alleen was,' zei Henk. 'Hij had een gast.'

'O?' Fabel boog zich naar voren. 'Hebben we een signalement?'

'Volgens Schüler zat hij met zijn rug naar het raam,' zei Anna. 'Schüler wilde zo snel mogelijk weg van de binnenplaats, voor het geval hij gezien was, en schonk daarom nauwelijks aandacht aan de twee mannen. Maar afgaande op zijn woorden was een van hen absoluut Hauser. Schüler beschreef de andere man als jonger, misschien begin dertig, donker haar en slank.'

'Past dat signalement niet bij degene die Kristina Dreyer betrapte, terwijl ze na de moord probeerde schoon te maken?'

'Sebastian Lang... Ja, hè?' Anna grinnikte. 'Ik heb een foto van Lang die ik heb gebruikt toen we navraag deden naar Hauser.'

'Heeft Lang je vrijwillig een foto gegeven?' vroeg Fabel.

'Dat niet.' Anna keek Henk even aan. 'Ik heb hem geléénd van de plaats delict. Technisch gesproken was die foto eigendom van de overledene. Niet van Lang.'

Fabel liet het erbij. 'Heb je Schüler die foto laten zien?'

'Ja,' zei Anna. 'Onbeslist, lijkt me. Schüler zegt dat het dezelfde man zou kunnen zijn; de haarkleur is hetzelfde, net als het postuur, ongeveer. Maar hij heeft Hausers gast niet goed genoeg gezien voor een positieve identificatie. Niettemin vind ik dat we meneer Lang nog eens een bezoekje moeten brengen. Ik zou dat alibi nog eens willen bekijken.'

'Ik denk,' zei Fabel, 'dat ik deze keer meega.'

22.35 UUR, EIMSBÜTTEL, HAMBURG

Het was halfelf geweest toen Fabel, Anna en Henk op de deur van Sebastian Langs appartement klopten. Lang woonde op de tweede verdieping van een indrukwekkend gebouw in de Ottersbekallee, slechts enkele minuten van het appartement van Hans-Joachim Hauser in het Schanzenviertel. Fabel had Lang nog niet ontmoet. Hij was een lange man van begin dertig, heel slank, met een lichte huid, lichtblauwe ogen en donkere haren. Zijn uiterlijk kwam zonder meer overeen met het ruwe signalement van de man die

Schüler in Hausers appartement had gezien. Langs gezicht was volmaakt van proporties, maar in plaats van hem knap te maken, leek die volmaaktheid hem iets verwijfds te geven. Maria had hem een 'mooie' jongen genoemd. Het andere opmerkelijke aan Langs gezicht was de uitdrukkingsloosheid ervan en toen hij opzij stapte om de rechercheurs binnen te laten, verraadde het masker van zijn gezicht niets van zijn ergernis.

Hij ging Fabel, Anna en Henk voor naar de zitkamer. Net als de bewoner was de flat onberispelijk; alles stond waar het hoorde te staan. Het was alsof Lang de kleinst mogelijke impact maakte op zijn woonomgeving. Hij had blijkbaar zitten lezen toen Fabel en de anderen arriveerden en hij had het boek netjes op de salontafel gelegd. Fabel pakte het op. Het was een overzicht van de politiek van het naoorlogse Duitsland, opengeslagen bij een hoofdstuk over het Duitse binnenlandse terrorisme in de jaren zeventig en tachtig.

'Studeert u geschiedenis, meneer Lang?' vroeg Fabel.

Lang pakte Fabel het boek af, deed het dicht en zette het terug op de open plek die het had achtergelaten op Langs keurig gerangschikte boekenplank.

'Het is laat, hoofdinspecteur, en ik stel het allesbehalve op prijs dat ik thuis word lastiggevallen,' zei Lang. 'Zou u me willen vertellen waar het over gaat?'

'Natuurlijk, meneer Lang. Sorry dat ik u zo laat stoor, maar ik dacht dat u maar al te graag bereid zou zijn om antwoord te geven op vragen die misschien meer licht kunnen werpen op wat meneer Hauser is overkomen.'

Opnieuw een zucht. 'U stelt mijn geduld op de proef, meneer Fabel. Natuurlijk wil ik helpen om de moordenaar van Hans-Joachim te grijpen, maar als de politie na tien uur 's avonds massaal voor de deur staat, neem ik aan dat dat niet alleen is om een paar feiten na te trekken.'

'Dat is juist,' zei Fabel. 'Er heeft zich een getuige gemeld die iemand in meneer Hausers appartement heeft gezien op de avond van de moord. Iemand die aan uw beschrijving beantwoordt.'

'Dat is onmogelijk.' De protesterende klank in Langs stem vertaalde zich nog steeds niet in een levendiger gelaatsuitdrukking. 'Beter gezegd, het is mogelijk dat er iemand was die op mij leek, maar ik was het niet.'

'Nou,' zei Anna, 'dat moeten we nog vaststellen.'

'In godsnaam, ik heb u precies verteld waar ik die avond was...' Lang liep naar een bureau naast de deur en opende een lade. Hij draaide zich naar de rechercheurs om met iets in elke hand. 'Dit is mijn toegangsbewijs voor de expositie waar ik was. Afgestempeld op die dinsdag. En hier...' Hij gaf het kaartje aan Fabel. In zijn andere hand had hij een pen en een notitieboekje. 'Dit zijn nógmaals de namen en telefoonnummers van de mensen die kunnen en zullen bevestigen dat ze die avond bij me waren.'

'U bent rond één uur, kwart over één thuisgekomen, zei u?' Fabel gaf het kaartje door aan Anna.

'Ja.' Lang sloeg zijn armen uitdagend over elkaar. 'We... Ik bedoel mijn vrienden en ik... zijn na afloop gaan eten. Ik heb haar,' hij knikte naar Anna, 'de naam van het restaurant en de kelner die ons bediende al gegeven. We verlieten het restaurant rond kwart voor één.'

'En u bent alleen naar huis gegaan?'

'Ja. Alleen, meneer Fabel. Ik kan dus geen alibi geven voor de tijd daarna.'

'Dat is misschien irrelevant, meneer Lang,' zei Fabel. 'Alles wijst erop dat meneer Hauser tussen tien en twaalf gestorven is.'

Fabel meende te zien dat Langs passieve uitdrukking werd verstoord, alsof het vaststellen van het tijdstip van Hausers beproeving het echter maakte.

'U had geen speciale relatie met meneer Hauser?' vroeg Anna.

'Nee. Niet van zijn kant tenminste.'

'Weet u of hij een andere vriend had?'

Lang keek even beduusd. 'Hoezo een andere vriend? O... O, ik snap het. Nee. Hans-Joachim had talloze affaires, maar er was niemand... Nou ja, ik was zijn enige máátje.'

'Wat dacht u dat we bedoelden toen we vroegen of hij met iemand anders bevriend was?' vroeg Fabel.

'Niets, eigenlijk. Ik wist alleen niet of u privé of professioneel bedoelde. Of politiek, in het geval van Hans-Joachim. Hij deed alleen heel, nou ja, heel vréémd over zijn contacten. Op een avond was hij aangeschoten en toen las hij me de les over omgaan met verkeerde mensen. Over verkeerde keuzes maken.'

Fabel keek naar het boek dat Lang terug op de plank had gezet. 'Sprak meneer Hauser weleens over het verleden met u? Ik bedoel over zijn activistentijd en zo?'

'Eindeloos,' zei Lang vermoeid. 'Hij stak hele tirades af over dat zijn generatie Duitsland had gered. Dat hun acties toen vorm hebben gegeven aan onze huidige samenleving. Hij vond blijkbaar dat wat hij mijn generatie noemde de hele boel verpestte.'

'Maar heeft hij ooit iets gezegd over zijn activiteiten? Of zijn bondgenoten?'

'Merkwaardig genoeg niet. De enige over wie hij weleens wat meer zei, was Bertholdt Müller-Voigt. U weet wel, de senator van Milieu. Hans-Joachim had een gloeiende hekel aan hem. Hij zei altijd dat Müller-Voigt dacht dat hij op een goede dag bondskanselier zou kunnen worden en dat dat "Lady Macbeth"-gedoe over de vrouw van burgemeester Schreiber daar eigenlijk over ging. Hans-Joachim zei dat Müller-Voigt en Hans Schreiber van hetzelfde laken een pak waren. Schaamteloze opportunisten. Hij had ze als student alle twee gekend en had ze toen al veracht, vooral Müller-Voigt.'

'Heeft hij het ooit gehad over de beschuldigingen tegen Müller-Voigt in de pers door Ingrid Fischmann... dat verhaal over de ontvoering van Wiedler?'

'Nee. In elk geval niet met mij.'

'Had meneer Hauser contact met Müller-Voigt? Recent, bedoel ik.'

Lang haalde zijn schouders op. 'Voor zover ik weet niet. Het lijkt me dat Hans-Joachim alles zou doen om hem te ontlopen.'

Fabel knikte. Hij nam even de tijd om te verwerken wat Lang had verteld. Het leverde niet veel op. 'U zult wel weten dat er nog iemand op dezelfde manier is vermoord, nog geen vierentwintig uur na de dood van meneer Hauser. Het slachtoffer was doctor Gunter Griebel. Zegt die naam u iets? Heeft meneer Hauser het ooit over een doctor Griebel gehad?'

Lang schudde zijn welgevormde hoofd. 'Nee. Ik geloof niet dat hij die naam ooit heeft genoemd.'

'We hebben met het personeel van *The Firehouse* gesproken,' zei Anna. 'Ze zeiden dat ze meneer Hauser weleens gezien hadden in gezelschap van een wat oudere man, van ongeveer zijn eigen leeftijd. Hebt u enig idee wie dat geweest zou kunnen zijn?'

'Sorry, geen enkel,' zei Lang. 'Luister, ik lig niet dwars en ik geneer me niet of zo, maar Hans-Joachim liet me alleen toe in zijn leven als het hem uitkwam. U zou me nauwelijks iets kunnen vertellen wat me zou verbazen. Hij was heel terughoudend, ondanks zijn hang naar publiciteit. Het was alsof er diep in hem iets was wat niemand mocht zien.'

Fabel dacht na over Langs woorden. Wat hij over Hauser zei, gold ook voor Griebel, zij het op een andere manier.

'Zo zijn we allemaal,' zei Fabel. 'In meerdere of mindere mate.'

In de auto op de terugweg naar het hoofdbureau sprak Fabel met zijn twee medewerkers over Lang.

'Ik zal die dingen nog eens natrekken,' zei Anna, 'zijn alibi pleit hem eerlijk gezegd niet zonder meer vrij van de moord op Hauser. Als hij vanaf het restaurant rechtstreeks naar Hausers appartement is gegaan en als we rekening houden met een foutmarge in het geschatte tijdstip, had hij het net kunnen doen.'

'Dan zou je de tijdlijn wel erg ver uitrekken,' zei Fabel. 'Maar ik moet toegeven dat iets aan Lang me dwarszit. Hij past vooral niet in het beeld omdat jouw volgorde van de gebeurtenissen niet klopt met de verklaring van Schüler. Die zag Hauser met een gast die min of meer beantwoordt aan Langs signalement tussen elf uur en halftwaalf. Lang heeft een degelijk alibi voor die tijd.'

Fabel zette Henk en Anna bij het hoofdbureau af en reed naar zijn huis in Pöseldorf. Hamburg gloeide in de donkere warmte van een zomernacht. Er lag iets loodzwaars in Fabels achterhoofd, dat de kern van deze zaak aan het oog onttrok, maar zijn vermoeide brein kon het niet opzijschuiven. Hij wist dat de zaak hem ontglipte. Een zaak zonder aanwijzingen. En dat betekende dat er mogelijk geen doorbraak zou komen voordat de moordenaar opnieuw toesloeg. In aanmerking genomen dat hij binnen vierentwintig uur twee keer had gedood en sindsdien niet meer had toegeslagen, was het heel goed mogelijk dat zijn werk gedaan was.

En dat hij ermee weg was gekomen.

MIDDERNACHT, GRINDELVIERTEL, HAMBURG

Terwijl Fabel van het hoofdbureau naar huis reed zat Leonard Schüler in zijn eenkamerflat in het Grindelviertel en prees zichzelf gelukkig. Hij was nergens voor aangeklaagd. Hij had bekend dat hij de fiets had gestolen, dat hij er die avond op uit was gegaan om in te breken, maar zoals de oudste rechercheur had gezegd, ze hadden er geen belangstelling voor gehad. Die oudere rechercheur had Schüler echt de stuipen op het lijf gejaagd met zijn dreigement dat hij hem als aas zou gebruiken voor de mafketel die die lui had gescalpeerd. Maar hoewel hij bang was geweest, had hij het hoofd koel gehouden; hij wist dat hij ze niet meer dan het hoogst noodzakelijke moest vertellen. Dat de oudere rechercheur hem zo bang had gemaakt, kwam doordat Leonard de man in het appartement veel beter had gezien dat hij had toegegeven. En de man in het appartement had Schüler goed kunnen bekijken.

Schüler was van plan geweest in te breken in de flat, als er niemand thuis was geweest. Hij had zijn vlucht iets zorgvuldiger dan gewoonlijk voorbereid. Nadat hij het slot van de fiets geforceerd had, had hij hem tegen de muur van de steeg laten staan voordat hij naar de binnenplaats was geslopen. Het was die avond niet erg donker geweest, maar toen Leonard bij de achterkant van het appartement kwam, was de binnenplaats in donkere schaduwen gehuld door de hoge gebouwen eromheen. Het was een geschenk uit de hemel voor dieven, dacht Schüler, maar blijkbaar had een van de bewoners beveiligingsmaatregelen genomen en een aan een bewegingssensor gekoppelde lamp had de kleine binnenplaats plotseling in een zee van licht gezet. Schüler was even verblind geweest door het licht en was nietsziend naar voren gestapt. De vuilnisbakken waren blijkbaar vol geweest, want Schüler had een paar flessen omver geschopt die naast de bakken stonden en ze vielen luid rinkelend op de klinkers van de binnenplaats. Schüler had even de tijd genomen om zijn ogen aan het plotselinge felle licht te laten wennen. Op dat moment had hij ze gezien. Ze waren blijkbaar in hun gesprek gestoord door Schülers geklungel en naar het raam gekomen en ze hadden Schüler, die slechts anderhalve meter van hen vandaan stond, recht in de ogen gekeken. Ze waren met zijn tweeën geweest: een oudere man, van wie hij wist dat het Hauser was, en een jongere. Het was de uitdrukking, of het ontbreken daarvan, op het gezicht van de jongere man geweest, die Schüler de stuipen op het lijf had gejaagd. En nu nog meer, nu hij wist wat de jongste van de twee gedaan had.

Hij had in het doodse, uitdrukkingsloze gezicht van een moordenaar gekeken.

Nu hij terugdacht aan die blik, aan de ijzingwekkende kalmte op het gezicht van een man die geweten moest hebben wat voor gruwelijke dingen hij dadelijk zou gaan doen, voelde hij de kilte in zijn botten.

Die oudere rechercheur, Fabel, had gelijk. Hij had een monster beschreven dat mensen meenam naar de hel voordat ze stierven. Schüler wilde er niets mee te maken hebben. Wie – wat – die moordenaar ook was, de politie zou hem nooit te pakken krijgen.

Schüler had er niets meer mee te maken.

10

Fabel zat al vanaf halfacht achter zijn bureau. Hij had de BKA-dossiers die Ullrich hem had geleend nogmaals doorgenomen en had het schetsboek uit zijn bureau gehaald en zoveel mogelijk van de informatie die hij had in kaart gebracht.

Hij belde het kantoor van Bertholdt Müller-Voigt. Nadat hij had uitgelegd wie hij was, kreeg hij te horen dat de senator van Milieu thuis werkte, wat hij vaak deed, vanuit het streven om zijn reiskilometers en dus zijn invloed op het milieu te beperken. Zijn secretaresse zei echter dat ze Fabel dadelijk terug kon bellen met een afspraak voor die dag.

Fabel pleegde een tweede telefoontje. Henk Hermann had hem het nummer gegeven van Ingrid Fischmann, de journalist.

'Hallo, met mevrouw Fischmann? U spreekt met hoofdinspecteur Jan Fabel van de Hamburgse politie. Ik werk op de afdeling Moordzaken en onderzoek momenteel de moord op Hans-Joachim Hauser. Ik vroeg me af of we elkaar zouden kunnen ontmoeten. Ik denk dat u me kunt helpen met wat achtergrondinformatie.'

'O... juist ja...' De stem van de vrouw aan de andere kant van de lijn klonk veel jonger en veel minder autoritair dan Fabel had verwacht. 'Oké... Wat denkt u van drie uur in mijn kantoor?'

'Dat is prima. Dank u, mevrouw Fischmann. Ik heb het adres.'

Enkele minuten nadat hij het gesprek met Ingrid Fischmann had beëindigd, belde de secretaresse van Bertholdt Müller-Voigt terug en zei dat de senator hem kon ontvangen als hij nu meteen naar diens huis ging. Ze gaf Fabel een adres bij Stade in Altes Land, buiten Hamburg en aan de zuidkant van de Elbe. Hij heeft er geen bezwaar tegen dat ík kilometers maak, dacht Fabel toen hij ophing.

Het huis van Müller-Voigt was een reusachtige, moderne villa waarvan elke hoek en elk detail 'dure architect' uitstraalde. Fabel bedacht dat de voormalige linkse milieuactivist de 'demonstratieve consumptie' wel erg enthousiast had omhelsd, maar toen hij de voordeur naderde, zag hij dat wat hij voor blauwe marmeren tegels had aangezien in werkelijkheid een volledig uit zonnepanelen bestaande voorgevel was.

Müller-Voigt deed open. Hij was nog zoals Fabel hem herinnerde uit Lex' restaurant: een tamelijk kleine, maar fit ogende man met brede schouders en een gebruind gezicht waarop een brede, stralend witte glimlach lag.

'Hoofdinspecteur, kom binnen.'

Fabel had gehoord over Müller-Voigts charme, schijnbaar zijn belangrijkste wapen tegenover zowel vrouwen als politieke tegenstanders. Het was bekend dat hij die naar believen kon uitschakelen en een agressieve, felle tegenstander kon zijn. De politicus ging Fabel voor naar een grote woonkamer met een hoog, met vurenhout betimmerd gewelfd plafond. Hij bood Fabel iets te drinken aan, wat deze afsloeg.

'Wat kan ik voor u doen, meneer Fabel?' vroeg Müller-Voigt, terwijl hij op een grote hoekbank plaatsnam en Fabel beduidde zijn voorbeeld te volgen.

'Ik neem aan dat u van de dood van Hans-Joachim Hauser en Gunter Griebel hebt gehoord?' vroeg Fabel.

'God, ja. Afschuwelijk, afschuwelijke kwestie.'

'Ik meen dat u meneer Hauser tamelijk goed hebt gekend.'

'Dat is zo. Maar privé al jaren niet meer. De laatste tijd eigenlijk nauwelijks meer. Ik liep Hans-Joachim weleens tegen het lijf tijdens een congres of een actiebijeenkomst. En Gunter heb ik uiteraard ook gekend. Minder goed en ik had hem zelfs al langer niet meer gezien dan Hans-Joachim, maar ik heb hem wel gekend.'

Fabel keek verbaasd. 'Sorry, meneer Müller-Voigt, zei u dat u béíde slachtoffers hebt gekend?'

'Ja, natuurlijk. Is dat zo vreemd?'

'Nou ja...' zei Fabel. 'Ik kwam eigenlijk om te vragen of u licht zou kunnen werpen op een mogelijk verband tussen beide slachtoffers. Een verband, moet ik erbij zeggen, dat we tot nu toe niet hebben kunnen vaststellen. Nu lijkt het erop dat u die link bent.'

'Ik ben gevleid dat ik blijkbaar zo belangrijk ben voor uw onderzoek,' zei Müller-Voigt glimlachend, 'maar ik kan u verzekeren dat ik niet het enige verband was. Ze kenden elkaar.'

'Weet u dat zeker?'

'Absoluut. Gunter was een rare kerel. Lang en mager en niet bepaald spraakzaam, maar hij was actief in de studentenbeweging. Maar het verbaast me niet dat u het verband niet hebt gevonden. Hij verdween na een tijdje uit het zicht. Alsof hij geen belangstelling meer had voor de beweging. Maar hij en Hans-Joachim zijn alle twee een tijd lid geweest van het Gaia Collectief. Net als ik.'

'O?'

'Ik moet toegeven dat het Gaia Collectief maar heel kort heeft bestaan. Het was vooral een praatgroep. Ik stopte ermee toen het te... esoterisch werd, ik denk dat dat het juiste woord is. De politieke doelstellingen werden vertroebeld door rare filosofieën, paganisme en zo. Het collectief ging min of meer in rook op. Dat gebeurde toen vaak.'

'Hoe goed kenden ze elkaar?' vroeg Fabel.

'O, dat weet ik niet. Ze waren niet bevriend of zo. Alleen via het Gaia Collectief. Misschien hebben ze elkaar daarbuiten ook getroffen, maar dat zou ik niet weten. Ik weet dat Griebel hoog in aanzien stond vanwege zijn intelligentie, maar ik moet zeggen dat ik hem altijd ontzettend saai heb gevonden. Heel serieus en nogal eendimensionaal, zoals een heleboel mensen in de beweging. En niet erg mededeelzaam.'

'U hebt geen contact gehad met Griebel sinds de tijd van het Gaia Collectief?'

'Geen enkel,' zei Müller-Voigt.

'Wie waren er nog meer bij betrokken?'

'Het is lang geleden, meneer Fabel. Een leven lang.'

'U zult zich vast enkele mensen herinneren.'

Fabel observeerde Müller-Voigt terwijl deze peinzend door zijn kortgeknipte, grijzende baard woelde. Fabel kon geen hoogte van hem krijgen, of van hoeveel hij eventueel achterhield.

'Ik herinner me een vrouw met wie ik enige tijd een relatie heb gehad,' zei Müller-Voigt. 'Beate Brandt. Ik weet niet wat er van haar geworden is. En Paul Scheibe... die was ook lid van het Gaia Collectief.'

'De architect?'

'Ja. Hij heeft pas een belangrijk project in HafenCity binnengehaald. Hij is de enige van de groep met wie ik nog regelmatig contact heb, de enkele keren dat ik Hans-Joachim trof niet meegerekend. Paul Scheibe was en is een bijzonder begaafd architect, heel vernieuwend in het ontwerpen van gebouwen die een minimale invloed hebben op hun omgeving. Zijn jongste concept voor het Uberseequartier is zeer geïnspireerd.'

Fabel noteerde de namen Beate Brandt en Paul Scheibe. 'Herinnert u zich nog anderen?'

'Niet echt... in elk geval geen namen. Ik ben nooit echt ín het Gaia Collectief geweest, als u begrijpt wat ik bedoel.'

'Weet u of Franz Mühlhaus met het Collectief te maken had?'

Müller-Voigt leek te schrikken van de naam, toen verscheen er een argwanende blik op zijn gezicht. 'O, ik snap het. U bent helemaal niet geïnteresseerd in mijn mogelijke connectie met de slachtoffers, hè? Als u me komt ondervragen over Rode Franz Mühlhaus vanwege de valse beschuldigingen die Ingrid Fischmann heeft geuit, kunt u maken dat u wegkomt.'

Fabel hief een hand op. 'Ten eerste ben ik alleen hier omdat ik een connectie tussen de slachtoffers probeer vast te stellen. Ten tweede, en dat verzeker ik u, senator, dit is een moordonderzoek en u zúlt de vragen die ik voor u heb beantwoorden. Het kan me niet schelen wat voor functie u bekleedt. Er is een maniak aan het werk die mensen verminkt en vermoordt, die te maken hadden met uw kennissenkring in de jaren zeventig en tachtig. We kunnen het hier doen of op het hoofdbureau, maar we dóén het.'

Müller-Voigts blik was strak op Fabel gericht. Fabel realiseerde zich dat de felle blik van de politicus niet het gevolg was van woede, maar van het feit dat hij Fabel taxeerde, erachter probeerde te komen of hij wel of niet blufte. Het was duidelijk dat Müller-Voigt te veel politieke schermutselingen had geleverd om zich makkelijk van zijn stuk te laten brengen. Zijn koele, emotieloze afstandelijkheid zat Fabel dwars.

'Ik weet niet wat u van mij en mensen zoals ik vind, hoofdinspecteur.' Müller-Voigt ontspande zich en leunde achterover op de bank. 'Ik bedoel degenen die actief waren in de protestbeweging. Maar we hebben Duitsland veranderd. Vele van de vrijheden, vele van de fundamentele waarden en rechten die iedereen vanzelfsprekend vindt, zijn een rechtstreeks gevolg van het feit dat wij toen een standpunt innamen. We naderen een tijd, als we die niet reeds bereikt hebben, dat we weer trots kunnen zijn op wat het betekent om Duitser te zijn. Een liberale, pacifistische natie. Daar hebben wíj voor gezorgd, Fabel. Mijn generatie. Onze protesten verdreven de laatste duistere spinnenwebben uit de hoeken van onze samenleving. Wij waren de eerste generatie zonder directe herinneringen aan de oorlog, aan de holocaust, en we maakten duidelijk dat óns Duitsland niets met dát Duitsland te maken wilde hebben. Ik geef toe dat ik de straat op ben gegaan. Ik geef toe dat het er heftig aan toe ging. Maar pacifisme is de kern van mijn overtuigingen: ik geloof niet in de aarde geweld aandoen en ik geloof niet in mijn medemens geweld aandoen. Zoals ik al zei: in de hitte van de strijd heb ik toen dingen gedaan die ik nu betreur, maar ik zou nooit – toen niet en nu niet – een mens van het leven kunnen beroven omwille van een politieke overtuiging, hoe sterk ook. Dat is voor mij wat me onderscheidt van wat er vroeger gebeurde.' Hij zweeg even en hield Fabel in zijn blik gevangen. 'Als daar een vraag in schuilt die u misschien niet wilt stellen, zal ik die voor u beantwoorden. Ondanks de insinuaties van Ingrid Fischmann en ondanks de politieke munt die de vrouw van de burgemeester daaruit heeft proberen te slaan, ben ik op geen enkele manier betrokken geweest bij de ontvoering van en de moord op Thorsten Wiedler. Ik had absoluut niets te maken met de groep die daar achter zat.'

'Nou, zoals ik al zei, mijn enige belangstelling geldt de connectie tussen de twee slachtoffers,' zei Fabel. 'Ik wilde alleen maar weten of Mühlhaus lid was geweest van het Gaia Collectief.'

'Grote god, nee. Ik denk dat ik dat nog wel zou weten.' Müller-Voigt keek een ogenblik peinzend voor zich uit. 'Hoewel ik begrijp waarom u het vraagt. Mühlhaus had een nogal bizarre kijk op de beweging en er bestonden over-eenkomsten tussen zijn ideeën en die van het Collectief. Maar nee... Rode Franz Mühlhaus was er absoluut niet bij betrokken.'

'Wie was de leider van het Collectief?'

Müller-Voigt leek even in verwarring gebracht door Fabels vraag. 'Er was geen leider. Het was een collectief. En had dus een collectief leiderschap.'

Ze praatten nog een minuut of vijftien. Toen stond Fabel op en bedankte Müller-Voigt voor zijn tijd en zijn medewerking. Müller-Voigt op zijn beurt wenste Fabel succes met het opsporen van de moordenaar.

Toen Fabel de cirkelvormige oprijlaan verliet en de weg naar de stad nam, bedacht hij dat hij nu een rechtstreeks verband had tussen Hans-Joachim Hauser en Gunter Griebel en hij dacht terug aan hoe openhartig Müller-Voigt had geleken. Hoe kwam het dan, dacht hij, dat hij het gevoel had dat Müller-Voigt hem helemaal niets wijzer had gemaakt?

Terwijl hij over de B73 terug naar Hamburg reed, belde hij Werner. Hij vertelde hem over het verband tussen de twee slachtoffers en nam de hoofd-punten door van wat Müller-Voigt hem had verteld.

'Ik moet die architect spreken, Paul Scheibe,' zei hij. 'Kun je zijn telefoon-nummer opzoeken en iets regelen? Je kunt waarschijnlijk het beste zijn kan-toornummer proberen.'

'Oké, Jan. Ik bel je terug.'

Fabel reed net op de A7 in de richting van de Elbetunnel toen zijn autote-lefoon zoemde.

'Hoi Jan,' zei Werner. 'Ik heb net een heel vreemd gesprek gehad met de mensen van Scheibes architectenbureau. Ik heb zijn plaatsvervanger gespro-ken, een zekere Paulsen. Hij raakte helemaal van de kook toen ik zei dat ik van de afdeling Moordzaken was. Hij dacht dat ik belde, omdat we Schei-bes lichaam hadden gevonden of zo. Volgens Paulsen heeft Scheibe maan-dag deelgenomen aan een lunch in het gemeentehuis en is hij sindsdien niet meer gezien. Vanavond wordt dat grote HafenCity-project blijkbaar offici-eel gepresenteerd en ze zijn bang dat hij niet komt opdagen. We hebben zo te horen een vermiste.'

'Of een voortvluchtige verdachte van een moord,' zei Fabel. 'Stuur er ie-mand naartoe voor meer gegevens. Ik denk dat we vanavond zelf naar de presentatie moeten gaan. Ik ben vóór vijf uur terug. Ik rij nu naar de universiteit en daarna ontmoet ik om drie uur die journalist, Fischmann. Verder nog iets?'

'Alleen dat Anna een aanwijzing heeft gevonden voor je mummie uit de Tweede Wereldoorlog. De familie woont niet meer in die straat. Ze werden tijdens de oorlog gebombardeerd, maar Anna heeft een man opgespoord die met de dode bevriend was. Wil je dat ze ermee doorgaat?'

'Nee, laat maar. Ik doe het zelf. Het was mijn initiatief. Zeg tegen Anna dat ze de details op mijn bureau legt.'

Fabel had net opgehangen toen zijn autotelefoon opnieuw overging.

' Fabel,' zei hij ongeduldig.

Er klonk een elektronisch zoemen. Toen een stem die niet menselijk was.

'U krijgt een waarschuwing...' De stem was verdraaid, als door een elektronische stemvervormer.

Fabel keek op het schermpje van zijn toestel, maar er stond geen nummer in. 'Met wie spreek ik verdomme?'

'U krijgt één waarschuwing. Eén maar.'

Fabel staarde voor zich uit naar het verkeer dat richting de Elbetunnel reed. Een excentriekeling. Misschien zelfs iemand die niet besefte dat hij het nummer van een politieagent had gedraaid. Maar ergens, in zijn achterhoofd, rinkelde een alarmbel.

10.00 uur, Archeologische faculteit, Universiteit van Hamburg

'Hebt u de familie van onze HafenCity-inwoner gevonden?' Doctor Severts glimlachte en bood Fabel een stoel aan.

'Nee. Nog niet, helaas. Ik vrees dat ik dringender zaken aan mijn hoofd heb.'

'Die zogenaamde Hamburgse Haarsnijder?'

'Inderdaad. Het blijkt...' Fabel zocht naar het juiste woord, '... een uitdagende zaak. En ik klamp me eerlijk gezegd aan elke strohalm vast die ik kan bedenken.'

'Waarom krijg ik het gevoel dat ik een van die strohalmen ben?'

'Sorry, maar ik probeer het van alle kanten te benaderen. Ik móét begrijpen waarom die maniak zijn slachtoffers scalpeert. Ik weet het niet, ik dacht dat u me een historische invalshoek zou kunnen geven.'

'Ik moet zeggen dat de betekenis niet moeilijk te doorgronden is, voor zover ik het kan beoordelen,' zei Severts. 'Het onthoofden of scalperen van een verslagen vijand is een van de oudste en wijdst verspreide vormen van trofeeën verzamelen. Als je een vijand doodt, neem je zijn scalp. Door dat te doen heb je niet alleen je vijand gedood, je hebt hem ook gekleineerd of vernederd en je hebt een trofee om je succes als krijger te bewijzen. Elk continent heeft minstens één cultuur gekend die gekenmerkt werd door het onthoofden of scalperen van vijanden.'

'Ik weet het niet...' Fabel fronste zijn voorhoofd terwijl hij het beeld van Griebels studeerkamer opriep, zijn kalende scalp onnatuurlijk rood gekleurd en aan zijn boekenkast bevestigd. 'Deze moordenaar neemt de scalp niet mee. Hij maakt er een vertoning van, stelt hem opvallend tentoon in het huis van zijn slachtoffer.'

'Misschien is dat zijn manier om te pronken met zijn moed. Scythische krijgers hingen de scalpen van hun vijanden aan de teugels van hun paard, zodat iedereen ze kon zien. Uw "haarsnijder" vindt misschien het exposeren op de plek waar hij het slachtoffer heeft gedood de meest effectieve manier.'

'U zei dat scalperen heel gewoon was. Ook hier? In dit deel van Europa?' vroeg Fabel.

'Beslist. Er zijn heel wat exemplaren gevonden in Duitsland. Met name in uw streek, Oost-Friesland, bedoel ik. Dat wil niet per se zeggen dat uw Friese voorouders meer scalpeerden dan andere culturen; het komt gewoon doordat de milieuomstandigheden in Oost-Friesland ervoor zorgden dat er zoveel veenlijken en artefacten bewaard zijn gebleven. We hadden het vorige keer over Rode Franz. Nou, in Bentheim, niet ver van de Nederlandse grens en van de plek waar Rode Franz werd gevonden, zijn gescalpeerde schedels gevonden, en soms de scalpen zelf, in een opgraving uit het bronzen tijdperk.' Severts liep naar zijn boekenkast, pakte er enkele studieboeken uit en kwam ermee terug naar zijn bureau. Hij bladerde er een door. Ja... Hier is een voorbeeld van heel dicht bij uw geboorteplaats. In de jaren zestig van de negentiende eeuw werden er in het Tannenhauser Moor vijf veenlijken gevonden.'

Fabel wist precies waar Severts het over had. Tannenhausen was een dorp in de noordelijke voorsteden van Aurich, de grootste stad van Oost-Friesland. Het lag een paar kilometer ten zuiden van Norden en Norddeich, waar Fabel was opgegroeid. Het gebied bestond uit groene moerassen, donkere veenpoelen, vennen en meren. Tannenhausen lag tussen drie heidegebieden: Tannenhauser Moor, Kreihütten Moor en Meerhusener Moor. Als jongen had Fabel er heel wat gefietst. Het was een mystieke plek. En midden in het veen lag een groot, eeuwenoud meer, het *Ewiges Meer*, de Eeuwige Zee. De naam zelf sprak van onheuglijke tijden, waar nog bij kwam dat het veen rondom de voormalige binnenzee doorkruist werd door houten voetpaden die vier- à vijfduizend jaar geleden waren aangelegd.

'Alle vijf de Tannenhausen-lijken waren gescalpeerd,' ging Severts verder. 'En in heel Europa, tot en met Siberië, zijn soortgelijke vondsten gedaan. Het schijnt een wijdverspreid gebruik te zijn geweest in het Europa van het bronzen tijdperk, van de Oeral tot de Atlantische Oceaan. De Scythen deden het zelfs zo vaak dat het oud-Griekse woord voor scalperen *poskythizein* was.'

Fabel dacht even aan de Schotse tak van zijn stamboom. De Schotten beweerden dat hun oorspronkelijke vaderland Scythia was, op de steppen, en dat ze door Noord-Afrika getrokken waren en generaties lang in Spanje en Ierland waren gebleven voordat ze Schotland hadden veroverd. Hij stelde zich iemand voor die misschien niet zo sterk van hem verschilde en niet zo heel veel generaties geleden, die regelmatig hetzelfde deed als de moordenaar op wie hij jacht maakte.

'En de betekenis van scalperen was altijd triomfaal?' vroeg hij. 'Alleen maar om te bewijzen hoeveel vijanden een krijger had gedood?'

'Voornamelijk, maar misschien niet uitsluitend. Er zijn aanwijzingen dat scalpen ook werden genomen van mensen, inclusief kinderen, die een natuurlijke in plaats van een gewelddadige dood waren gestorven. Het lijkt erop te duiden dat scalperen mogelijk een manier is geweest om de dode te gedenken of te herinneren. Om voorouders te eren.'

'Ik denk niet dat dat het motief van onze man is,' zei Fabel.

Severts leunde achterover op zijn stoel tegen de achtergrond van de grote poster van de Schone van Loulan. 'Als u mijn mening vraagt, eerder persoonlijk dan professioneel, zou ik zeggen dat scalperen in alle culturen zo wijdverbreid is geweest dat het bijna een instínct is. Ik weet weinig van psychologie of van uw werk, maar ik weet wel dat seriemoordenaars en psychopaten graag trofeeën nemen van hun slachtoffers. Ik denk dat scalperen de archetypische vorm van trofeeën nemen is. Misschien doet uw moordenaar het alleen maar omdat hij vindt dat het zo moet, en niet als slimme culturele of historische verwijzing.'

Fabel stond op en glimlachte. 'Misschien hebt u gelijk.' Hij gaf Severts een hand. 'Hartelijk dank voor uw tijd, doctor.'

'Graag gedaan,' zei Severts. 'Mag ik u om een wederdienst vragen?'

'Uiteraard...'

'Laat het me alstublieft weten als u de familie van het gemummificeerde lichaam in HafenCity hebt gevonden. Het gebeurt niet vaak dat ik een echte naam en een echt leven kan geven aan de stoffelijke overschotten die ik door mijn werk vind.'

'Ik vrees dat in mijn werk het omgekeerde geldt,' zei Fabel. 'Maar natuurlijk laat ik het u weten.'

Fabel had naar het hoofdbureau gebeld en Werner gevraagd Paul Scheibes plaatsvervanger te laten weten dat hij hen kon verwachten. Het architectenbureau was gevestigd in een hypermodern uitziend gebouw tussen de radiostudio's van de Norddeutsche Rundfunk en het Innocentiapark in Harvestehude. De klare lijnen en brede perspectieven van Scheibes kantoren deden Fabel denken aan het huis van Bertholdt Müller-Voigt in het Alte Land. Hij vroeg zich af of Scheibe de architect van Müller-Voigt was geweest en het irriteerde hem dat hij de politicus deze voor de hand liggende vraag niet had gesteld.

De middagzon had een dunne wolkensluier voor haar gezicht getrokken en Fabel zette zijn zonnebril af en bleef even in zijn auto zitten voordat hij naar binnen ging. Toen hij Werner had gebeld, had hij hem tevens gevraagd of de technische recherche kon nagaan wie het mysterieuze telefoontje naar zijn autotelefoon had gepleegd. Fabel wist dat de kans klein was, maar het gesprek had hem onrustig gemaakt. De stemvervormende elektronica had bijzonder gecompliceerd geleken voor zomaar een grappenmaker en Fabel had het onbehaaglijke gevoel dat hij de zogenaamde Hamburgse Haarsnijder had gesproken. Hij keek naar een knap meisje dat langs de auto liep, lachend en pratend met iemand aan haar mobiele telefoon, iemand die een normaal leven leidde en normale gesprekken voerde.

Toen Fabel door de enorme glazen deur van *Architekturbüro Scheibe* naar binnen ging, werd hij begroet door een lange, slanke man van een jaar of vijfendertig met een kaalgeschoren schedel. Hij stelde zich voor als Thomas Paulsen, de adjunct-directeur van het bureau. Zijn glimlach had iets verontschuldigends.

'Bedankt voor uw komst, hoofdinspecteur, maar ik kan tot mijn opluchting zeggen dat onze bezorgdheid om meneer Scheibe voorbij is. We hebben net tien minuten geleden van hem gehoord.'

'Ik kom niet voor de vermissing,' zei Fabel. 'Ik moet meneer Scheibe spreken in verband met een zaak die ik onderzoek. Waar is hij?'

'O, dat heeft hij niet gezegd. Hij verontschuldigde zich dat hij zo plotseling was verdwenen, maar dat zich een dringende familiekwestie had voorgedaan waar hij onverhoeds naartoe had gemoeten. Hij had de stad afgelopen maandag onmiddellijk na de lunch in het stadhuis moeten verlaten en dat is de reden waarom we sindsdien geen contact meer konden krijgen,' legde hij uit. 'Ik kan u vertellen dat we allemaal ontzettend opgelucht zijn. De presentatie aan pers en publiek vindt vanavond plaats in Speicherstadt. Meneer Scheibe heeft ons verzekerd dat hij er zal zijn om de presentatie te doen.'

'Hebt u hem persoonlijk gesproken?'

'Nou, nee, niet gesproken. Hij stuurde een e-mail. Maar hij garandeerde dat hij er zal zijn.'

'Dan zal ik er ook zijn,' zei Fabel. 'Als u opnieuw iets van meneer Scheibe hoort, wilt u hem dan vertellen dat hij tijd zal moeten maken om met me te praten?'

'Goed, maar ik weet dat hij het ontzettend druk zal hebben. Er komen...'

'Geloof me, meneer Paulsen, waar ik het met meneer Scheibe over wil hebben, is oneindig veel belangrijker. Ik zie u, en hem, vanavond.'

Fabel besloot te gaan lunchen bij de snackbar van Dirk Stellamanns bij de haven. De wolkensluier voor de zon was weggetrokken en het licht werd levendiger en scherper en benadrukte de felgekleurde tafels en parasols rondom Dirks kraam. Het was er druk toen Fabel aankwam, maar Dirk keek hem over de hoofden van zijn klanten stralend aan.

Fabel voelde zich klam en plakkerig en hij bestelde een Jever en een glas water, plus een broodje kaas en worst, en liep ermee naar een van de weinige vrije statafels. Toen de grootste drukte voorbij was, kwam Dirk naar hem toe.

'Hoe gaat het met je indianenjacht?'

Fabel trok een vragend gezicht.

'De scalpeerder... heb je hem al bijna te pakken?'

'Daar ziet het niet naar uit.' Fabel haalde droefgeestig zijn schouders op. 'Ik lijk wel overstelpt te worden met allerlei onzin. Genetische herinneringen... terroristen... en ik zou een boek kunnen schrijven, "Scalperen door de eeuwen heen"...'

'Je krijgt hem wel te pakken, Jannick,' zei Dirk. 'Zoals altijd.'

'Niet altijd,' Hij dacht eraan dat Roland Bartz hem Jannick had genoemd. 'Ik denk erover om ermee te kappen, Dirk.'

'Je werk? Dat zou je nooit doen. Het is je leven.'

'Ik weet niet of het dat is,' zei Fabel. 'Of het dat ooit geweest zou moeten zijn. Ik heb iets anders aangeboden gekregen. Een kans om weer gewoon burger te worden.'

'Ik zie het niet voor me, Jan.'

'Ik wel. Ik ben de dood beu. Ik zie hem voortdurend om me heen. Ik weet niet. Misschien heb je gelijk. Deze zaak knaagt aan me.'

'Wat bedoelde je met genetische herinneringen? Wat heeft dat met deze moorden te maken?'

Fabel schetste zo kort en samenhangend als hij kon het werk waarmee het slachtoffer Gunter Griebel zich had beziggehouden.

'Weet je, Jan, ik geloof erin. Volgens mij zit er iets in.'

'Jij?' Fabel grinnikte sceptisch. 'Je meent het niet!'

'Jawel.' Dirks gezicht stond ernstig. 'Echt waar. Ik weet nog dat ik pas een paar jaar bij het korps was en we bij een inbraak werden geroepen. Het was winter en het had gesneeuwd. Die vent was in het holst van de nacht door het achterraam verdwenen en had zijn voetsporen achtergelaten in de sneeuw. De enige sporen. We hoefden ze alleen maar te volgen. We achtervolgden hem door de sneeuw, renden om hem in te halen. En dat deden we uiteindelijk.'

'Wat wil je nou eigenlijk zeggen?' vroeg Fabel achterdochtig, alsof hij een clou verwachtte.

'Terwijl we dat deden, terwijl we in het donker renden om een ander menselijk wezen in te halen, kreeg ik een heel bizar gevoel. Geen leuk gevoel. Ik had echt het idee dat ik dit eerder had gedaan. Ik voelde het, maar kon het me niet herinneren.'

'Zeg nou niet dat je in reïncarnatie gelooft,' zei Fabel.

'Nee. Nee, dat is het punt niet. Maar het was alsof het een herinnering was die niet van mij was, maar me was doorgegeven.' Dirk lachte plotseling gegeneerd. 'Je kent me, ik heb altijd een mystieke kant gehad. Het was raar... meer niet.'

15.00 UUR, SCHANZENVIERTEL, HAMBURG

Het gebouw stond onopvallend op een hoek in het Schanzenviertel. Het was een jugendstil-gebouw en Fabel kon zien dat het elegante beeldhouwwerk achter de lelijke graffiti sierlijk gestileerd was met art-deco-elementen. Er was geen naamplaat of andere kennisgeving die een aanwijzing gaf voor de functie van de kantoren die er gevestigd waren en nadat hij zijn naam en de aard van zijn bezoek in de intercom naast de ingang had geroepen, moest Fabel enkele seconden wachten voordat het zoemen en klikken van de deur erop wezen dat hij naar binnen kon.

Ingrid Fischmann stond boven aan een korte trap op hem te wachten. Ze was midden dertig en had lang, sluik, donkerblond haar. Haar gezicht had mooi kunnen zijn als het niet de grove trekken had vertoond die het bijna mannelijk maakten. De schouderlange haren en de lange, wijde rok en het topje dat ze droeg, hadden iets vaag hips dat niet scheen te passen bij haar leeftijd.

Ze glimlachte beleefd en stak haar hand uit om hem te begroeten. 'Meneer Fabel, kom binnen alstublieft.'

Naast de kleine ontvangsthal lagen twee grote vertrekken. Een ervan werd blijkbaar uitsluitend gebruikt voor het opbergen van dossiers en referentiemateriaal, het andere was het kantoor van mevrouw Fischmann. Ondanks de wirwar van dossierkasten en boekenplanken en de plan- en prikborden aan de muren deed het nog steeds aan als een verbouwde woonkamer.

'Mijn appartement is twee straten verderop,' legde mevrouw Fischmann uit terwijl ze aan haar bureau ging zitten. Aan de muur naast het enige raam van het kantoor zag Fabel een kopie van het opsporingsbiljet uit 1971 voor de Baader-Meinhofgroep. Negentien zwart-witfoto's onder de kop ANARCHISTISCHE GEWELDPLEGERS – BAADER-MEINHOFBENDE. Het biljet was bijna een icoon geworden, symbool voor een speciaal moment en een speciale sfeer in de Duitse geschiedenis. 'Ik huur dit kantoor. Ik weet niet waarom, maar ik heb het altijd noodzakelijk gevonden mijn woon- en mijn werkomgeving gescheiden te houden. Verder gebruik ik het als adres voor al mijn zakelijke correspondentie. Gezien de gevoeligheid van sommige van de mensen over wie ik schrijf, is het geen goed idee om rond te bazuinen waar ik woon. Neem plaats, meneer Fabel.'

'Mag ik vragen waarom u schrijft wat u schrijft? Ik bedoel, het meeste ervan is vóór uw tijd gebeurd.'

Fischmann glimlachte haar iets te grote tanden bloot. 'Weet u waarom ik heb ingestemd met een ontmoeting, meneer Fabel?'

'Om me te helpen een psychotische moordenaar te vinden, hoop ik.'

'Natuurlijk dat ook. Maar ik ben eerst en vooral journalist. Ik ruik een verhaal en ik verwacht een kleine tegenprestatie.'

'Ik vrees dat ik niet geïnteresseerd ben in koehandel, mevrouw Fischmann. Het enige wat ik wil, is deze moordenaar pakken voordat er nog meer levens verloren gaan. Levens zijn belangrijker voor me dan krantenartikelen.'

'Alstublieft, meneer Fabel. Ik heb ingestemd met een ontmoeting omdat ik me al jarenlang bezighoud met het aan de kaak stellen van de hypocrisie van degenen die in de jaren zeventig en tachtig betrokken waren bij of actief deelnamen aan het binnenlandse terrorisme en die nu een publieke functie of zakelijke successen nastreven. In heel mijn onderzoek moet ik de eerste gegronde, verstandige reden nog tegenkomen voor die verwende burgermanszoontjes om de revolutionair uit te hangen. Wat me meer dan wat ook dwarszit, is de manier waarop sommige linkse figuren het vermoorden en verminken van onschuldige burgers goed probeerden te praten.' Ze zweeg even. 'Als Hamburgse politiefunctionaris weet u vast dat de Hamburgse politie zwaar te lijden heeft gehad door toedoen van de Rote Armee Fraktion en haar handlangers. U weet dat de eerste Duitse politieagent die door de RAF werd vermoord, een Hamburgse politieman was.'

'Natuurlijk, Norbert Schmid, in 1971. Hij was pas drieëndertig.'

'In mei 1972 gevolgd door het vuurgevecht tussen de Hamburgse politie en de Rote Armee Fraktion waarbij hoofdinspecteur Hans Eckhardt werd gewond en later overleed.'

'Ja, ook dat weet ik.'

'En dan was er natuurlijk de schietpartij tussen Hamburgse politieagenten en leden van de afgesplitste Radicale Actiegroep, gevolgd door een mislukte bankoverval in 1986. Eén politieman werd gedood en een andere ernstig gewond. De gewonde agent had geluk dat hij het overleefde. Hij had Gisela Frohm doodgeschoten, een van de terroristen. Ik wist wie u was zodra u uw naam noemde, meneer Fabel. Uw naam dook op in mijn onderzoek naar Hendrik Svensson en de Radicale Actiegroep. U bent degene die Gisela Frohm hebt doodgeschoten, nietwaar?'

'Helaas wel, ja. Ik had geen keus.'

'Dat weet ik, meneer Fabel. Toen ik hoorde dat u de moord op Hauser onderzoekt, voelde ik zoals ik al heb toegegeven dat er een verhaal voor me in zat.'

'Die moorden hebben niets met uw onderzoek te maken. Het enige is dat de twee slachtoffers, Hauser en Griebel, leeftijdgenoten waren en in verschillende mate betrokken zijn geweest bij radicale politiek. Ik heb hun achtergrond nagetrokken en geen rechtstreeks verband tussen hen kunnen vinden. Maar ze hebben wel dezelfde personen gekend. Een van hen is Bertholdt Müller-Voigt, de senator van Milieu van Hamburg. Ik heb begrepen dat u Müller-Voigts verleden als activist hebt onderzocht.'

'Zijn verleden als terrorist.' Er lag een verbitterde klank in Fischmanns stem. 'Müller-Voigt heeft politieke ambities die veel verder gaan dan de Hamburgse Senaat. Hij heeft degene die zijn naaste politieke bondgenoot was, burgemeester Hans Schreiber, al de oorlog verklaard enkel en alleen omdat hij Schreiber ziet als een potentiële rivaal in de toekomst... een toekomst waarvan Müller-Voigt hoopt dat ze hem naar Berlijn zal brengen. Ik vind zijn ambitie stuitend, omdat ik volstrekt zeker weet dat hij de auto bestuurde waarin de industrieel Thorsten Wiedler werd ontvoerd en later vermoord.'

'Ik ben op de hoogte van uw beweringen aangaande senator Müller-Voigt. Ik weet ook dat de vrouw van Hans Schreiber u heeft geciteerd. Maar hebt u bewijs?'

'Wat mevrouw Schreiber betreft: ik vind de politieke ambities van haar man slechts íetsje minder walgelijk dan die van Müller-Voigt. Ze gebruikt me voor haar eigen doelstellingen, maar het zorgt voor meer ruchtbaarheid dan ik ooit in mijn eentje had kunnen bereiken. Maar om uw vraag te beantwoorden: nee, ik heb geen bewijs dat voor een rechtbank overeind zou blijven. Maar ik ben ermee bezig. U weet vast wel hoe moeilijk het is om aan een oude zaak te werken, waarvan het spoor allang koud is.'

'Ik weet het.' Fabel glimlachte verbitterd. Hij dacht aan de vele oude zaken die hij in zijn loopbaan had heropend. Hij dacht ook aan zijn verwaarloosde zoektocht naar de familie van de tiener die zestig jaar lang in het droge zand van de haven had gelegen.

'Alles wat ik tot dusver in mijn carrière heb gedaan, al degenen van wie ik het politieke verleden heb blootgelegd, het is allemaal voorbereiding geweest op het verwoesten van de carrière van Müller-Voigt en hem hopelijk voor de rechter te brengen wegens zijn misdaden. Iets waaraan we misschien kunnen samenwerken, hoofdinspecteur.'

'Maar waarom Müller-Voigt? Waarom hebt u hem gekozen?'

Er verscheen een kille, verbitterde trek van vastberadenheid op Ingrid Fischmanns gezicht. Ze opende een bureaula, haalde er twee foto's uit en gaf ze aan Fabel. Op de eerste stond een grote, zwarte Mercedes limousine, een model uit de jaren zeventig. Hij stond voor een groot kantoorgebouw en een in zwart uniform gestoken chauffeur hield het achterportier open voor een man van middelbare leeftijd met een zwaar zwart brilmontuur op.

'Thorsten Wiedler?' vroeg Fabel.

Fischmann knikte. 'Met zijn chauffeur.'

Op de tweede foto stond diezelfde auto, maar nu van dichterbij en op een grindlaan. Fabel zag dezelfde chauffeur, maar ditmaal zonder zijn pet of jas. De Mercedes glansde in het zonlicht en naast een voorspatbord stond een emmer met een lap. Fabel bekeek de foto en begreep alles. De chauffeur nam even pauze tijdens het poetsen van de auto en zat op zijn hurken naast een meisje van een jaar of zes, zeven. Zijn dochtertje.

'En opnieuw,' zei Ingrid Fischmann, 'de chauffeur van meneer Wiedler, Wilhelm Fischmann.'

'Ik snap het,' zei Fabel. Hij gaf haar de foto's terug. 'Het spijt me.'

'De dood van Thorsten Wiedler haalde de krantenkoppen. Mijn vader raakte verlamd als gevolg van de overval en was niet meer waard dan een korte vermelding. Hij stierf aan zijn verwondingen, meneer Fabel, maar het duurde meer dan vijf jaar. Het was een ervaring die ook mijn moeder verwoestte. Ik ben opgegroeid in een huis zonder vreugde. Allemaal omdat een stelletje burgermanskinderen met halfbakken, geleende ideeën het gerechtvaardigd vonden ieder leven te vernietigen dat toevallig in de buurt was wanneer ze hun zogenaamde missies uitvoerden.'

'Ik begrijp het. Het spijt me echt. Bent u er vast van overtuigd dat Müller-Voigt erbij betrokken was?'

'Ja. De groep die de overval pleegde was niet de Rote Armee Fraktion. Het was een van de vele splintergroeperingen die in die tijd opkwamen. Het enige verschil met de andere was de meer poëtische keuze van namen. Alle anderen werden geobsedeerd door afkortingen. Tussen haakjes, wist u dat de Rote Armee Fraktion die naam onder meer heeft gekozen omdat de initialen dezelfde waren als van de Royal Air Force? Een zieke grap. De Royal Air

Force heeft het nazisme uit Duitsland gebombardeerd. De nieuwe RAF vond dat het haar taak was het fascisme en kapitalisme uit de West-Duitse staat te bombarderen en te moorden. En natuurlijk ontstond er onmiddellijk contact met de door Svensson opgerichte RAG-bende. Maar dit stelletje was esoterischer aangelegd. Ze noemden zichzelf *De Herrezenen*. Hun leider was Franz Mülhaus, ook wel bekend als Rode Franz.'

Fabel kreeg een schok van herkenning. De andere Rode Franz. Het voorwerp van een heel speciale terreur. Rode Franz Mühlhaus en zijn groep werden indertijd gezien als de extreemste extremisten. Hij dacht terug aan het beeld van de oorspronkelijke Rode Franz dat hij in Severts kantoor had gezien, het gemummificeerde veenlijk dat eeuwenlang had geslapen in de kille, donkere veengrond bij Neu Versen.

'Mühlhaus en zijn groepen waren moeilijk grijpbaar,' ging Ingrid Fischmann verder. 'Zelfs de andere anarchistische, extreem linkse groepen beken hen vol wantrouwen. Je zou kunnen stellen dat ze in feite helemaal niet links waren. Ze waren een uiting van het milieuradicalisme dat vaak hand in hand ging met linkse groeperingen. Maar Rode Franz en zijn Herrezenen leverden, vond men, geen serieuze bijdrage aan de beweging.'

'Waarom niet?'

Ingrid Fischmann kneep haar lippen op elkaar. 'Een heleboel redenen. Ze hadden geen duidelijk marxistisch programma. Er waren natuurlijk meer groepen die niet duidelijk marxistisch waren, maar toch meer contacten hadden met Baader-Meinhof, zoals de West-Berlijnse 2-Juni-Beweging, die anarchistischer was ingesteld. De Herrezenen werden niet nadrukkelijk geassocieerd met Baader-Meinhof en ze richtten zich op het milieu. Er waren indertijd twee gemeenschappelijke terreinen voor marxisten, anarchisten en radicale milieuactivisten: de antikernwapendemonstraties in de jaren zestig en later natuurlijk Vietnam.'

'Maar men vroeg zich nog af hoeveel men gemeen had met de Herrezenen?' vroeg Fabel.

'Precies. Net als de andere groepen richtten ze zich op industriëlen, maar niet zozeer omdat dat kapitalisten waren, meer vanwege de veronderstelde schade die hun bedrijven aanrichtten in het milieu. Dezelfde doelwitten, andere beweegredenen. De Herrezenen volgden in zekere zin niet dezelfde weg als de RAF en andere linkse groepen, maar meer een toevallig evenwijdig lopende weg. Een goed voorbeeld is de ontvoering van en later de moord op Hanns-Martin Schleyer door Baader-Meinhof-RAF in oktober 1977 en die op Thorsten Wiedler door de Herrezenen begin november. Allebei in het kader van de zogenaamde Duitse lente van '77. Het verschil is dat Schleyer als doelwit werd gekozen ten eerste omdat hij tijdens de oorlog nazi en majoor in Tsjecho-Slowakije was geweest en ten tweede omdat hij een rijke industrieel was, algemeen directeur van Daimler-Benz en voorzitter van West-Duitse werkgeversorganisatie, en nauwe banden onderhield met de regerende CDU. En natuurlijk, op de achtergrond van Schleyers zes weken durende ontvoering en ten slotte de moord, speelden de kaping in Mogadisjoe mee, en de zelfmoord van Raspe, Baader en Ennslin in de Stammheimgevangenis. Anderzijds, hoewel ook Thorsten Wiedler een geslaagd industrieel was, was hij van een heel ander kaliber dan Schleyer. Hij was afkomstig uit een sociaaldemocratisch arbeidersmilieu, was tijdens de oorlog te jong geweest om in militaire dienst te hoeven en had geen bijzondere politieke overtuigingen of betekenis. Dat de Herrezenen hem uitkozen, was blijkbaar omdat zijn fabrieken grote vervuilers waren. Er werd tijdens de Duitse lente uiteraard veel gezwetst over zogenaamde solidariteit met de RAF en ook Wiedler was, op bescheidener schaal, een vertegenwoordiger van het West-Duitse kapitalisme. Maar zijn ontvoering werd beschouwd als contraproductief voor de "revolutie" en de Herrezenen raakten daardoor nog verder geïsoleerd. Ik denk dat de groep daarom nooit een volledige verklaring heeft afgelegd over Wiedlers lot. Het begon gênant voor ze te worden. Zijn lichaam is nooit gevonden en de familie Wiedler werd het recht onthouden om hem te begraven en om hem te rouwen. Maar bij dit alles kwam de heel "hippe" draai die Rode Franz en de Herrezenen aan hun politiek gaven. Er kwam een heleboel van wat we nu newage-onzin zouden noemen bij kijken.'

'Wat voor onzin?' vroeg Fabel.

'Nou, de Herrezenen is een van de lastigste groepen om te onderzoeken doordat ze betrekkelijk geïsoleerd waren, maar een van hen, Benni Hildesheim, maakte zich los en liep over naar de RAF. Toen Hildesheim in de jaren tachtig gearresteerd werd, beweerde hij dat de Herrezenen hem te zweverig waren geweest. Hij zei dat ze hun naam ontleenden aan de overtuiging dat Gaia, de geest van de aarde, zichzelf zou beschermen door een groep krijgers, ware gelovigen, te genereren om haar te verdedigen wanneer ze gevaar liep. Die krijgers zouden telkens opnieuw verrijzen als ze nodig waren. Vandaar de Herrezenen. Rode Franz Mühlheim verkondigde blijkbaar dat ze als groep bijeen waren gebracht, omdat ze allemaal al eerder hadden geleefd en gevochten, in andere perioden in de geschiedenis waarin de aarde hen nodig had voor bescherming. Dat paste niet echt bij de onwrikbaar rationele en starre marxistische ideologie van Baader-Meinhof.'

'En wat is het verband tussen Müller-Voigt en Hans-Joachim Hauser en Rode Franz Mühlhaus?' vroeg Fabel.

'Hauser? Ik zou het niet weten. Hauser was een egocentrische meeloper. Het enige rechtstreekse verband tussen de Herrezenen of Mühlhaus dat ik ken, is dat Hauser een uitgesproken voorstander was van de eerdere "interventies" van Rode Franz, het verstoren van vergaderingen van de Hamburg-se Senaat, sit-ins op bedrijfs- en industrieterreinen, dat soort dingen. Maar toen het menens begon te worden, er banken werden beroofd, bommen gelegd en mensen vermoord, werd Hauser net als veel anderen van modieus links, opeens minder geestdriftig. Dat wil niet zeggen dat hij er niet rechtstreeks bij betrokken was. Je zou zijn betrekkelijke stilzwijgen ook kunnen uitleggen als een poging om niet op te vallen. Wat Müller-Voigt betreft, hij en Rode Franz ontmoetten elkaar eind jaren zeventig. Ik vermoed dat, nadat Mühlhaus op de Opsporing Verzocht-lijst terecht was gekomen wegens de moord op de directeur van een farmaceutisch bedrijf in Hannover en later uiteraard voor de affaire-Thorsten Wiedler, Müller-Voigt als stroman voor de Herrezenen werkte.'

'Maar u denkt dat zijn betrokkenheid verder ging?'

'Ik zal u iets heel persoonlijks vertellen, meneer Fabel. Mijn vader heeft een bandopname gemaakt. Toen hij nog in het ziekenhuis lag, vroeg hij om een cassetterecorder. Hij was altijd heel energiek en fit geweest, maar geconfronteerd met een toekomst in een rolstoel werd hij zwaar depressief. Maar hij werd ook boos. Hij was vastbesloten al het mogelijke te doen om te helpen Wiedler te vinden en zijn ontvoerders te pakken. Lang na de dood van mijn vader, toen ik de leeftijd had waarop ik moest beslissen wat ik zou gaan studeren, heb ik die band beluisterd. Mijn vader beschreef de gebeurtenissen van die dag heel gedetailleerd. Het was alsof hij wilde dat de waarheid bekend werd. Nadat ik de band gehoord had, besloot ik journalist te worden. Om de waarheid te vertellen.'

'En wat zei hij?'

Ingrid Fischmann keek een ogenblik besluiteloos en zei toen: 'Weet u wat, ik stuur u een kopie. En ik zal wat foto's en algemene informatie bij elkaar zoeken en die naar u mailen. Maar kort gezegd: mijn vader vertelde dat er volgens hem zes terroristen bij betrokken waren. Van slechts één van hen heeft hij het gezicht goed kunnen zien. De anderen droegen skibrillen. Hij kon de politie een heel gedetailleerde beschrijving geven en ze maakten een politietekening van hem. Niet dat het iets uithaalde. Er is zoals u weet nooit iemand opgepakt voor de ontvoering van Wiedler. Tenzij je de dood van Rode Franz Mühlhaus als gerechtigheid beschouwt.'

'En hoe weet u zo zeker dat Bertholdt Müller-Voigt erbij betrokken was?' vroeg Fabel.

'Herinnert u zich Benni Hildesheim, over wie ik het eerder had? De overloper van de Herrezenen naar de Baader-Meinhofgroep? Nou, ik heb hem na zijn vrijlating geïnterviewd en hij beweerde dat enkele personen die tegenwoordig heel veel invloed hebben, rechtstreeks betrokken waren geweest bij de acties van de Herrezenen of logistieke en strategische steun hadden verleend. Onderduikadressen, wapens en explosieven en zo. Hildesheim vertelde me dat er zes personen betrokken waren geweest bij de ontvoering van Wiedler, wat klopt met het verhaal van mijn vader. Hij beweerde dat hij de identiteit van die zes kende, én de identiteit van iedereen van het netwerk.'

'Hij zei niet wie?'

Ingrid Fischmann lachte even cynisch. 'Hildesheim vertoonde een opmerkelijk kapitalistisch trekje voor een voormalige marxistische terrorist. Hij wilde geld voor zijn informatie. Hij wist natuurlijk niet dat ik de dochter ben van een van de slachtoffers van de groep, maar ik zei dat hij naar de hel kon lopen. Ik wilde weten wie mijn vader had neergeschoten. Maar niet tegen elke prijs. Hildesheim was er blijkbaar van overtuigd dat een of ander sensatieblad zijn prijs zou betalen. Hij beweerde stellig dat de namen het establishment op zijn grondvesten zouden doen schudden en meer van die onzin. Bedenk daarbij dat het was in de tijd dat Bettina Röhl, de dochter van Ulrike Meinhof, de procureur-generaal een zestig bladzijden tellende brief stuurde waarin ze eiste dat minister van Buitenlandse Zaken Joschka Fischer zou worden aangeklaagd en voor het gerecht gebracht wegens poging tot moord op een politieman in de jaren tachtig. Het is niet ondenkbaar dat er anderen zijn in de regering of op hoge posten die een lijk in de kast hebben.'

'Maar Hildesheim ving bot?' vroeg Fabel.

'Nee. Hij stierf voordat het tot een akkoord kwam.'

'Hoe is hij gestorven? Was er iets verdachts aan?'

'Nee. Geen grootse samenzwering. Gewoon een middelbare man die te veel had gerookt en te weinig gesport. Hartinfarct. Maar hij had me wel iets verteld. Hij zei dat hij volstrekt zeker wist wie er die dag achter het stuur had gezeten... en dat ze vooraanstaande publieke figuren waren geworden. Maar een duidelijke verklaring en ondersteunende bewijzen behoorden bij de afspraak die hij maakte. Jammer genoeg leefde hij niet lang genoeg om het me te vertellen.'

'Hildesheim heeft het nooit over Hauser gehad?'

Ze schudde haar hoofd.

'Of over Gunter Griebel?'

'Ik vrees van niet. Ik geloof dat ik zijn naam zelfs niet ben tegengekomen tijdens mijn research.'

Ze praatten nog een kwartiertje. Ingrid Fischmann schetste de geschiedenis van de militante beweging in Duitsland en de overgang van protest naar directe actie naar terrorisme. Ze discussieerden over de doelstellingen van de verschillende groepen, de steun die ze kregen vanuit het voormalige communistische Oost-Duitsland, het netwerk van medestanders en sympathisanten die het mogelijk maakten dat zoveel terroristen zo lang uit handen van de politie konden blijven. Ze spraken ook over het feit dat er, zonder dat anderen het wisten, misschien zelfs hun beste vrienden en familie niet, mensen waren die een gewelddadig verleden verborgen achter een normaal leven. Ten slotte hadden ze alles gezegd en Fabel stond op.

'Bedankt dat u zoveel tijd voor me hebt uitgetrokken,' zei Fabel. Hij gaf Fischmann een hand. 'Het is echt heel nuttig geweest.'

'Daar ben ik blij om. Ik zal u die informatie sturen, als ik het kan vinden. Het kan een dag of twee duren,' zei ze glimlachend. 'Wacht even, dan ga ik mee naar beneden. Ik moet in de stad zijn.'

'Kan ik u een lift geven?'

'Nee, dank u,' zei ze. 'Ik moet onderweg op een paar plekken zijn.' Ze zette een bril op het puntje van haar neus en zocht in haar schoudertas, waar ze uiteindelijk een zwart notitieboekje uit haalde. 'Sorry, ik heb pas een nieuwe alarminstallatie. Ik moet een code intoetsen als ik wegga en ik mag hangen als ik het niet altijd weer vergeet.'

Ze bleven bij de deur staan terwijl ze langzaam de code intoetste op het controlepaneel, elk cijfer in het zwarte notitieboekje checkend.

Eenmaal op straat nam Fabel afscheid van Ingrid Fischmann en zag haar kleiner worden toen ze de straat uit liep. Een jonge Duitse vrouw die haar leven wijdde aan het onderzoeken van de generatie vóór haar. Iemand die de Waarheid zocht.

Fabel dacht weer aan de reden van de jonge Frank Grueber om forensisch technicus te worden: *Waarheid is de schuld die we de doden verschuldigd zijn.*

Het zou, dacht Fabel, bijna Duitslands nationale spreuk kunnen zijn.

19.30 UUR, SPEICHERSTADT, HAMBURG

Fabel was vóór vijf uur terug geweest op het hoofdbureau. Hij had in allerijl een vergadering op de afdeling Moordzaken belegd en zijn team bijgepraat over wat hij in de loop van de dag te weten was gekomen. Het begon erop te lijken dat deze moorden geen willekeurige seriemoorden waren, maar dat het motief in het politieke verleden van de slachtoffers lag.

Anna en Henk hadden verteld wat ze ontdekt of niet ontdekt hadden in *The Firestation*. Het leek steeds minder waarschijnlijk dat de moorden verband hielden met Hausers seksuele voorkeur en Anna had het gevoel dat de oudere man die Hauser in *The Firestation* had ontmoet, misschien meer te maken had met zijn politieke verleden dan met zijn seksuele voorkeuren.

'Misschien was het Paul Scheibe,' had Werner gesuggereerd.

'Dat horen we dan vanavond wel,' zei Fabel. 'Ik wil dat jullie, Anna, Henk, Werner en Maria, met me meegaan naar die presentatie. We moeten de gasten eens goed bekijken en ik wil een lang gesprek hebben met Scheibe.'

Fabel was naar huis gegaan en had gegeten en gedoucht voordat hij het team in Speicherstadt trof. Anna en Henk waren als eersten aangekomen en hadden met Scheibes medewerkers gesproken.

'De pleuris is uitgebroken,' zei Anna tegen Fabel. 'Het lijkt erop dat Scheibe niet komt. Niemand heeft hem gezien. En dit is zijn grote avond. Zijn medewerkers beginnen aardig zenuwachtig te worden, omdat Scheibe heel nadrukkelijk heeft gezegd dat hij de enige was die de conceptmaquette mocht onthullen. Hij heeft er blijkbaar zelf de laatste hand aan gelegd en hoewel de Senaat hem heeft gezien, is dit de langverwachte onthulling voor alle anderen. Ze denken dat hij er een paar dingen aan heeft toegevoegd waarvan tot vanavond niemand iets weet.'

'Dus wat gaan Scheibes mensen doen?'

'Op het moment gaan ze door het lint. Ze hebben de hele Hamburgse chic hier verzameld, maar geen ster om de show te presenteren.'

'Heeft hij zoiets weleens eerder gedaan?'

'Niet als het zo belangrijk was. Maar Paulsen maakte zich de laatste tijd steeds meer zorgen over hem. Het is alsof Scheibe gespannen is, wat schijnbaar niets voor hem is. Drinken, dat wel, arrogantie en opgeblazen zelfingenomenheid, ja... maar Scheibe is beslist niet gevoelig voor stress.'

'Wat erop zou kunnen wijzen dat er onlangs iets nieuws aan die mix is toegevoegd,' zei Werner.

'Of iets ouds,' zei Fabel. 'Oké, laten we ons onder de aanwezigen mengen.'

Fabel ging zijn team voor naar de zaal, waar ze de gemelijke portiers hun ovale recherchepenning lieten zien. De zaal was gevuld met welgestelde, gesoigneerde mensen die in groepjes bij elkaar stonden, praatten en lachten terwijl obers in uniform glazen pinot grigio aansleepten.

Fabel, Maria en Werner begaven zich naar de andere kant van de zaal; Fabel gaf Anna en Henk opdracht in de buurt van de deur te blijven en een oogje te houden op de eventuele komst van Scheibe. Terwijl hij zich een weg baande door de menigte, zag hij Müller-Voigt, die hof hield voor een bijzonder grote kliek. Hij ving de blik van de senator van Milieu, maar Müller-Voigt fronste slechts zijn wenkbrauwen, alsof Fabels aanwezigheid hem verbaasde.

De zaallichten werden gedimd en Fabel zag dat er beroering ontstond bij het verlichte podium, waar een wit baldakijn Paul Scheibes toekomstvisioen verborg voor het gespannen en steeds geagiteerder publiek. Paulsen, Scheibes plaatsvervanger, was in verhit gesprek met twee andere medewerkers van de architect.

Na een korte pauze nam Paulsen ongemakkelijk plaats op het podium, vóór de maquette. Hij keek een ogenblik nerveus naar de microfoon.

'Dames en heren, mijn hartelijke dank voor uw geduld. Helaas is de heer Scheibe onverwacht en onvermijdelijk opgehouden door een familiekwestie. Hij doet uiteraard zijn best om zo snel mogelijk te komen. Echter, de vernieuwende kracht van het werk van Paul Scheibe spreekt voor zich. Het toekomstvisioen van meneer Scheibe voor HafenCity en de stad Hamburg is een stoutmoedig en markant concept dat de ambities van onze geweldige stad weerspiegelt.'

Paulsen zweeg even. Hij keek naar de kant van de zaal waar een vrouw, van wie Fabel aannam dat ze een van Scheibes medewerkers was, net was binnengekomen. De vrouw schudde bijna onmerkbaar haar hoofd en Paulsen wendde zich weer met een flauwe, berustende glimlach tot het publiek.

'Oké... ik denk dat... eh... het het beste is als we gewoon doorgaan met de presentatie... Dames en heren, het is me een groot genoegen om namens *Architekturbüro Scheibe* Paul Scheibes creatieve, unieke en gedurfde nieuwe esthetiek voor het Überseequartier van HafenCity te onthullen. Ik stel u voor: *KulturZentrumEins...*'

Paulsen stapte opzij en het hagelwitte canvas baldakijn werd opgetrokken. Het publiek begon, zij het matig enthousiast, te klappen toen de grote bouwmaquette werd onthuld.

Het applaus stierf weg.

Toen het dekzeil uit de schijnwerpers verdween viel er een stilte in de zaal. Een stilte die het moment leek te bevriezen. Fabel wist wat hij zag, maar zijn hersenen weigerden de informatie te verwerken. Ook de rest van het publiek zat gevangen in dat gefossiliseerde moment terwijl ook zij de onmogelijkheid van wat ze zagen probeerden te begrijpen.

De schijnwerpers, een rode, een blauwe en het witte hoofdlicht, waren zorgvuldig geplaatst om elke rand, elke hoek van de grote maquette te benadrukken. Maar de creativiteit die ze zo dramatisch verlichtten, was niet die van Paul Scheibe.

Het gillen begon.

Het verspreidde zich als een withete vlam. Schril en doordringend. Erbovenuit kon Fabel Anna Wolff horen vloeken. Verscheidene mensen, met name die welke het dichtst bij de maquette stonden, gingen over hun nek.

Het miniatuurlandschap lag onder de lampen, maar het middelpunt, *KulturZentrumEins* zelf, was niet zichtbaar. Het was bezweken onder het gewicht van Paul Scheibes ontklede lichaam. Het was alsof een enorme, afschuwelijke god uit de hemel was geworpen en in HafenCity op de aarde was gevallen. Scheibe zat achterover geleund te midden van de verbrijzelde onderdelen van zijn visioen. Zijn naakte vlees glansde blauwwit in de schijnwerpers en zijn bloed glinsterde felrood op de maquette. Degene die het lichaam daar had neergelegd, had een onderdeel van de maquette als steun gebruikt en Scheibe staarde zijn gehoor aan.

Hij was gescalpeerd. Zijn scalp lag aan zijn voeten, uitgespreid en net als die van de andere slachtoffers onnatuurlijk rood geverfd. De met geronnen bloed bedekte koepel van zijn schedel glinsterde in het licht. Zijn keel was doorgesneden.

Fabel werd er zich plotseling van bewust dat hij rende. Hij duwde enkele verbijsterde aanwezigen opzij terwijl hij naar voren stormde, en ze protesteerden niet, alsof hij door een magazijn vol etalagepoppen holde. Hij voelde Anna, Henk en Werner achter zich.

Een van de persfotografen hief zijn camera op en er ging een flits door de zaal. Anna baande zich een weg naar de fotograaf, pakte met haar ene hand zijn camera af en duwde hem met de andere weg. De fotograaf protesteerde en eiste zijn camera terug.

'Het is jouw camera niet meer. Het is bewijsmateriaal.' Ze liet haar laserblik over de andere persfotografen glijden. 'En dat geldt voor jullie allemaal. Dit is een plaats delict en ik leg beslag op elke gebruikte camera.'

Fabel had inmiddels de voorkant van de zaal bereikt en pakte Paulsen vast, die nog steeds met nietsziende ogen naar de maquette staarde.

'Breng uw mensen naar de gang. Nu!' riep hij Paulsen toe. Hij draaide zich om naar zijn medewerkers. 'Anna, Henk... stuur het publiek naar de gang. Werner... sluit de hoofdingang af en zorg ervoor dat niemand het gebouw verlaat.' Hij klapte zijn mobiele telefoon open en drukte de voorkeuzetoets van de afdeling Moordzaken in. Hij gaf opdracht de technische recherche te sturen en zei dat hij uniformagenten nodig had om de locatie onmiddellijk af te grendelen. Hij regelde ook extra agenten in burger om alle aanwezigen een verklaring af te nemen. Zodra hij ophing, drukte hij een andere toets in.

Van Heiden protesteerde niet dat hij thuis werd gestoord; hij wist dat als Fabel belde, het dringend moest zijn. Fabel hoorde zichzelf het tafereel voor Van Heiden met doodse, toonloze stem beschrijven. Van Heiden reageerde zo te horen meer op de wel heel publieke context waarin het lichaam was gevonden dan op het feit dat iemand het leven had verloren.

Toen hij zijn gesprek met Van Heiden beëindigde, merkte Fabel dat hij nog de enige aanwezige in de zaal was. Met uitzondering van wat ooit Paul Scheibe was geweest. Scheibe had Fabel iets willen vertellen. Iets belangrijks, misschien iets wat bereidwillig verteld zou worden. Nu zat Scheibe hoog op zijn troon van verbrijzeld balsahout en karton, naakt en dood, een ongekroonde, zwijgende koning, die uitkeek over zijn verlaten koninkrijk.

Leonard Schüler had te veel gedronken. Dat gebeurde wel vaker. Hij had een zware week achter de rug. Hij werd nog altijd achtervolgd door dat gezicht, dat kille, bleke, emotieloze gezicht achter het raam van Hausers appartement, maar dat werd met de dag minder. Hij was er vaster dan ooit van overtuigd dat hij er goed aan had gedaan de politie geen volledige beschrijving van de moordenaar te geven. Leonard Schüler, die bijna nergens meer in geloofde en niet geneigd was tot diepzinnig filosoferen, dacht terug aan die nacht, aan de man achter het raam, en vroeg zich af of er echt zoiets als de duivel bestond.

Maar het was tijd om dat te vergeten. Het zijn juiste plaats te geven, in het verleden.

Schüler had zin gehad om het te vieren en had met enkele vrienden afgesproken in de bar op de hoek twee straten van zijn flat. Het was een ruige, rokerige tent, gonzend van ruwe uitbundigheid en keiharde rockmuziek. Precies de plek waar hij behoefte aan had.

Het was één uur 's nachts toen hij de bar verliet. Hij liep niet wankelend, maar was zich ervan bewust dat de normaliter onbewuste handeling van een stap zetten een zekere mate van concentratie vergde. Het was een leuke avond geweest en er was heel wat stoom afgeblazen, een beetje te veel voor Willi, de kroegbaas. Maar toen hij naar huis liep, werd Schüler zich bewust van een leeg gevoel vanbinnen. Dit was zijn leven. Dit was alles wat hij bereikt had. Natuurlijk, hij kwam niet uit het beste nest, maar anderen hadden in soortgelijke omstandigheden beter geboerd, meer bereikt. Hij was eerlijk genoeg om zichzelf de schuld te geven van de mislukkingen in zijn leven, al stond hij zichzelf in meer sombere momenten toe de verantwoordelijkheid met zijn moeder te delen. Schülers moeder was een nog jonge vrouw van in de veertig, die op achttienjarige leeftijd van Leonard was bevallen. Leonard had zijn vader nooit gekend en hij betwijfelde of zijn moeder zeker wist wie dat was. Het was een onderwerp dat zijn moeder altijd had gemeden en ze beweerde dat Leonards vader een vriend was geweest die aan een onbekende ziekte was gestorven voordat ze hadden kunnen trouwen. Maar door allerlei kleine details te combineren was hij iets over zijn moeders verleden te weten te komen en door veel tussen de regels door te lezen had Leonard het vermoeden gekregen dat ze ooit als prostituee had gewerkt. Hij vroeg zich vaak af of zijn anonieme vader een cliënt was geweest.

Maar dat was allemaal gebeurd vóór Leonards eerste herinneringen aan de wereld. Zijn moeder had hem als alleenstaande ouder grootgebracht en had blijk gegeven van een ouderwets schaamtegevoel daarover. Toen Leonard nog een kind was, was zijn moeder een 'herboren' christen geworden.

Nu was ze een toonbeeld van preutse rechtschapenheid en kuisheid en zijn jeugd was overschaduwd door de alomtegenwoordige religie. Hij had al zo lang hij zich kon heugen de pest aan zijn moeders deugdzaamheid. Hij geneerde zich ervoor. Ze irriteerde hem. Hij zou zich minder voor zijn moeder geschaamd hebben als ze nog steeds blowjobs verkocht aan onbekenden. Leonard dacht vaak dat hij daarom dief geworden was: om zijn moeders schaamte te zien.

'Gij zult niet stelen,' had ze uitentreuren herhaald en ze had haar hoofd geschud toen hij voor het eerst door de politie naar huis werd gebracht. 'Gij zult niet stelen. Weet je wat er van jou terechtkomt, Leonard?' had ze gezegd. 'De duivel zal je komen halen en je rechtstreeks naar de hel slepen.'

Het waren die woorden geweest die in Leonard hoofd hadden geklonken toen die hoogste rechercheur met hem gepraat had, toen hij verteld had wat die psychopaat met hem zou doen als hij van zijn bestaan zou weten. Als hij hem vond.

Schüler wist dat hij niet dom was. Hij koesterde geen illusies over de daad waarbij hij was verwekt. Een snelle, groezelige wip voor een paar Duitse marken. Maar hij stelde zich altijd voor dat zijn vader misschien een rijke, geslaagde zakenman was of een of andere specialist die, waarschijnlijk dronken op dat moment, een keer klant bij zijn moeder was geweest. Iemand met een beetje verstand bovendien. Iemand met meer klasse. Hoe kon Leonard anders zijn eigen intelligentie verklaren? Hij had een *Gesamtschule* bezocht en het leed geen twijfel dat hij die, met een beetje inzet van zijn kant, had kunnen afmaken, waarna hij naar de universiteit had gekund. Maar Schüler hád zich niet ingezet. Hij had bedacht dat er twee manieren waren om de dingen te krijgen die je wilde: je kon ze verdienen of je kon ze stelen. En verdienen vergde te veel inspanning.

En dit was er van hem geworden. Werkloos, zesentwintig jaar oud, een dief. Was het te laat om te veranderen? Opnieuw te beginnen? Een nieuw leven op te bouwen?

Hij gooide de voordeur van zijn flatgebouw open. Elke trede leek een ongelooflijke inspanning te kosten. Hij opende de deur van zijn appartement en gooide de sleutels op het tweedehands buffet naast de deur. Op de drempel tussen het felle licht in het trappenhuis en het donker in zijn flat bleef hij even staan en leunde tegen de deurpost. Hij hoorde een klik toen het licht in de hal, dat op een spaarschakelaar werkte, uitging en hij plotseling in duisternis werd gehuld. Hij liet het even over zich heen komen, de hoppige smaak van bier in zijn mond, en zijn hoofd plotseling licht zonder visueel houvast.

Het licht in zijn woonkamer ging aan. Schüler knipperde met zijn ogen en probeerde erachter te komen hoe hij per ongeluk de lichtschakelaar had aangeraakt, toen hij hem in de stoel bij de televisie zag zitten. Dezelfde man. Hetzelfde gezicht dat naar hem had gekeken door het raam van Hausers appartement.

De duivel was gekomen om hem mee te nemen naar de hel.

11

Zodra hij de man met het wapen in de hoek naast de televisie zag zitten, wist Leonard dat hij zou sterven. Hoe dan ook.

Het eerste wat Leonard opviel, was hoe donker de haren van de jongeman waren, te donker voor zijn bleke huid. Hij had een zwart automatisch wapen in zijn hand en Leonard zag dat hij operatiehandschoenen droeg. De man met het wapen stond op. Hij was lang en slank. Leonard vermoedde dat hij hem makkelijk had aangekund, als de man geen wapen in zijn hand had gehad.

Overmeester hem, dacht Leonard. Zelfs als hij een kogel afschiet sterf je in elk geval snel. Misschien zou hij zelfs missen. Leonard dacht aan de twee foto's die de politie hem had getoond, van wat deze lange, donkere jongeman met zijn bleke, onverstoorbare gezicht had gedaan. Leonard dacht diep na, zo diep dat zijn hoofd er pijn van deed. Waarom loop je hem niet gewoon omver? Wat heb je te verliezen? Een kogel is beter dan wat hij met je zal doen als je hem zijn gang laat gaan.

'Kalm maar, Leonard.' Het was alsof de donkerharige man zijn gedachten had gelezen. 'Wees maar niet bang, dan hoef ik je ook geen pijn te doen. Ik wil alleen maar met je praten. Meer niet.'

Leonard wist dat de man loog. Overmeester hem nou. Maar hij wilde de leugen geloven.

'Alsjeblieft, Leonard, ga zitten, dan kunnen we praten.' Hij wees naar de stoel waaruit hij was opgestaan.

Doe het nu... pak het wapen. Leonard ging zitten.

De man keek hem onaangedaan aan. Hetzelfde gemis aan emoties, aan uitdrukking.

'Ik heb het ze niet verteld. Ik heb ze niets verteld,' zei Leonard ernstig.

'Leonard toch,' zei de donkerharige man alsof hij een kind een standje gaf, 'we weten alle twee dat dat niet waar is. Je hebt ze niet álles verteld. Maar je hebt ze genoeg verteld. En het zou heel slecht uitkomen als je ze nog meer zou vertellen.'

'Luister, ik wil hier niets mee te maken hebben. Dat weet je best. Je ziet toch dat ik ze niet meer ga vertellen dan ik al verteld heb. Ik zal weggaan... ik beloof het... ik zal nooit meer naar Hamburg komen.'

'Rustig aan, Leonard. Ik doe je niets. Tenzij je domme dingen doet. Ik wil alleen maar ons... probleempje met je bespreken.' De donkerharige man leunde tegen de muur en legde het wapen naast Leonards sleutels op het buffet.

Doe het! Doe het nu! Leonards instincten schreeuwden hem toe, maar hij bleef zitten alsof zijn lichaam aan de stoel geklonken was.

De donkerharige man stak zijn hand in zijn jaszak en haalde een paar handboeien tevoorschijn. Hij gooide ze Leonard toe en pakte het wapen weer op. 'Geen paniek, Leonard. Het is voor je eigen bestwil, snap je. Alsjeblieft... doe ze om.'

Nu. Doe het nu. Als je die dingen omdoet heeft hij je volledig in zijn macht. Hij zal alles kunnen doen wat hij wil. *Doe het!* Leonard klikte de handboeien om zijn ene pols, toen om de andere.

'Oké,' zei de donkerharige man. 'Nu kunnen we ons ontspannen.' Maar terwijl hij dat zei, liep hij naar Leonards slaapkamer en kwam terug met een grote zwartleren tas. 'Niet schrikken, Leonard. Ik bind je alleen maar vast.' Hij haalde een rol dik zwart isolatietape uit de tas en draaide het over Leonards borst en bovenarmen en om de rugleuning heen. Strak. Toen scheurde hij een reep af en plakte die over Leonards mond.

Leonards protesten werden gereduceerd tot heftig gemompel. De combinatie van de knevel en het strakke tape benam hem bijna de adem en zijn hart begon sneller te bonzen in zijn ingesnoerde borstkas.

Ervan overtuigd dat Leonard geen enkele bedreiging meer vormde, legde de man het wapen op tafel. Hij trok de enige andere stoel in het appartement bij en ging dicht tegenover Leonard zitten. Hij boog zich naar voren, zette zijn ellebogen op zijn knieën en legde zijn kin op zijn verstrengelde vingers. Het was alsof hij Leonard lange tijd bestudeerde. Toen nam hij het woord.

'Geloof je in reïncarnatie, Leonard?'

De geboeide man staarde de moordenaar niet-begrijpend aan.

'Geloof je in reïncarnatie? Zo'n moeilijke vraag is het niet.'

Leonard schudde heftig zijn hoofd. Zijn ogen waren groot, verwilderd. Ze zochten op het gezicht van de overvaller naar een spoor van medeleven of medelijden, naar iets wat in de buurt kwam van menselijke emoties.

'Niet? Nou, je behoort tot een minderheid, Leonard. De overgrote meerderheid van de wereldbevolking gelooft in reïncarnatie. Hindoeïsme, boeddhisme, taoïsme... Vele culturen vinden het natuurlijk en logisch om te geloven in de terugkeer van de ziel in een of andere gedaante. In dorpen in Nigeria kun je vaak een *ogbanje* tegenkomen... een kind dat de reïncarnatie is van iemand die zelf als kind is gestorven. Sorry, je vindt het toch niet erg dat ik praat terwijl ik alles in gereedheid breng?' De donkerharige man stond op en haalde een groot, vierkant stuk zwart plastic uit de tas. Vervolgens haalde hij er een zwarte plastic zak uit. Achter zijn knevel maakte Leonard een onbegrijpelijk geluid dat de moordenaar als instemming op leek te vatten en hij vervolgde zijn les.

'Hoe dan ook, Plato geloofde dat we als hogere wezens bestaan hebben en dat we in dit leven zijn gereïncarneerd als straf omdat we in ongenade zijn gevallen – een overtuiging die werd gedeeld door het vroege christendom, tot het werd verboden en als ketterij werd aangemerkt. Als je erover nadenkt, is reïncarnatie makkelijk te accepteren; we hebben allemaal weleens ervaringen gehad die niet op een andere manier verklaard kunnen worden.' De moordenaar spreidde het vierkante stuk plastic uit op de vloer en ging erop staan. Hij trok zijn jasje en zijn overhemd uit, vouwde ze zorgvuldig op en stopte ze in de zwarte zak. 'Het overkomt ons allemaal. We ontmoeten iemand die we nooit eerder hebben ontmoet, maar we hebben dat vreemde gevoel van herkenning of het gevoel dat we ze al jaren kennen.' Hij trok zijn schoenen uit. 'Of we gaan voor het eerst ergens naartoe, ergens waar we nooit geweest zijn, maar desondanks komt die plaats ons onverklaarbaar vertrouwd voor.'

Hij maakte zijn riem los en trok zijn broek uit, die hij samen met de schoenen in de zak stopte. Nu stond hij met alleen zijn sokken en zijn ondergoed aan op het zwarte plastic. Zijn lichaam was bleek, mager en hoekig. Bijna jongensachtig. Broos. Hij haalde een witte overall uit de tas zoals forensisch specialisten die gebruiken op een plaats delict, behalve dan dat deze voorzien leek van een laagje plastic. Leonard werd opeens onpasselijk toen hij zich realiseerde dat het de soort beschermende kleding was die in abattoirs wordt gebruikt. 'Zie je, Leonard, we hebben allemaal al eerder geleefd. In een of andere gedaante. En soms komen we terug, of we worden teruggestuurd, om een of andere bijzondere kwestie uit een eerder leven op te lossen. Ik ben teruggestuurd.'

Hij haalde een haarnetje uit de tas, trok het over zijn dichte, donkere haren, trok toen de capuchon van zijn overall eroverheen en trok het koord aan tot de capuchon strak om zijn gezicht sloot. Hij trok blauwe plastic overschoenen aan en begon toen een ruimte vrij te maken in het midden van de kamer, zette de meubels en Leonards weinige persoonlijke bezittingen heel voorzichtig in de hoeken, alsof hij bang was iets te breken. 'Wees maar niet bang, Leonard, ik zet alles terug op zijn plaats...' Hij glimlachte kil en zielloos. 'Als we klaar zijn.'

Hij zweeg en keek de kamer rond alsof hij inspecteerde of die klaar was voor wat hij vervolgens wilde doen. Hij vouwde de lap zwart plastic zorgvuldig weer op en stopte hem in de tas.

Leonard voelde het prikken van tranen in zijn ogen. Hij dacht aan zijn moeder. Aan hoe teleurgesteld ze in hem was geweest. Aan dat hij had gestolen om haar te kwetsen.

De moordenaar vouwde een tweede stuk dik zwart plastic open, veel groter dan het eerste, en spreidde het uit in de ruimte die hij had vrijgemaakt. Toen liep hij om Leonard heen, pakte de rugleuning van de stoel beet, kantelde hem achterover en schoof hem op de achterste poten op het zwarte plastic. Leonard kon zijn eigen hartslag nu voelen en horen, het bloed bruiste in zijn oren, zijn lippen klopten tegen de knevel van isolatietape.

'Hoe dan ook,' ging de moordenaar verder, 'het is niet zo dat ik in reïncarnatie gelóóf. Ik wéét dat het een feit is. Een natuurwet, even echt en onaanvechtbaar als de zwaartekracht.' Hij haalde een fluwelen roletui uit zijn tas en legde die naast de stoel op het plastic. 'Zie je, Leonard, ik heb een gave. De gave van de herinnering... herinnering voorbij geboorte, voorbij dood. Herinneringen aan mijn eerdere levens. Ik heb een taak te vervullen. En die taak is wraak nemen voor verraad in mijn vorige leven. Daarom was ik daar die avond dat je me zag, toen je achter Hausers appartement rondscharrelde. Dat was het begin van mijn queeste. De avond daarna doodde ik Griebel. Maar ik heb meer te doen, Leonard. Veel meer. Ik kan niet toestaan dat je me daarin belemmert.'

De donkerharige man zette enkele passen naar achter en bekeek zijn slachtoffer, stevig vastgebonden op zijn stoel. Hij trok het zwarte plastic recht, streek het glad. Toen liet hij zijn blik over de muren van de kamer glijden, alsof hij ze taxeerde. Hij liep naar een van de muren toe en rukte een poster van een Amerikaanse popgroep omlaag, zodat de vlek die Leonard in een aanval van properheid had proberen te verbergen zichtbaar werd. Opnieuw deed de moordenaar een stap terug en bekeek de muur.

'Zo kan-ie wel.' Hij draaide zich om naar Leonard en glimlachte zijn witte, volmaakte tanden bloot. 'Wist je, Leonard, dat scalperen al vanaf het allereerste begin bij de Europese culturele traditie hoorde?'

Leonard gilde, maar zijn kreten werden door het isolatietape gesmoord tot een verwoed, hoog gemompel.

'Al degenen die hun bloed aan onze bloedlijn hebben bijgedragen, deden het: de Kelten, de Franken, de Saksen, de Goten en natuurlijk de oude Scythen op de eenzame, verlaten steppen waar de wieg van Europa stond. Het nemen van de scalp van degenen die voor ons waren gezwicht in de strijd, of gewoon het nemen van de scalp van een persoonlijke vijand die we in een gevecht van man tot man hadden gedood om een onenigheid of grief te beslechten, vormt de kern van onze culturele identiteit. We namen scalpen en deden dat met trots. Ooit gehoord van de oud-Griekse geschiedschrijver Herodotus?'

Leonards enige antwoord was het wanhopige, schokkende snikken van een man die geconfronteerd wordt met een afschuwelijke dood en zich tegen zijn boeien en knevels verzet. De moordenaar schonk er geen aandacht aan en praatte gewoon door op zijn ontspannen, luchtige manier, alsof hij op een feestje was. Het was zijn kalmte, zijn achteloosheid die Leonard het bangst maakte; het zou makkelijker te begrijpen zijn geweest als de man die op het punt stond hem te doden, furieus was geweest of bang of op wat voor manier ook geëmotioneerd.

'Herodotus wordt als de vader van de geschiedschrijving beschouwd. Hij reisde door de hele toen bekende wereld en schreef over de volkeren die hij ontmoette. Maar Herodotus trok ook door de onbekende landen, de woeste landen voorbij de beschaafde wereld. Hij bezocht Oekraïne, het hart van het Scythische koninkrijk, en beschreef het leven van degenen die hij daar aantrof.' De moordenaar keek opnieuw naar de plek op de muur waar de poster had gehangen. Hij onderbrak zijn werk even om de punaises en achtergebleven flarden te verwijderen en streek met zijn in latex gestoken hand over de vlek.

'Volgens Herodotus schraapten de Scythische krijgers al het vlees uit de binnenkant van de scalp die ze hadden genomen en kneedden die dan net zo lang tot hij zacht en soepel was geworden. Als ze dat eenmaal gedaan hadden, gebruikten ze de scalpen tijdens feestmaaltijden als servet en hingen ze tussendoor aan de teugels van hun paard. Hoe meer scalpservetten een krijger had, hoe hoger zijn status was. Volgens Herodotus naaiden vele van de meest succesvolle krijgers hun verzamelde scalpen zelfs aan elkaar tot een mantel.' Er gleed iets van ontzag over het verder emotieloze gezicht van de moordenaar. 'En dan hebben we het niet over een of ander ver land en vreemde volkeren. Dit was ónze cultuur. Dit is waar onze wortels liggen.' Hij zweeg en leek even diep in gedachten.

'Stel je eens voor... stel je een zaal voor gevuld met negentig, misschien honderd mensen. Niet veel. En iedereen in die zaal is zo nauw met de anderen verwant als maar mogelijk is: vader en zoon, moeder en dochter. Stel het je voor, Leonard, maar stel je ook voor dat ze allemaal even oud zijn, negentig generaties, bijeengebracht op dezelfde leeftijd. Overal in de zaal zie je de familiegelijkenissen. Dat is alles wat jou en mij scheidt van die Scythische krijgers, Leonard. Negentig nauw verwante individuen. En de waarheid die ik heb ontdekt is, dat het niet alleen onze trekken zijn, onze gebaren, onze behendigheid in bepaalde vaardigheden of onze aanleg voor bijzondere talenten die elke generatie opnieuw worden herhaald. We herhalen onszélf, Leonard. We zijn eeuwig. We komen terug, telkens weer. Soms overlappen onze levens elkaar zelfs. Zoals het mijne. Ik ben mijn eigen vader geweest, Leonard. Ik heb dezelfde tijd vanuit twee perspectieven gezien. En ik herinner me ze alle twee...'

Hij nam het donkerblauwe fluwelen etui en rolde het open op het plastic. Hij bleef even staan en inspecteerde zijn voorbereidingen.

Leonard keek naar het plat uitgerolde etui. Er lag een groot mes op, waarvan het heft en het lemmet van één stuk glanzend roestvrij staal waren gesmeed. Leonards snikken werden steeds heftiger. Hij verzette zich verwoed maar machteloos tegen zijn boeien.

De moordenaar legde zijn hand zacht op Leonards schouder, alsof hij hem wilde troosten. 'Stil maar, Leonard. Je hebt dit gekozen. Weet je nog dat je je afvroeg of je moest proberen me het wapen afhandig te maken? O jawel, Leonard, ik kon je lezen als een boek. Maar je besloot het niet te doen. Je koos ervoor je aan elke seconde van je leven vast te klampen, hoe afschuwelijk ook. Zal ik je eens iets grappigs vertellen, Leonard?' Hij pakte het wapen en hield het zijn gevangene voor. 'Het is niet eens echt. Het is namaak. Je hebt jezelf aan me uitgeleverd, aan deze dood, op basis van het idéé van een wapen. Een brok waardeloos metaal.'

Leonard jammerde achter zijn knevel. Zijn gezicht was nat van tranen.

'Goed, Leonard,' zei de donkerharige man goedmoedig. 'Ik weet dat je niet erg gelukkig bent met dit leven. Daarom stuur ik je door naar het volgende. Maar eerst: zie je die plek op muur die ik heb vrijgemaakt? Daar hang ik je scalp op.' Hij zweeg en negeerde de radeloze, gesmoorde kreten van zijn slachtoffer, alsof hij nadacht. Toen verscheen er een glimlach op zijn gezicht, een kille, gevoelloze glimlach van een afschuwelijke intensiteit die niet paste bij het uitdrukkingsloze masker van zijn gezicht. 'Nee... niet daar... bij nader inzien ken ik er een veel, veel betere plek voor...'

22.00 UUR, PÖSELDORF, HAMBURG

Fabel had al vierentwintig uur niet geslapen.

De hel was losgebarsten bij de media en bij iedereen die in Hamburg iets te vertellen had. Voor de zoveelste keer zag Fabel zich gedwongen de koers van het onderzoek uit te zetten en daarbij om de draaikolken van mediaaandacht en politieke druk heen te laveren. Ook dat was een facet van zijn werk dat hem afmatte. Er was beslist een tijd geweest waarin politiewerk veel gemakkelijker was, toen de enige druk die een rechercheur voelde de druk was om de dader op te sporen en aan te houden.

Na bijna de hele dag op de plaats delict te zijn geweest, was Fabel naar het hoofdbureau gegaan om de strategie door te nemen. Opeens speelde geld geen rol meer en Fabel kreeg rechercheurs uit heel Hamburg toegewezen. Hij richtte een crisiscentrum in in de grote vergaderzaal en liet de over- zichtsborden en dossiers van de afdeling Moordzaken daarheen brengen. Een vermoeide Fabel had een vijftigkoppig gehoor van rechercheurs, agen- ten van de uniformdienst en topfunctionarissen toegesproken. Hij had ge- zien dat Markus Ullrich en enkele van diens BKA-collega's waren komen op- dagen. Fabel kon niet meer ontkennen dat de zaak nu een politiek aspect en mogelijk een element van terrorisme vertoonde.

Susanne had hem er in zijn auto naartoe gebracht. Ze had gezegd dat hij te moe was om te rijden en aan slaap toe was. Fabel had geantwoord dat hij aan iets te drinken toe was. Anna, Henk en Werner hadden beloofd dat ze eveneens zouden komen. Het was duidelijk dat ze even rust nodig hadden om op adem te komen na de gebeurtenissen van de afgelopen vierentwintig uur. Ook Maria had ingestemd met een ontmoeting in Fabels vaste pub in Pöseldorf, maar ze wilde op Frank Grueber wachten om dan samen een taxi te nemen.

Het was bijna tien uur in de avond toen ze arriveerden. Bruno, de barkee- per, begroette Fabel enthousiast. Fabel gaf hem een hand en een vermoei- de 'het-was-een-zware-dag'- glimlach. Hij, Susanne en het team gingen aan de bar zitten en bestelden iets te drinken. Uit de stereo-installatie klonk het voetballied *Hamburg, meine Perle*, en een groep jongelui aan het andere uit- einde van de bar zong Hamburgs officieuze volkslied uit volle borst mee. Hun geestdrift leek nog groter te worden toen ze het couplet zongen dat Ber- lijners liet weten dat 'we schijten op jullie en jullie lied'. Het was luidruchtig, het was grof, het was vrolijk. Fabel zoog het op. Het was het vulgaire, uitgela- ten geluid van leven, van vitaliteit; het was miljoenen kilometers verwijderd van het rijk van de dood waar hij en zijn medewerkers de afgelopen dertig en nog wat uren in hadden doorgebracht.

Fabel had zin om dronken te worden. Na zijn zesde biertje voelde hij het effect; hij was zich bewust van de zwaarwichtige nadrukkelijkheid in zijn manier van praten en bewegen die altijd het gevolg was van een glaasje te veel. Dat punt bereikte hij altijd. Nooit verder. Vanavond, dacht hij, van- avond wil ik alleen maar dronken worden. Eigenlijk voelde Fabel zich nooit lekker als hij te veel gedronken had. Hij was nog nooit echt straalbezopen geweest, zelfs niet in zijn studententijd. Wanneer hij dronk, was er altijd een moment geweest dat zijn angst om de controle te verliezen de overhand nam. Dat hij bang werd zichzelf voor joker te zetten.

Maria en Grueber voegden zich bij hen en ze verhuisden van de bar en het luidruchtige koor naar een tafel achter in de pub. Op de een of andere ma- nier bracht Fabel Gunter Griebels werk ter sprake en wat Dirk had verteld over zijn ervaring.

'Misschien komen we allemaal terug,' zei Anna en aan haar sombere gezicht te zien sprak het haar niet aan. 'Misschien zijn we allemaal slechts variaties op hetzelfde thema en ervaren we elk bewustzijn als uniek.'

'Er is een prachtig, tragisch kort verhaal van de Italiaanse schrijver Luigi Pirandello, *De andere zoon*,' zei Susanne. 'Het gaat over een Siciliaanse moeder die brieven meegeeft aan iedereen van wie ze hoort dat ze naar Amerika emigreren, om ze door te sturen naar haar twee zoons die jaren geleden naar Amerika zijn verhuisd, maar van wie ze nooit meer iets heeft gehoord. Ze heeft ontzettend veel verdriet over de scheiding. Maar die zoons hadden nooit meer aan haar gedacht, terwijl ze een derde zoon heeft die bij haar is gebleven en zo liefhebbend en toegewijd is als een zoon maar kan zijn. Toch kan ze zijn aanblik niet verdragen, laat staan hem enige vorm van genegenheid of liefde tonen. Het blijkt dat, jaren geleden, toen de moeder een jonge vrouw was, het dorp overvallen was door een beruchte bandiet en zijn bende. Hij had haar bruut verkracht en als gevolg daarvan was ze zwanger geworden. Het kind, een gevoelige, zorgzame jongen, groeide op tot een grote, sterke man en hij werd het evenbeeld van zijn biologische vader, de bandiet. En telkens als de moeder naar haar toegewijde, liefhebbende zoon kijkt, voelt ze walging en minachting. Hij is niet zijn vader, maar het enige wat ze ziet is de reïncarnatie van de bandiet die haar had verkracht. Het is een tragisch, schitterend geschreven verhaal. Maar het is ook een verhaal dat ons raakt, want het is iets wat we allemaal doen. We zien continuïteit in mensen.'

'Maar dat is een verhaal over uiterlijk. Over een fysieke gelijkenis tussen vader en zoon. De persoonlijkheid van de zoon was volmaakt anders.'

'Ja,' antwoordde Susanne, 'maar de moeder dacht dat de persoon achter de uiterlijke gelijkenis dezelfde was. Een variatie op een thema.'

'Ik weet nog,' zei Henk Hermann met een peinzende blik, 'dat ik toen ik jong was, baalde dat mijn moeder en mijn oma steeds maar zeiden dat ik zo op mijn opa leek. Uiterlijk, manier van doen, karakter... de hele reut. Ik werd het spuugzat steeds maar te horen: "O, sprekend zijn opa..." of: "Lijkt hij niet als twee druppels water op zijn opa..." Voor mij was mijn opa iemand die begraven was, letterlijk, in het verleden. Hij was gesneuveld tijdens de oorlog, zie je. Overal in huis stonden foto's van hem en ik snapte niet waar ze het over hadden. Maar toen ik een jongeman was en mijn oma stierf, vond ik al die foto's terug. En ik wás het sprekend. Er was er zelfs een van hem in zijn Wehrmachtuniform. Geloof me, het was een lugubere ervaring mijn gezicht in dat uniform te zien. Het zet je aan het denken. Ik bedoel, iemand precies zoals ik in die tijd...'

Ze sneden een ander onderwerp aan, maar Fabel merkte dat Henk de rest van de avond stiller leek dan normaal en hij had spijt dat hij erover begonnen was.

De pub was vlak bij Fabels flat, om de hoek, en hij en Susanne gingen te voet naar huis. Toen ze aankwamen, opende Fabel de deur van zijn appartement en maakte een overdreven hoffelijk gebaar met zijn arm om Susanne voor te laten gaan.

'Hoe voel je je?' vroeg Susanne. 'Je zult wel bekaf zijn.'

'Ik overleef het wel...' zei hij en hij kuste haar. 'Lief dat je het vraagt.' Hij deed het licht aan.

Ze zagen het tegelijkertijd.

Fabel hoorde dat Susanne een schrille kreet slaakte en merkte tot zijn verbazing dat elke zweem van dronkenschap plotseling werd meegesleurd door de vloedgolf van afgrijzen die hen overspoelde.

Fabel rende de kamer door. Hij trok zijn automatische dienstpistool en rukte de slede van het wapen naar achter om een patroon in de kamer te brengen. Hij draaide zich om naar Susanne. Ze stond als bevroren met beide handen voor haar mond en grote ogen van de schok. Fabel hief zijn hand op en beduidde haar te blijven waar ze was. Hij sloop naar de slaapkamer, smeet de deur open, stapte naar binnen en bewoog zijn wapen heen en weer. Niets. Hij deed de slaapkamerlamp aan om nogmaals te checken en liep toen verder naar de badkamer.

Het appartement was verlaten.

Hij liep terug naar Susanne en legde zijn wapen onderweg op de salontafel. Hij sloeg zijn arm om haar heen en leidde haar naar de slaapkamer, zichzelf tussen haar en het grote raam plaatsend.

'Blijf daar, Susanne. Ik bel om hulp.'

'Jezus, Jan... bij je thúís...' Ze was lijkbleek en de door haar tranen uitgelopen make-up stak schril af tegen de bleekheid.

Hij deed de slaapkamerdeur achter haar dicht en liep weer door de woonkamer zonder naar het raam te kijken waaraan hij zoveel plezier had beleefd, met het steeds wisselende uitzicht over de Alster. Hij pakte de telefoon en drukte de voorkeuzetoets voor het hoofdbureau in. Hij sprak met de brigadier van dienst van de afdeling Moordzaken en vertelde hem dat Anna Wolff, Henk Hermann, Maria Klee en Werner Meyer waarschijnlijk op weg naar huis waren en dat hij hen op hun mobiele nummer moest bellen en zeggen dat ze naar zijn appartement moesten komen.

'Maar om te beginnen,' zei hij en hij hoorde zijn eigen stem mat en doods in de stilte van zijn appartement, 'stuur een volledig forensisch team. Ik ben op een secundaire plaats delict.'

Hij hing op, liet zijn hand een ogenblik op de telefoon liggen en bleef weloverwogen met zijn rug naar het raam staan. Toen draaide hij zich om.

Midden voor het raam, er plat tegenaan gedrukt en aan het glas klevend door zijn eigen plakkerigheid en repen isolatieband, hing een menselijke scalp. Stroperige straaltjes bloed en rode verf liepen over de ruit. Fabel werd onpasselijk en keerde zich af, maar hij kon het beeld niet van zich afzetten. Hij liep naar de slaapkamer en het geluid van Susannes snikken. In de verte hoorde hij het aanzwellende loeien van politiesirenes die over de Mittelweg naar hem toe kwamen.

01.45 UUR, PÖSELDORF, HAMBURG

Fabel had voor een vrouwelijke agent gezorgd om Susanne naar haar eigen flat te brengen en bij haar te blijven. Susanne was grotendeels van de schrik bekomen en had geprobeerd zich afstandelijk op te stellen als praktiserend forensisch psycholoog. Maar de moordenaar had zich in hun privéleven gemengd, iets wat hij nog niet eerder had gedaan. Fabel probeerde de woede die in hem raasde te onderdrukken. Zíjn huis. Die klootzak was hier geweest, in zijn privéruimte. En dat betekende dat hij meer over Fabel wist dan Fabel over hem. Het betekende ook dat Susanne bewaakt moest worden. Beschermd.

Het hele team verscheen. Hun geschoktheid en woede lagen op hun gezicht te lezen, zelfs op dat van Maria Klee. Het was haar vriend, Frank Grueber, die de leiding had over het forensisch team, maar in het besef dat zijn eigen baas een nauwe professionele en persoonlijke relatie had met Fabel, had Grueber Holger Brauner thuis gebeld. Brauner was binnen enkele minuten na de anderen aangekomen en hoewel hij het onderzoek van de plaats delict aan Grueber overliet, bekeek hij elk monster, elke plek persoonlijk.

Fabel voelde zich misselijk. De combinatie van de schok en het afgrijzen over wat hij en Susanne hadden gezien, de drank die ze eerder op de avond hadden gebruikt, de opeengehoopte uitputting van twee dagen zonder slaap en de inbreuk op zijn priféruimte veroorzaakten een misselijkmakend gevoel in zijn maag. Zijn appartement was te klein voor het hele team en enkelen van hen stonden in de hal. Fabel had al met zijn buren gesproken, die blijk gaven van die opgewonden, geschrokken nieuwsgierigheid die Fabel op talloze andere plaatsen had gezien. Maar dit waren zíjn buren. Deze plaats delict was zíjn huis.

Fabel was zich ervan bewust dat zijn team in de hal had staan discussiëren en toen brak Maria het gesprek af en kwam naar hem toe, onderweg Grueber met zich mee trekkend.

'Luister, chef,' zei ze. 'Ik heb met de anderen gesproken. Je kunt hier niet blijven en ik denk dat doctor Eckhardt even tijd nodig heeft om zich te herstellen. Je zult minstens een paar nachten bij een van ons moeten blijven. Het duurt uren voordat we hier klaar zijn en daarna... nou ja, je zult hier wel niet willen blijven. Werner zei dat je bij hem kunt logeren, maar het zou wat krap zijn. Toen heb ik het met Frank besproken.'

'Ik heb een grote woning in Osdorf,' zei Grueber. 'Zeeën van ruimte. Zoek wat spullen bij elkaar, dan kun je er intrekken zo lang als je wilt.'

'Bedankt. Ontzettend bedankt. Maar ik neem wel een hotel...'

'Ik vind dat je het aanbod van Grueber moet aannemen.'

De stem kwam van achter Fabel. Hoofdcommissaris Horst van Heiden stond boven aan de trap. Fabel keek verrast. Het deed hem goed dat zijn baas tijd had genomen om persoonlijk te komen, midden in de nacht. Toen drong de betekenis ervan tot hem door. 'Maakt u zich zorgen om mijn onkostendeclaratie?' Fabel glimlachte flauwtjes om zijn eigen grap.

'Ik denk alleen dat Gruebers appartement veiliger zou zijn dan een hotel. Tot we die maniak te pakken hebben, krijg je persoonlijke beveiliging, Fabel. We zetten een paar agenten voor Gruebers woning.' Van Heiden keek Grueber aan om diens formele goedkeuring te vragen. Grueber knikte instemmend.

'Goed dan,' zei Fabel. 'Bedankt. Ik zoek strak wat spullen bij elkaar.'

'Dat is dan afgesproken,' zei Van Heiden.

Grueber vroeg Fabels autosleutels en zei dat Maria hem naar zijn huis zou brengen en dat hij Fabels auto zou brengen als hij klaar was op de plaats delict.

'Bedankt, Frank,' zei Fabel, 'maar ik moet eerst naar het hoofdbureau. We moeten duidelijkheid krijgen over wat dit allemaal betekent.'

Van Heiden nam Fabel bij diens elleboog en loodste hem naar een hoek. Ondanks de mist en de vermoeidheid die elke gedachte leken te vertroebelen, vroeg Fabel zich onwillekeurig af hoe Van Heiden het klaarspeelde om er om twee uur 's nachts zo verzorgd uit te zien. 'Dit is niet zo mooi, Fabel. Het bevalt me niets dat die man jou tot doelwit heeft gemaakt. Weten we hoe hij binnen is gekomen?'

'De technische dienst heeft tot dusver geen spoor van braak kunnen vinden. En hij heeft zoals gewoonlijk nauwelijks een spoor van zijn aanwezigheid op de plaats delict achtergelaten.' Fabel voelde zijn maag weer omdraaien toen hij zijn eigen huis 'de plaats delict' noemde.

'We weten dus niet hoe hij binnen is gekomen,' zei Van Heiden. 'En god mag weten hoe hij te weten is gekomen waar je woont.'

'We hebben een veel dringender vraag...' Fabel knikte naar de plek waar het felrood geverfde haar en de huid nog op de ruit kleefden. 'En dat is: van wie is die scalp?'

Het hele team van Moordzaken was present. Het maakte Fabel nerveus dat Van Heiden vond dat zijn aanwezigheid nog steeds noodzakelijk was. Op alle gezichten lag de onnatuurlijke uitdrukking van mensen die doodmoe zouden moeten zijn, maar voortgejaagd worden door een elektriserende nervositeit. Fabel kon zich moeilijk concentreren, maar hij besefte dat hij degene was die het team, en zichzelf, moest verenigen.

'De technische dienst is nog bezig op de plaats delict,' zei hij, 'maar we weten allemaal dat we niet meer zullen vinden dan wat die vent ons wil láten vinden. Deze plaats delict verschilt in twee opzichten van de andere. Ten eerste: we hebben een scalp, maar geen lijk. En er moet ergens een lijk zijn. Ten tweede: we weten nu zeker dan de moordenaar de scalpen gebruikt om ons een boodschap te sturen. In dit geval een die aan mij gericht is. Een waarschuwing of een dreigement. Als we die redenering doortrekken, waren de scalpen op de andere plaatsen bedoeld om een boodschap over te brengen. Maar aan wie?'

'Aan ons?' Anna zat onderuitgezakt in haar stoel. Ze had zich niet zoals gewoonlijk opgemaakt en haar gezicht was bleek en vermoeid onder haar zwarte haardos. 'Misschien denkt hij dat hij de politie ermee uitdaagt. Dat hebben we tenslotte eerder meegemaakt. En het feit dat hij het huis van een van ons als etalage gebruikt, lijkt die theorie te ondersteunen.'

'Ik weet het niet,' zei Fabel. 'Als het alleen de scalpen waren, misschien. Maar dat hij de haren rood verft... Als hij tegen ons praat, gebruikt hij woorden die we niet begrijpen. Misschien praat hij niet tégen ons, maar vía ons. Ik heb het gevoel dat zijn gehoor iemand anders is.'

'Dat kan zijn, maar wie is dit vierde slachtoffer?' Van Heiden stond op en liep naar het overzichtsbord. Hij bekeek de foto's van de eerdere slachtoffers. 'Als dit verband houdt met hun verleden, moeten we aannemen dat er nog ergens een slachtoffer ligt van een jaar of vijftig, begin zestig.'

'Tenzij...' Anna stond op alsof ze gestoken was.

'Tenzij wat?' vroeg Fabel.

'Die man die je had ingesloten. Die mogelijke getuige. Je denkt toch niet...'

'Getuige?' Van Heiden keek verbaasd.

'Schüler? Dat lijkt me niet.' Fabel zweeg even. Hij dacht eraan dat hij de kruimeldief had gedreigd met de geest van de scalpeerder. Het kon niet; de moordenaar kon onmogelijk van zijn bestaan weten. 'Anna... jij en Henk gaan bij hem kijken, voor alle zekerheid.'

'Wat is dat over een getuige, Fabel?' vroeg Van Heiden. 'Je hebt me niets over een getuige verteld.'

'Dat is hij ook niet. Het was de man die Hausers fiets gestolen had. Hij zag iemand in het appartement, maar hij kon slechts een gedeeltelijk en nogal vaag signalement geven.'

Toen Anna en Henk vertrokken waren, nam Fabel de zaak nogmaals door met de rest van het team. Ze hadden niets. Geen nieuwe aanwijzingen. De moordenaar was zo bedreven in het uitwissen van forensische sporen op een plaats delict dat ze volledig afhankelijk waren van wat ze uit de keus van zijn slachtoffers konden afleiden. Met als gevolg dat ze niets hadden dan het vermoeden dat het met hun politieke verleden te maken had.

'Laten we even pauze nemen,' zei Fabel. 'Ik denk dat we allemaal toe zijn aan een kop koffie.'

De kantine van het hoofdbureau was nagenoeg leeg. In een hoek zaten enkele uniformagenten zachtjes te praten. Fabel, Van Heiden, Werner en Maria haalden koffie en liepen naar een tafel aan de andere kant van de kantine. Er viel een pijnlijke stilte.

'Waarom heeft hij jou tot doelwit gemaakt, Fabel?' vroeg Van Heiden ten slotte.

'Misschien alleen maar om te bewijzen dat hij dat kan,' zei Werner. 'Om ons te laten merken hoe slim en vindingrijk hij is. En hoe gevaarlijk.'

'Denkt hij echt dat hij de politie kan afschrikken? Dat we de zaak zullen laten rusten?'

'Natuurlijk niet,' zei Fabel. 'Maar ik denk dat Werner een punt heeft. Ik kreeg laatst in de auto een heel bizar telefoontje. Ik dacht toen dat het een grap was, maar nu ben ik er tamelijk zeker van dat het onze man was. Misschien denkt hij dat hij mijn functioneren kan aantasten. Me van streek kan brengen, als het ware. Het is hem verdomme gelukt. Misschien hoopt hij zelfs dat ik van de zaak word gehaald als hij zorgt dat ik er persoonlijk bij betrokken ben.'

Opnieuw stilte.

Fabel wilde plotseling alleen zijn. Hij had tijd nodig om na te denken. Hij moest eerst slapen, daarna nadenken. De druk in zijn hoofd leek steeds groter te worden. Hij had het gevoel dat Van Heidens aanwezigheid, hoe goed bedoeld ook, zijn denken belemmerde. Hij nam een slok bitter en zanderig smakende koffie. De druk in zijn hoofd steeg en hij voelde zich verhit en klam. Vies.

'Excuseer me even,' zei hij en hij liep naar de herentoiletten. Hij spatte water in zijn gezicht, maar voelde zich nog steeds niet koeler of schoner. De misselijkheid overviel hem zo abrupt dat hij maar net een toilet kon bereiken voordat hij overgaf. Zijn maag was leeg en hij bleef kokhalzen, zodat zijn ingewanden samentrokken. De misselijkheid verdween en hij keerde terug naar de wastafel en spoelde zijn mond met koud water. Hij spatte opnieuw water in zijn gezicht; ditmaal voelde hij zich er wat frisser door. Hij werd zich bewust van Werners grote gestalte achter hem.

'Gaat het, Jan?'

Fabel pakte enkele papieren handdoeken, droogde zijn gezicht af en bekeek zichzelf in de spiegel. Hij zag er vermoeid uit. Oud. Een beetje bang.

'Het gaat wel.' Hij richtte zich op en gooide de handdoekjes in de afvalemmer. 'Echt waar. Het is een tamelijk drukke dag geweest. En nacht.'

'We krijgen hem wel, Jan. Wees maar niet bang. Hij komt er niet mee weg...'

Hij werd onderbroken door het geluid van Fabels mobiele telefoon.

'Hallo, chef...' Fabel hoorde aan de klank, aan het zwakke trillen van Anna's stem, wat ze ging zeggen. 'Ik had gelijk, chef, het was hem. De vuilak heeft Schüler vermoord.'

15.00 uur, Osdorf, Hamburg

Fabel werd wakker en voelde de paniek van iemand die verdwaald is.

Een zwak daglicht viel naar binnen langs de randen van de dikke, donkere gordijnen voor een raam dat niet op die plaats thuishoorde. Hij lag op een bed dat smaller was dan het zou moeten zijn en op de verkeerde plek stond in een verkeerde kamer. Een eindeloos lang moment begreep hij niet waar hij was of waarom hij daar was. Hij was volledig gedesoriënteerd en zijn hart ging tekeer in zijn borstkas.

Toen keerde zijn herinnering stukje bij beetje terug. Elk onderdeel van zijn recente verleden raakte hem als een stoomtrein. Hij herinnerde zich het gruwelijke tafereel in zijn flat, de walgelijke schending van zijn huis, Susannes kreet, Van Heidens bezorgde aanwezigheid, het overgeven in de kantine. De ontspannende avond met Susanne en zijn team leek een leven lang geleden.

Hij was in het huis van Frank Grueber. Hij wist het weer. Ze hadden het afgesproken. Hij had een koffer en een tas ingepakt en Maria Klee had hem naar Osdorf gebracht. Van Heiden had ervoor gezorgd dat er een blauw-met-zilverkleurige patrouillewagen voor de deur stond.

Maar vlak daarvoor waren ze hierheen gekomen. Ook dat herinnerde hij zich. Meer gruwelijkheden. Ditmaal was het een droevige, meelijwekkende verschrikking geweest: Leonard Schüler, die Fabel geprobeerd had bang te maken, zat in zijn smoezelige flatje vastgebonden op een stoel, zonder zijn scalp en met doorgesneden keel, zijn dode gezicht besmeurd met bloed, met rode verf. Met tranen.

Terwijl ze rondom Schülers zittende lichaam stonden, hadden ze allemaal dezelfde afgrijselijke gedachte gehad die in Fabels hoofd had gebrand: dat datgene waarmee Fabel Schüler had gedreigd, het afschuwelijke verzinsel dat hij had gebruikt om de kruimeldief angst aan te jagen, hem inderdaad was overkomen. Fabel had Frank Grueber, die de leiding had gehad over het forensisch team, bij de arm gepakt en gesmeekt: 'Vind iets om op af te gaan. Wat dan ook. Alsjeblieft...'

Fabel zwaaide zijn benen over de rand van het bed en ging zitten. Hij zette zijn ellebogen op zijn knieën en legde zijn handen om zijn nog altijd van misselijkheid bonzende hoofd. Hij voelde zich lusteloos en moe. Het was alsof een dichte, klamme mist zich om hem heen had samengetrokken, zich in zijn hersenen had genesteld en nu zijn denken vertroebelde en zijn ledematen zwaar en pijnlijk maakte. Hij probeerde te bedenken waar het misselijkmakende gevoel midden in zijn borst hem aan herinnerde, toen schoot het hem te binnen. Het herinnerde hem aan verlies; het was een verdunde vorm van het verdriet dat hij had gevoeld toen hij zijn vader had verloren. En toen zijn huwelijk was gestrand. Fabel zat op de rand van een onbekend bed en vroeg zich af waar hij om rouwde. Iets kostbaars, iets speciaals wat hij apart had gehouden van zijn werk, was aangerand. Fabel was allesbehalve bijgelovig, maar hij dacht er aan dat hij de onuitgesproken regel om met Susanne niet over het werk te praten had geschonden, aan het feit dat hij het in zijn eigen appartement had gedaan. Het was bijna alsof hij een deur had geopend en het donker dat hij uit alle macht buiten zijn privéleven had proberen te houden naar binnen was gestormd. Na bijna twintig jaar waren zijn twee levens met elkaar in botsing gekomen.

Fabel tastte naar het nachtlampje en deed het aan, knipperde met zijn ogen in het plotselinge, pijnlijke licht. Hij keek op zijn horloge: het was drie uur in de middag. Hij had slechts drie uur geslapen. Fabel had versteld gestaan van de grootte en het comfort van Gruebers appartement. 'Ouders met geld... hópen geld...' had Maria op quasisamenzweerderige toon gezegd, in een onbeholpen en ongepaste poging tot humor. Grueber had hem in een grote logeerkamer gelaten die bijna net zo groot was als de woonkamer in Fabels appartement. Fabel hees zich overeind van het bed en liep naar de aangrenzende badkamer. Hij schoor zich en nam toen een koude douche, die weinig veranderde aan zijn gevoel dat hij vies was. Hij had het vaak genoeg meegemaakt bij slachtoffers of getuigen van een gewelddaad, maar hij had het nooit gevoeld. Zo was het dus.

Fabel vermoedde dat Maria en Grueber nog in bed lagen en hij wilde de rust niet verstoren die ze na zo'n afmattende nacht nodig hadden. Hij had hen geobserveerd toen ze thuiskwamen. Fabel had Grueber altijd al gemogen en vond het jammer dat ze, hoewel hij duidelijk dol was op Maria, niet bij echt een stelletje vormden. Fabel kende uiteraard de oorzaak van Maria's gebrek aan intimiteit met Grueber en hij begreep de omzichtigheid waarmee Grueber elke blijk van fysieke genegenheid toonde. Maar hij vond het triest te zien dat twee jonge mensen die duidelijk speciale gevoelens voor elkaar hadden, niet in staat waren volledig als paar te functioneren als gevolg van een onzichtbare muur tussen hen in.

Het appartement had twee verdiepingen en nadat hij zich had gedoucht en aangekleed, ging Fabel naar de keuken beneden. Na even zoeken vond hij thee en zette een kop, waarmee hij aan de grote eikenhouten keukentafel ging zitten. Hij hoorde iemand de trap af lopen en Grueber kwam de keuken binnen. Hij zag er verrassend fris uit en Fabel voelde zich jaloers worden op Gruebers jeugdige energie.

'Hoe voel je je?' vroeg Grueber.

'Beroerd. Waar is Maria?'

'Ze pakt nog een paar uur slaap. Zal ik haar wakker maken?'

'Nee... nee, laat haar maar slapen. Maar ik moet terug naar het hoofdbureau. We mogen dit spoor niet koud laten worden.'

'Ik ben bang dat het koud wordt terwijl we praten,' zei Grueber verontschuldigend. 'Ik heb mijn best gedaan, echt waar, maar we hebben op geen van beide plaatsen iets gevonden wat helpt om die krankzinnige te identificeren. Hij heeft zijn handelsmerk, de ene rode haar, achtergelaten... ditmaal in jouw appartement in plaats van op de primaire plaats delict. Ik heb Holger Brauner gebeld terwijl je sliep. Hij zei dat de haar overeenkomt met de andere twee en even oud is, twintig tot dertig jaar.'

'Verder niets?' Er lag een klank van mistroostig ongeloof in Fabels stem. Eén doorbraak, meer vroeg hij niet. Dat de moordenaar één fout maakte.

'Ik vrees van niet.'

'Shit. Het is toch niet te geloven dat die klootzak mijn appartement binnen kan wandelen en een menselijke scalp op het raam kan plakken zonder een spoor achter te laten.'

'Sorry,' zei Grueber, enigszins verdedigend nu, 'maar hij heeft het toch gedaan. Brauner en ik hebben beide plaatsen gecheckt en nog eens gecheckt. Als er iets te vinden was, hadden we het gevonden.'

'Ik weet het... Sorry, ik bedoelde niet dat je niet grondig te werk bent gegaan. Het is gewoon dat...' Fabel liet de zin wegsterven met een gebaar van machteloze frustratie. Fabels eigen team had zijn buren herhaaldelijk ondervraagd: niemand had iemand zijn appartement in of uit zien gaan. Het was alsof ze met een geest te maken hadden.

'Wie die moordenaar ook is,' zei Grueber, 'ik krijg elke keer weer zo'n eng gevoel. Bijna alsof hij een plaats delict ómgekeerd afwerkt voordat hij weggaat. Alsof hij forensische technieken beheerst.'

'Hoezo, vanwege de manier waarop hij zijn sporen uitwist?'

'Meer dan dat.' Grueber fronste zijn wenkbrauwen alsof hij zich probeerde te concentreren op iets buiten zijn bereik. 'Ik bespeur er drie fasen in. Ten eerste: hij moet goed voorbereid zijn en iets doen om de plaats delict te beschermen. Hoezen misschien en mogelijk zelfs beschermende kleding die voorkomt dat hij sporen achterlaat. Ten tweede moet hij na elke moord schoonmaken. We namen het die vrouw, die schoonmaakster, kwalijk dat ze bij de eerste moord forensisch bewijs had vernietigd. Dat was niet zo. Er wás niets om te vernietigen. Dan laat hij zijn handtekening achter: één enkele oude, rode haar, op een zodanige manier dat we hem zullen vinden. Alsof hij weet hoe we een plaats delict onderzoeken.'

'Maar de eerste keer had je hem bijna niet gevonden,' zei Fabel.

'En dat was wél de schuld van de schoonmaakster. Ze had hem gedeeltelijk gebleekt en hij was diep in de voeg aan de onderkant van het bad terechtgekomen. Ik denk dat de moordenaar hem op een opvallender plaats had achtergelaten.'

'Je suggereert toch niet in alle ernst dat we met een forensisch technicus te maken hebben?'

Grueber haalde zijn schouders op. 'Of misschien heeft hij veel over forensische technieken gelezen.'

Fabel stond op. 'Ik ga naar het hoofdbureau.'

'Als je het mij vraagt,' zei Grueber terwijl hij Fabel nog een kop thee inschonk, 'zou je de rest van de dag moeten uitrusten. Wie de moordenaar ook is, of hij wel of geen forensische ervaring heeft, hij is slim en hij wil het graag bewijzen. Maar we weten allebei dat zulke lui minder slim zijn dan hun ego hen wijsmaakt. Binnenkort maakt hij een fout. Dan hebben we hem.'

'Denk je?' vroeg Fabel somber. 'Na gisteravond weet ik het niet zo zeker.'

'Nou, ik vind echt dat je hier moet blijven en uitrusten. Hoe frisser je bent, hoe logischer je zult kunnen denken.' Fabel keek Grueber scherp aan en de jongere man hief zijn handen op. 'Je weet wat ik bedoel... In elk geval, zoals ik al zei, doe alsof je thuis bent. À propos... kom eens mee.'

Grueber ging Fabel voor de keuken uit en door de gang naar een grote, lichte kamer die Grueber als werkkamer had ingericht. Boekenkasten stonden tegen de muren en er stonden twee bureaus. Het ene was duidelijk een algemeen werkbureau met een computer, notitieblokken en dossiers, het andere werd als een soort werkbank gebruikt. Fabels aandacht werd getrokken door een geboetseerd hoofd, waarin met regelmatige tussenafstanden, als punten in een raster, kleine witte pennen waren gestoken.

'Ik dacht dat deze kamer je wel zou interesseren. Hier doe ik mijn schnabbels. En het grootste deel van mijn research.'

Fabel liep naar het hoofd toe en bekeek het. 'Ik heb er iets over gehoord,' zei hij. 'Van Holger Brauner. Je bent er een expert in, heb ik begrepen.'

'Ik mag wel zeggen dat het me van de straat houdt in mijn vrije tijd. De meeste dingen die ik krijg, zijn van archeologische aard, maar ik hoop het vaker voor forensische identificatie te gebruiken. Wanneer er een lichaam wordt gevonden dat te ver ontbonden is voor identificatie.'

'Ja... dat zou heel nuttig zijn. Zit er een schedel onder?' vroeg Fabel. Hoe moe hij ook was, het intrigeerde hem. Hij zag hoe Grueber de lagen zacht weefsel vanaf het bot had opgebouwd. Eerst de grote spieren, daarna de pezen. Het was een perfecte afbeelding van een menselijk gezicht zonder de opperlaag van vet en huid. Het had in Fabels ogen een anatomische precisie. En het was op een merkwaardige manier mooi. Wetenschap die kunst was geworden.

'Ja,' zei Grueber. 'Nou ja, niet de originele. Ik heb een afgietsel gekregen van de universiteit. Ze maken een mal van alginaatvezels en het afgietsel dat ze maken is een volmaakte reproductie van de echte schedel. Daarop baseer ik mijn reconstructies.'

'Wie is het?' Fabel onderzocht Gruebers werk gedetailleerd. Het was alsof hij naar een van Da Vinci's anatomische tekeningen keek.

'Ze komt uit Sleeswijk-Holstein, maar in een tijd waarin Sleeswijk-Holstein en Duitsland nog niet bestonden en de taal die ze sprak was niet verwant aan het Duits. Ze zal proto-Keltisch hebben gesproken. Ze behoorde hoogstwaarschijnlijk tot de Ambroniërs of de Cimbriërs. Dat zou betekenen dat haar moedertaal dichter bij het moderne Welsh zou liggen dan elke andere moderne taal.'

'Het... ze... is mooi,' zei Fabel.

'Ja, hè? Ik schat dat ik haar over een paar weken af heb. Ik hoef alleen nog maar het zachte weefsel over de spierlaag aan te brengen. Dan komt het model tot leven.'

'Hoe bereken je de dikte van het weefsel?' vroeg Fabel. 'Dat is vast puur giswerk.'

'Eigenlijk niet. Er bestaan richtlijnen voor de dikte van gelaatsweefsel voor elke etnische groep. Ze kan natuurlijk dik zijn geweest, of juist heel mager. Maar ze leefde in een tijd waarin er geen voedseloverschot was en het dagelijks leven veel inspannender was dan tegenwoordig. Ik denk dat ik een tamelijk goede benadering zal kunnen maken van hoe ze er 2200 jaar geleden uitzag.'

Fabel schudde zijn hoofd van verwondering. Net als bij de afbeelding van de Man uit Cherchen die Severts hem had laten zien, werd hem een inkijkje geboden in een leven dat meer dan 2000 jaar voordat hij zelf was geboren had gebrand en weer was uitgedoofd.

'Werk je voornamelijk met veenlijken?' vroeg hij.

'Nee. Ik heb soldaten gereconstrueerd die tijdens de Napoleontische oorlogen zijn gesneuveld, pestslachtoffers uit de late middeleeuwen en ik werk vaak met Egyptische mummies. Daar geniet ik het meest van... vanwege de ouderdom, denk ik. En hun exotische cultuur. Het grappige is dat ik vaak een band voel met de priesterartsen die de lichamen van hun koningen, koninginnen en farao's prepareerden. Ze bereidden hun meesters voor op reïncarnatie, op wedergeboorte. Ik heb vaak het gevoel dat ik hun taak vervul, weer leven schenk aan de mummies die zij prepareerden.'

Fabel herinnerde zich dat de archeoloog Severts iets dergelijks had gezegd.

'Waar het mij om gaat,' zei Grueber, 'is dat het accuraat is wat ik creëer. Waarheidsgetrouw. Ik doe dit om dezelfde reden waarom ik eerst archeologie heb gestudeerd, waarom ik ervoor koos forensisch specialist te worden. Dezelfde reden waarom jij en Maria ervoor kozen om rechercheur bij de afdeling Moorzaken te worden. We geloven allemaal in hetzelfde: dat de waarheid de schuld is die we de doden verschuldigd zijn.'

'Eerlijk gezegd weet ik na gisteravond niet meer waarom ik het doe,' zei Fabel.

Hij keek naar Gruebers ernstige, bezorgde gezicht. Fabel had zich veel zorgen gemaakt om Maria, maar hij kon zich niemand voorstellen die beter voor haar zou zijn.

'Kijk hier eens.' Grueber wees naar de zijkant van het gereconstrueerde hoofd, boven de slaap. 'Deze spier is de eerste die we aanbrengen, de temporaalspier. En dit' – hij wees naar een brede spierlaag op het voorhoofd – 'is de occipitofrontalis. Dit zijn de grootste spieren van het menselijk hoofd en gezicht. Wanneer deze moordenaar een scalp neemt, snijdt hij om de hele schedel heen.' Hij pakte een potlood en beschreef, zonder het oppervlak van de klei aan te raken, een cirkel dwars door de spieren die hij had genoemd. 'Het is betrekkelijk gemakkelijk om een scalp te verwijderen. Als je rondom door de opperhuid snijdt, kan de scalp zonder moeite worden verwijderd. De scalp zit in feite boven op de spierlaag en wordt op zijn plaats gehouden door bindweefsel. De laatste drie scalpen zijn op die manier verwijderd, maar bij het eerste slachtoffer, Hauser, was de snede veel dieper. Herinner je je dat het bijna was alsof hij fronste? Dat kwam doordat de occipitofrontalis was doorgesneden, waardoor zijn voorhoofd als het ware afzakte.' Grueber gooide het potlood op tafel. 'Hij wordt bedrevener. Onze scalpeerder perfectioneert zijn ambacht.'

Heel even werd Fabel teruggevoerd naar de vorige avond, naar zijn appartement. Naar het voorbeeld van zijn 'ambacht' dat de moordenaar voor hem had achtergelaten.

'Zoals ik zei,' zei Grueber, 'die knaap is minder slim dan hij denkt. Het is niet veel, ik weet het, maar het bewijst in elk geval dat hij niet alles perfect doet.' Grueber zuchtte. 'Maar goed, ik dacht dat je misschien geïnteresseerd zou zijn in mijn bibliotheek. Maria vertelde dat je geschiedenis hebt gestudeerd. Ik ben opgeleid als archeoloog. Als je iets ziet wat je wilt lezen, pak het gerust. Ik moet naar mijn werk, ik moet een paar dingen afmaken en ik heb niet zo'n spannende nacht achter de rug als jij.'

Toen Grueber weg was, bestudeerde Fabel het gedeeltelijk gereconstrueerde hoofd. Het was alsof hij het wilde dwingen iets te zeggen, de ontvleesde spieren te buigen en de lippen te bewegen om de naam te fluisteren van het monster op wie hij jacht maakte. Grueber moest barsten van het geld als hij zich zo'n appartement kon permitteren. Het meubilair was voornamelijk antiek en contrasteerde scherp met de computer en de andere instrumenten in de kamer, die duidelijk duur en hypermodern waren.

De merkwaardige mix van professionele en persoonlijke dingen in de werkkamer deed Fabel denken aan de kamer waarin ze Gunter Griebels lichaam hadden gevonden, zij het dat aan deze aanzienlijk meer geld was gespendeerd. De overeenkomst verontrustte Fabel en heel even voerde zijn fantasie hem naar een plek waar hij niet wilde zijn: stel dat de maniak op wie ze jacht maakten zich op Fabel en zijn team richtte? In een beeld dat zich plotseling en ongevraagd in zijn hoofd vormde, zag Fabel de jonge Frank Grueber vastgebonden aan zijn antieke leren stoel, met verminkte schedel. Hij dacht aan Maria, die de verschrikking van een aanval met een mes nog maar net te boven was en nu boven lag te slapen, en aan hoe haar ervaring een fobie voor fysiek contact had veroorzaakt. Hij dacht er weer aan hoe, tijdens hetzelfde onderzoek, Anna was gedrogeerd en ontvoerd. En nu die gruwelen in zijn eigen huis.

Fabel zou het liefst zijn sleutels hebben gepakt en naar het hoofdbureau zijn gegaan, maar Grueber had gelijk: hij was te moe en te verward om iemand tot nut te zijn. Hij zou eerst een paar uur rust nemen, misschien zelfs slapen.

Hij drentelde naar de notenhouten boekenkasten. Fabel voelde zich altijd op zijn gemak te midden van boeken en Gruebers collectie was uitgebreid, maar niet bijzonder gevarieerd. De kern van zijn bibliotheek werd gevormd door archeologie, de overige boeken hadden betrekking op verschillende tijdvakken in de geschiedenis, geologie, forensische technieken en methoden, en anatomie. Alles wat niet over archeologie ging, had betrekking op verwante vakgebieden. Fabel pakte enkele boeken van de planken en plofte neer op de antieke leren chesterfield.

Het eerste boek dat zijn belangstelling had gewekt, ging over mummies. Het was een groot boek met grote, glanzende kleurenfoto's en het bevatte exact dezelfde foto van de Man uit Cherchen die Severts hem had laten zien. Fabel voelde opnieuw ontzag toen hij keek naar het perfect bewaard gebleven gezicht van een man van vijfenvijftig die drieduizend jaar voor Fabels geboorte was gestorven. Hij las even en bladerde het boek toen door tot hij op de even frappante afbeelding stuitte van de Neu Versen Man: Rode Franz. Hij voelde zijn ingewanden draaien toen hij keek naar de uitgemergelde schedel met de grote bos dicht, rood haar, die hem deed denken aan de scalpen die de moordenaar op elke plaats delict had achtergelaten. Het boek vertelde gedetailleerd over de vondst van Rode Franz in het Boertanger Moeras, bij het plaatsje Neu Versen, in november 1900. Het bood ook een hypothese over de aard van het leven en de dood van Rode Franz. Dat hij gewond was geraakt in de strijd. Dat zijn leven was beëindigd door het doorsnijden van zijn keel, misschien op ceremoniële wijze, voordat hij in de donkere veenpoel in het Boertanger Moeras was begraven. Hij bladerde verder. Elke kleurenfoto toonde een gezicht uit het verleden, geconserveerd in vochtige moerassen of dorre woestijnen of voor het hiernamaals geprepareerd door de priesterartsen over wie Grueber het had gehad. Fabel probeerde te lezen, zich te concentreren op iets wat zijn gedachten zou afleiden van alles wat er de afgelopen vierentwintig uur was gebeurd, maar zijn oogleden werden zwaar.

Hij viel in slaap.

Het was al even geleden sinds Fabel een van zijn dromen had gehad. En nog langer geleden sinds hij Susanne had bekend dat hij er één had gehad; hij wist dat ze zich zorgen maakte over de manier waarop de spanningen en gruwelen van Fabels werkdag zich manifesteerden in de levendige nachtmerries die zijn slaap teisterden.

Hij droomde dat hij op een uitgestrekte vlakte stond. Fabel, die was opgegroeid op de groene vlakten van Oost-Friesland, wist dat dit ergens anders was. Een omgeving die zo vreemd als maar mogelijk was. Het gras waarin hij stond, reikte tot halverwege zijn kuiten, maar het was droog en breekbaar en ivoorkleurig. De horizon in de verte was zo meedogenloos vlak en scherp dat het pijn deed aan zijn ogen. Erboven hing een kleurloze, loodzware lucht, slechts onderbroken door flauwe strepen van roestkleurige wolken.

Langzaam draaide Fabel zich om zijn as. Alles zag er eender uit: een ononderbroken, waanzinnig makende eentonigheid. Hij vroeg zich af wat hij moest doen. Lopen had geen zin, want er was niets om naartoe te lopen en geen oriëntatiepunt om zich op te richten. Dit was een wereld zonder richting, zonder doel.

Opeens verschenen er gestalten in het landschap die naar hem toe kwamen. Ze waren niet samen, liepen enkele honderden meters uit elkaar, als een langgerekte karavaan in een monotone woestijn.

De eerste gestalte kwam dichterbij. Het was een lange, slanke man in bonte kleren. Hij had een keurig geknipte baard en tamelijk lange, donkerblonde haren die de lucht bevingerden met pluizige lokken terwijl hij liep. Fabel stak zijn hand uit, maar de gestalte leek het niet te merken en liep Fabel voorbij alsof hij niet bestond. Terwijl hij dat deed, zag Fabel dat het gezicht van de man onnatuurlijk mager was en dat zijn oogleden ongelijk neerhingen. Zijn onderlip was verwrongen, zodat de tanden aan één kant van zijn gezicht zichtbaar waren. Fabel herkende hem. Hij stak nogmaals zijn hand uit naar de Man uit Cherchen, die gewoon doorliep, blind voor Fabels aanwezigheid. De volgende gestalte die passeerde was een lange, gracieuze vrouw die Fabel herkende als de Schone van Loulan.

Maar toen de derde gestalte naderde, klonk er een afschuwelijk geluid. Als onweer, maar luider dan elk onweer dat Fabel ooit had gehoord. Hij voelde de droge aarde schudden en kraken onder zijn voeten, het dorre gras ging overeind staan en plotseling schoten overal om hem heen kapotte, zwarte gebouwen als onregelmatige, zwarte tanden op uit de grond. De derde gestalte was kleiner dan de andere en moderner gekleed. Hij kwam dichterbij: een jongeman met fijne, dunne blonde haren, gekleed in een blauw serge pak dat hem te groot was. Tegen de tijd dat hij Fabel bereikte, was er rondom hem een lelijke, zwarte stad van hoekige gebouwen ontstaan, zo leeg als de dood. Net als die van de andere mummies die langs Fabel liepen, waren de wangen van de jongeman ingevallen en zijn ogen lagen diep in beschaduwde kassen. Terwijl hij liep hield hij één arm strak voor zich uit in hetzelfde in de dood verstarde gebaar als toen Fabel hem voor het eerst had gezien, half begraven in het zand van de Elbe-oever. Bij Fabel aangekomen liep hij niet zoals de anderen gewoon door. Hij hield zijn hoofd schuin en keek met zijn holle ogen naar de weidse, sombere lucht.

Ook Fabel keek omhoog. De lucht werd donker alsof ze gevuld werd met vogels, maar hij herkende het doffe, dreigende dreunen van oude oorlogsvliegtuigen. Het dreunen werd luider, oorverdovend, toen de vliegtuigen overvlogen. Fabel keek, zwijgend en roerloos, toe hoe de bommen uit de lucht vielen. En stak een storm op, de verzengend hete lucht kolkte en krijste en de zwarte gebouwen gloeiden nu als kolen. Maar Fabel en de jongeman bleven ongedeerd door de vuurstorm die om hen heen raasde.

Een ogenblik lang keek de jongeman Fabel aan met zijn uitdrukkingsloze, leeftijdloze gezicht. Toen draaide hij zich om en liep de enkele passen naar waar het dichtstbijzijnde gebouw in vuur en vlam stond en gretig de lucht opzoog om de felle brand te voeden die erin woedde. De jongeman ging voor het gebouw liggen, waarvan Fabel dacht dat het de Nikolaikerk geweest kon zijn, trok een deken van gesmolten asfalt en vonken over zich heen en viel in slaap, zijn gestrekte arm uitgestoken naar het brandende gebouw.

Fabel kwam, nog steeds half dromend, overeind en spitste enkele ogenblikken zijn oren om het geluid van de bommenwerpers boven zijn hoofd te horen. Hij keek om zich heen en herkende Gruebers werkkamer met het kostbare antiek, de notenhouten boekenkasten en de halfvoltooide buste van een lang geleden overleden meisje uit Sleeswijk-Holstein.

Fabel keek op zijn horloge; het was halfzeven. Hij had twee uur geslapen. Hij voelde nog steeds een loodzware uitputting in zijn ledematen, maar bij het horen van beweging in de keuken liep hij erheen en trof er Maria, die koffie zat te drinken.

'Voel je je goed genoeg om mee te gaan?' Zijn vraag klonk meer als een constatering dan zijn bedoeling was. Maria knikte, stond op en nam een laatste slok koffie. 'Mooi,' zei hij. 'Laten we het team bijeenroepen. We nemen alles door wat we hebben. Opnieuw. Er móét iets zijn wat we over het hoofd zien.'

Terwijl hij Gruebers appartement verliet, gebruikte Fabel zijn mobiele telefoon om Susanne te bellen en te vragen hoe het met haar ging. Ze zei dat ze zich goed voelde, maar er lag een klank van onzekerheid in haar stem die er nooit in had gehoord. Hij pakte zijn jasje en zijn sleutels en liep naar de blauw-met-zilverkleurige politieauto buiten.

DEEL TWEE

12

Hij trok steeds minder publiek. De sterkste teruggang was die in de jaren tachtig en negentig geweest, toen er een nieuwe generatie zangers was opgestaan. Schlagers, de poeslieve, sentimentele vorm van de Duitse popmuziek, waren er altijd geweest. De nietszeggendheid ervan was in feite gunstig voor zangers zoals Cornelius: het volledige gebrek aan inhoud ervan contrasteerde met hun muziek en benadrukte hun intellectualisme. Maar toen kwam punk en daarna rap, die stem gaven aan de vervreemding van een nieuwe, apolitieke generatie. En uiteraard de onweerstaanbare golf van Engels-Amerikaanse import. Elk op hun eigen manier hadden ze Cornelius en anderen zoals hij gemarginaliseerd, uit de schijnwerpers verdrongen. En van de radio.

Maar hij had altijd zijn concertpubliek gehad, de standvastige, trouwe fans die samen met hem ouder, rijper waren geworden. Maar de Muur was gevallen en Duitsland was herenigd. Protest werd overbodig. Politieke teksten leken irrelevant.

Nu trad Cornelius op in kelders en dorpszalen voor een publiek van vijftigers. Er waren zangers van zijn leeftijd die domweg gestopt waren met tournees en hun eigen oude werk verkochten via hun website, wat Cornelius eveneens deed.

Cornelius had publiek nodig. Hoe klein ook. En hij gaf altijd alles, zelfs als hij walgde van de manier waarop zijn fans de geringe opkomst compenseerden met overdreven enthousiasme. Dan keek hij uit over een kleine menigte kalende of grijzende hoofden of afgetobde gezichten en bracht hij hun saaie, deprimerende jeugdherinneringen weer tot leven.

Het publiek van vanavond was niet anders. Cornelius lachte, schertste en zong, speelde dezelfde deuntjes op dezelfde gitaar waarop hij al bijna veertig jaar speelde. Deze avond trad hij op in de kelder van een oude brouwerij, gelegen tussen twee van de grachten die zich door Hamburg slingeren als draden die het weefsel van de stad bijeenhielden. Het publiek zat op banken aan lange, lage tafels, dronk bier en grinnikte wezenloos terwijl hij zong. Hij had zelfs niet de macht meer om een publiek op de been te krijgen.

Eén jonger gezicht viel hem op. Het was een man van begin dertig die bij de bar stond. Hij had een bleek gezicht en bijzonder donkere haren. Cornelius was er niet zeker van, maar hij meende de jongeman ergens van te kennen.

Cornelius beëindigde elk optreden met hetzelfde nummer. Zijn handtekening als het ware. Reinhard Mey had *Über den Wolken*, Cornelius Tamm had *Ewigkeit*. Eindelijk hees het publiek zich overeind en zong het lied mee dat hun verzekerde dat hun generatie eeuwig was. Dat ze zouden triomferen. Ook al waren ze dat niet, ook al hadden ze dat niet. Ze waren stuk voor stuk gezwicht voor de banaliteit, de middelmaat. Cornelius ook.

Na afloop van zijn optreden werkte Cornelius het geijkte ritueel af. Het was natuurlijk vernederend om met een kist vol cd's aan een tafel te zitten, maar hij zette zich aan zijn taak met hetzelfde geoefende enthousiasme dat hij geleerd had in zijn optreden te leggen. Meestal verkocht hij niet meer dan een handvol cd's. Hij preekte tenslotte voor eigen parochie, van wie de meesten al zijn liedjes al hadden. Hij had, zoals kapitalisten zouden zeggen, zijn markt verzadigd.

Hij glimlachte niettemin en keuvelde beleefd met degenen die na zijn optreden bleven hangen, praatte met onbekenden alsof het oude vrienden waren omdat ze ongeveer even oud waren. Maar diep van binnen schreeuwde de ziel van Cornelius Tamm het uit. Hij was de stem van zijn generatie geweest. Hij had uitdrukking gegeven aan een speciaal moment in de tijd. Hij had gesproken tot en namens miljoenen die tekeer waren gegaan tegen de zonden van hun vaders, tegen de zonden van hun eigen tijd. En nu sleet hij cd's met zijn liedjes vanuit een koffer in een Hamburgse *Bierkeller.*

Het was bijna twee uur 's nachts toen hij zijn busje achteruit reed naar de achteringang en zijn versterker en andere instrumenten inlaadde. Terwijl hij daarmee bezig was, voelde Cornelius het gewicht van elk van zijn tweeenzestig jaren. Het had geregend tijdens zijn optreden en de keien van de binnenplaats achter de oude brouwerij glansden in het maanlicht. Een van de barkeepers hielp hem met de versterker, wenste hem een goede nacht en deed de leveranciersingang op slot. Cornelius bleef alleen achter op de binnenplaats. Hij keek omhoog naar de maan en de met zilver geëtste randen van de daken rondom de plaats. Ergens op de Ost-West Strasse jankte een sirene voorbij. Cornelius dacht aan Julia, warm en fris en jong in hun bed. Aan dat hij niet naast haar thuishoorde. Aan dat hij nergens meer thuishoorde, niet meer. Cornelius keek vanaf de verlaten binnenplaats van een oude brouwerijkroeg naar de maan en voelde zich verschrikkelijk eenzaam. Hij zuchtte en gooide de achterdeur van het busje dicht.

Hij schrok toen hij de jongeman met het bleke gezicht en de donkere haren zag staan.

'Hallo, Cornelius,' zei de onbekende. Zijn arm beschreef een wijde boog en Cornelius ving een vage glimp op van iets langs en zwaars. Het raakte zijn kaak, er klonk een krakend geluid en Cornelius voelde een withete pijn exploderen in de zijkant van zijn gezicht en in zijn hals. Hij viel zo snel dat zijn hersenen geen tijd hadden om het te registreren. Hij voelde de glanzende, afgeronde bovenkant van een kei tegen zijn gebroken kaak en realiseerde zich dat de kei niet nat was van de regen, maar van zijn bloed.

'Het spijt me van je gezicht...' Zijn aanvaller stond over hem heen gebogen. 'Maar ik kon je niet op je hoofd slaan.' Cornelius voelde het prikken van een injectienaald in zijn hals en het maanlicht verdween uit de nacht. 'Dan zou ik je scalp beschadigd hebben...'

11.00 uur, HafenCity, Hamburg

Het eerste wat Fabel opviel aan het uitzicht, was dat hij de plek kon zien waar ze het gemummificeerde lichaam hadden gevonden. Het deed hem denken aan de nachtmerrie die hij had gehad toen hij bij Grueber logeerde. De stoet mummies, de droom over de vuurstorm. Misschien hadden overgeërfde herinneringen niets met genetica te maken.

Het appartement was zonder meer het beste dat ze tot nu toe bezichtigd hadden, maar Fabel merkte dat hij er geen enthousiasme voor kon opbrengen. De makelaar, mevrouw Haarmeyer, was een lange vrouw van middelbare leeftijd met een duur kapsel, geverfd in dezelfde lichte zandkleur die zoveel middelbare middenklassevrouwen in Noord-Duitsland schijnen te prefereren wanneer hun blonde haren grijs beginnen te worden. Tijdens de hele bezichtiging was mevrouw Haarmeyer erin geslaagd twee meningen zwijgend over te brengen: dat ze duidelijk vond dat het appartement de draagkracht van Fabel en Susanne ver te boven ging en dat dit soort werk ver beneden haar waardigheid was. Hoewel ze enthousiast deed over de flat en de buren in HafenCity, was er een ondertoon die suggereerde dat ze het puur voor de vorm deed.

Susanne was zo te zien weg van het appartement en liep achter de makelaar aan, luisterde aandachtig en hield haar hoofd schuin in haar kenmerkende pose van concentratie. Met als gevolg dat mevrouw Haarmeyer zich tot haar richtte en Fabel nagenoeg negeerde, tot hij naar een of andere hoek drentelde om een speciaal detail te bekijken. Dan hief mevrouw Haarmeyer haar hoofd op en keek langs Susanne in Fabels richting.

Op een gegeven moment zag hij dezelfde frons op Susannes voorhoofd verschijnen. Fabel besefte dat hij op de een of andere manier meer belangstelling moest veinzen dan hij voelde. Het was tenslotte zijn idee geweest om te gaan samenwonen. Susanne had aanvankelijk geaarzeld en het was zijn enthousiasme geweest dat haar voor het idee had gewonnen. Maar elk appartement dat ze hadden bekeken had hem koud gelaten, vergeleken met het uitzicht en de locatie van zijn woning in Pöseldorf. Maar hij wist dat hij, sinds de inbreuk op zijn privéruimte, nooit meer hetzelfde zou voelen voor het uitzicht. Het deed hem denken aan hoe hij zich had gevoeld toen zijn huwelijk was gestrand: dat hij gedwongen werd tot een nieuw leven terwijl hij eigenlijk alleen maar zijn oude leven terug wilde hebben. De klok terug wilde draaien en herstellen wat kapot was.

Susanne scheen zijn tegenzin niet te begrijpen; ze had er zelfs op gezinspeeld dat het zijn angst voor verandering was, zijn onvermogen om de sleur te doorbreken, dat hem tegenhield. Maar het was meer dan dat. Wat het precies was, stond nog te bezien, maar zijn maag draaide om wanneer hij eraan dacht dat hij zijn appartement zou moeten opgeven. Hij had tenslotte geluk gehad dat hij het daar en toen had kunnen kopen. Maar belangrijker nog was het feit dat het in dat appartement was geweest dat hij zichzelf teruggevonden had na het mislukken van zijn huwelijk. Daar had hij opnieuw gedefinieerd wie Jan Fabel was. Hij had zijn nieuwe leven gevonden.

Mevrouw Haarmeyer ging hen voor naar de keuken. Net als in de andere vertrekken was de buitenmuur één groot raam. De keuken blonk van glas en geborsteld staal en er hing een vage, aangename geur van koffie. Fabel vroeg zich even af of de projectontwikkelaar een speciale spray had om de keuken te vullen met de aantrekkelijke koffiegeur of dat het het aroma van de koffiebranderij in de nabije Speicherstadt was.

'Is het niet prachtig?' vroeg mevrouw Haarmeyer met een enthousiasme dat even onecht was als haar haarkleur.

'Heel indrukwekkend.' Susanne wierp Fabel een veelzeggende blik toe.

'Geweldig,' antwoordde hij met dezelfde mate van overtuiging als mevrouw Haarmeyer. Hij keek opnieuw naar de plek waar ze het gemummificeerde lijk hadden gevonden. De opgravingen waren twee weken geleden voltooid en nu waren de projectontwikkelaars verschenen. Felgele graafmachines en tractors, kleine kevers vanuit Fabels positie gezien, bewogen over het terrein: de volgende fase van Hamburgs toekomstvisioen werd over een verleden gelegd waarin een jongeman was gestikt en geblakerd door de helse hitte van een door mensenhanden veroorzaakte vuurstorm.

Fabel voelde de doffe ongerustheid van onafgemaakte zaken. Hij had zich voorgenomen de familie van de gemummificeerde man te zoeken en moest er nog steeds mee beginnen.

Terwijl de makelaar voor de zoveelste keer vertelde dat ze zouden uitkijken op de *Kaiserspeicher A* met het prachtige nieuwe operagebouw en de concertzaal, en dat dit tot de felst begeerde adressen in Hamburg zou gaan behoren, bleef Fabels blik gericht op de bouwplaats in de verte en onder hen. Hij vroeg zich af hoe een makelaar een *memento mori* zou verkopen als pluspunt van een appartement.

Het was koel buiten, maar de zon scheen en de lucht was van een zijdezacht lichtblauw.

'Ik vond het echt heel mooi,' zei Susanne toen ze weer naar de auto liepen. Ergens in de zachtheid van haar vage Beierse accent was een scherpe klank hoorbaar. 'Je zei niet veel.'

Fabel vertelde over het uitzicht.

'Zou het je echt zoveel doen?' vroeg Susanne op een toon die suggereerde dat het dat niet zou moeten doen. 'Het is beter dan de herinnering aan... nou ja, dát...'

'Daar komt bij,' Fabel zocht een minder subjectieve reden om het appartement af te wijzen, 'dat het zo... ik weet niet, zo koud leek. Zielloos. Alsof je in een kantoorgebouw woont.'

Susanne zuchtte. 'Nou, ik vind het mooi.'

'Het spijt me, Susanne. Het komt gewoon doordat mijn hoofd niet naar verhuizen staat zolang deze zaak nog loopt.'

'Luister, Jan. Deze zaak heeft ons een van de hoofdredenen gegeven om je uit dat appartement te krijgen. We kunnen dit betalen. Het zou een nieuw begin voor ons zijn. Samen.'

'Ik zal erover nadenken.' Fabel glimlachte. 'Dat beloof ik.'

11.00 UUR

Cornelius Tamm werd in fasen wakker.

Zijn eerste gevoel was pijn, een felle pijnscheut in de zijkant van zijn gezicht en een bonzen in zijn hoofd. Vervolgens werd hij zich bewust van geluiden, vaag en in de verte. Een metalig snorren en het geluid van mechanisch verplaatste lucht. Toen kwam het groeiende besef dat hij zich niet kon bewegen, maar het middel dat zijn aanvaller hem had toegediend, bracht zijn gevoel van zijn eigen lichaam in verwarring en hij kon er niet achter komen waardoor hij in zijn bewegingen werd belemmerd. Toen de geografie van zijn lichaam terugkeerde, realiseerde hij zich dat hij aan een stoel was vastgebonden, met zijn handen op zijn rug en een soort knevel van plakband over zijn mond. Ten slotte, toen zijn bewustzijn in zijn volle pijn en afgrijzen terugkeerde, gingen Cornelius' ogen open en richtten zich langzaam op zijn nieuwe omgeving.

Aanvankelijk dacht hij dat hij in een grot zat, met glinsterende grijze wanden. Toen realiseerde hij zich dat hij omringd werd door gordijnen van dik, bijna opaalkleurig plastic. Ook de stoel waarop hij was vastgebonden, stond op een stuk dik zwart plastic. Hij kreeg een draaierig gevoel tussen zijn ingewanden en zijn borstkas: het was duidelijk dat het plastic bedoeld was om troep te voorkomen. En die troep zou bestaan uit zijn bloed en vlees als zijn leven beëindigd was. Hij verzette zich heftig tegen zijn boeien. De inspanning maakte de pijn nog erger en er stroomde wat bloed uit het neusgat aan de kant van zijn gezicht waar hij was geraakt. De stoel waarop hij was vastgebonden, was blijkbaar stevig en zwaar, want hij verschoof nauwelijks op het plastic tapijt.

Cornelius kreeg de indruk dat hij in een soort kelder was. Degene die hem hierheen had gebracht, had het vertrek zorgvuldig in gereedheid gebracht en zelfs het plafond was bedekt met plastic, strak gespannen en op zijn plaats gehouden met repen zwarte tape. Er hing slechts één lamp aan het plafond en Cornelius kon het grijze pleisterwerk eromheen zien. Het plafond was laag, te laag voor een vertrek dat werd gebruikt voor normaal wonen of werken, en hij hoorde nog steeds het metalige, snorrende geluid, als van een airco in een fabriek.

De gordijnen van dik plastic gingen open en er kwam iemand de kleine ruimte binnen. Cornelius herkende de jongeman die tijdens zijn optreden aan de bar had gezeten, die hem op de binnenplaats van de brouwerijkroeg had opgewacht met een ijzeren staaf. Hij was gekleed in een lichtblauwe overall en blauwe plastic overschoenen. Zijn zwarte haren gingen schuil onder een elastische plastic douchemuts. Toen hij binnenkwam trok hij een operatiemasker voor zijn neus en mond en toen hij sprak, klonk zijn stem enigszins gesmoord.

'Hallo, Cornelius. De laatste keer dat ik je zag, is ruim twintig jaar geleden. Je ziet er, als ik het zeggen mag, beroerd uit. Ik heb nooit begrepen waarom mannen van jouw leeftijd hun haar in een paardenstaart dragen. De wereld is veranderd sinds je studeerde, Cornelius. Waarom ben je niet mee veranderd?' Hij boog zich naar voren en bracht zijn gezicht tot vlak voor dat van zijn gevangene. 'Herken je me, Cornelius? Ja... ik ben het. Franz. Ik ben terug.'

Cornelius had het gevoel dat hij net zo gek werd als zijn kwelgeest. Hij dacht even na over de uiterlijke gelijkenis tussen de jongeman en degene die hij beweerde te zijn. Maar het was onmogelijk. Franz was al twintig jaar dood en de gelijkenis was slechts oppervlakkig. Maar groot genoeg om dat gevoel van herkenning op te wekken toen Cornelius hem tijdens zijn optreden had gezien.

'Je bent een nul, Cornelius. Geen mens heeft nog belangstelling voor je stomme teksten. Zelfs van je huwelijk heb je een puinhoop gemaakt. Je bent de grootst mogelijke mislukkeling... je bent mislukt als vader, als echtgenoot en als musicus. Je hebt me verraden om het ene leven de rug te kunnen toekeren en een nieuw te beginnen, nietwaar? Is dit wat je gedaan hebt met de tijd, het leven, dat je kocht door me te verraden?'

Cornelius staarde de man aan met ogen die groot waren van angst en ontzag voor diens monumentale waanzin. Hij geloofde blijkbaar dat hij was wie hij beweerde te zijn. Toen, ondanks zijn angst en zijn pijn, realiseerde hij zich dat hij deze man inderdaad eerder had gezien.

'Gunter heeft tenminste geprobeerd iets van zijn leven te maken. Hij heeft de tijd die hij door zijn verraad kreeg tenminste besteed aan een poging om iets positiefs te doen. Maar jij, Cornelius, jij hebt me verraden voor niets... om je toekomst te verspillen aan pogingen om het verleden terug te halen. Je hebt me verraden. Jij en de anderen.'

Hij ging op zijn hurken zitten en rolde een fluwelen etui uit op het tapijt van zwart plastic. Er kwamen drie messen tevoorschijn, allemaal op dezelfde manier gesmeed uit één stuk glinsterend staal, maar allemaal enigszins verschillend van vorm en lengte.

'De anderen waren bang toen ze stierven. Ik heb hun leven beëindigd in angst en pijn. Maar zij waren niet speciaal voor me. Jij was meer dan een kameraad. Ik noemde je een vriend. Jouw verraad was het grootst.'

Ik weet wie je bent! De gedachte stormde door Cornelius' brein en hij probeerde haar te verwoorden, maar ze werd gesmoord en onverstaanbaar gemaakt door de knevel die voor zijn mond was geplakt.

'We zijn eeuwig,' zei de donkerharige jongeman. Maar Cornelius wist nu dat zijn haren niet donker waren. 'Boeddhisten geloven dat elk leven, elk bewustzijn, als een enkele kaarsvlam is, maar dat er continuïteit bestaat tussen alle vlammen. Stel je voor dat je een kaars aansteekt met de vlam van een andere en die vlam vervolgens gebruikt om de volgende aan te steken, enzovoort enzovoort. Duizend vlammen, van de een op de ander doorgegeven in de loop der generaties. Elk ervan is een ander licht, elk ervan brandt op een heel andere manier. Toch is het dezelfde vlam. Welnu, ik vrees dat het nu tijd is om jouw vlam te doven. Maar wees niet bang, de pijn die ik je bezorg, zal betekenen dat je op het eind het helderst brandt.'

Hij zweeg en nam het kleinste mes uit het etui.

'Voor jou heb ik iets heel speciaals in gedachten, Cornelius. Ik zal meer tijd en moeite aan jou besteden dan aan alle anderen samen. Ook de oude Azteken geloofden in reïncarnatie. Ik weet niet of je dat weet. Ze beschouwden de groei van een nieuwe oogst elk jaar als een afspiegeling van de vernieuwing van de ziel. De eeuwige kringloop.' Cornelius zag de waanzin als een zwarte zon branden in de ogen van de jongere man. 'Elk voorjaar brachten ze een offer, een mensenoffer, aan de goden van de vruchtbaarheid. Ze zagen dat slangen hun huid afwierpen, dat gewassen hun bloesem afschudden en probeerden dat in het ritueel te weerspiegelen. Ze namen het mensenoffer en vilden hem levend. Sneden zijn hele huid weg. Je dood is niet genoeg. Je pijn is belangrijk voor me. Ik zal je pijn doen, Cornelius. Ik zal je zo verschrikkelijk veel pijn doen...'

13

Fabel besteedde het grootste deel van de dag aan het ordenen en analyseren van de informatie die het team had verzameld, aan het verspreiden ervan, aan het uitstippelen van nieuwe onderzoekswegen en het schuiven met mankracht.

Anna Wolff was met een foto van Paul Scheibe naar *The Firestation* gegaan en de zwarte barkeeper had gezegd dat Scheibe de oudere man kon zijn met wie Hauser had gesproken. Maar hij wist het niet zeker.

Fabel was alleen in zijn kantoor toen Markus Ullrich, de man van het BKA, aanklopte. Zijn gezicht vertoonde niet zijn kenmerkende glimlach.

'Meneer Fabel... zou ik u en mevrouw Klee kunnen spreken? Onder vier ogen.'

'Ik ga naar Keulen,' zei Maria toen Ullrich uitgesproken was. 'Dit is verdomme geen ongeluk.'

'Geen denken aan,' zei Fabel. Alleen hij, Ullrich en Maria waren in de vergaderzaal. 'Dit is een zaak voor de politie van Keulen. En voor het geval het aan je aandacht was ontsnapt: we zitten zelf midden in een onderzoek.'

'De politie van Keulen kent Vitrenko niet.' Maria's gezicht was harder geworden. 'Ze denken kennelijk dat het een ongeluk was. Een ongeluk en ongelooflijk toevallig.'

Ullrich hief zijn hand op. 'Ze zijn niet gek, inspecteur. Wat ik zei, is dat alles erop wijst dat het een ongeluk is. Een roofoverval op de snelweg. Geloof me, ik heb de politie van Keulen diep doordrongen van het belang van de dood van meneer Turchenko. En ze zijn zoals ik zei al bezig met de zaak-Vitrenko.'

Fabel dacht terug aan de dag, nog maar twee weken geleden, dat hij in de kantine van het hoofdbureau met Turchenko had zitten praten over het Oekraïense onderzoek. Nu was Turchenko dood en zijn lijfwacht van GSG9 die bij hem was, lag in coma in een Keuls ziekenhuis.

'Oké,' zei Maria. 'Ik maak deze zaak af. Maar zodra we die klootzak te pakken hebben, ga ik naar Keulen om die kwestie-Turchenko uit te zoeken.'

'Met alle respect,' zei Ullrich, 'maar uw bemoeienis met ons onderzoek heeft al geleid tot de verdwijning van een getuige. U zou er verstandig aan doen u hier niet in te mengen.'

Maria negeerde de BKA-man. 'Zoals ik zei, chef, zodra deze zaak achter de rug is, ga ik naar Keulen om dit uit te zoeken. Ik heb nog verlof tegoed en dat neem ik op. Als je me bevel geeft om niet te gaan, neem ik ontslag en ga toch. Wat je ook zegt, ik ga.'

Fabel zuchtte. 'We hebben het er nog wel over, Maria, maar ik wil dat je je nu voor de volle honderd procent concentreert op de lopende zaak.'

Maria knikte kort.

'Intussen,' zei Fabel, 'moet ik iemand spreken over iets heel anders.'

18.00 UUR, SCHANZENVIERTEL, HAMBURG

Beate hield de deur, die met een ketting aan de deurpost vastzat, op een kier. Ze had door de deurspion gezien wie het was, maar ze bleef op haar hoede zolang ze niet wist wat hij daar deed, zonder afspraak, tegen de avond. De ketting en de deurspion waren nieuwe veiligheidsmaatregelen die ze had laten aanbrengen sinds ze van de moord op Hauser en Griebel had gehoord. Ze zou niet eens open hebben gedaan als ze niet gelezen had over een nieuwe moord, die gisteren was gepleegd, een vierde slachtoffer dat absoluut niets met de groep te maken had. Misschien was het allemaal slechts toeval geweest.

'Sorry,' zei de jonge, donkerharige man ernstig. 'Ik wil niet storen, maar ik móét u spreken. Ik weet niet hoe ik moet beschrijven wat me overkomt... Ik denk dat het mijn wedergeboorte is, u weel wel, zoals u zei dat het moet gebeuren... Ik heb allerlei dromen gehad.'

'Het is al laat. Bel me morgen, dan maken we een nieuwe afspraak.'

'Alstublieft,' zei de jongeman. 'Ik denk dat het komt door onze laatste sessie. Ik weet zeker dat ik op de rand van een doorbraak sta en ik word er gek van. Ik heb uw hulp echt nodig. Ik wil best extra betalen omdat het buiten werktijd is...'

Beate keek de ernstige jongeman onderzoekend aan, zuchtte, deed de deur dicht, maakte de ketting los en opende de deur weer om hem binnen te laten.

'Dank u wel, het spijt me echt dat ik zo ongelegen kom. En sorry hiervoor...' zei hij terwijl hij Beates appartement binnenkwam en hij knikte naar de grote tas in zijn rechterhand. 'Ik ben op weg naar de sportschool...'

Heinz Dorfmann was slank en in goede conditie, maar elk van zijn negenenzeventig jaren had zijn sporen achtergelaten. Fabel bekeek de oudere man aandachtig. Hij had de foto van hem samen met Karl Heymann gezien, twee jongemannen die vanuit een zwart-witverleden naar hem glimlachten. Toch had Fabel het lijk van Heymann slechts enkele weken tevoren gezien, het lichaam van een zestienjarige jongen, een gezicht dat behoorde bij een eeuwige, uitgedroogde jeugd. Dorfmann excuseerde zich en liep naar de kleine keuken van zijn appartement.

'Mijn vrouw is zeven jaar geleden overleden,' zei hij alsof hij wilde uitleggen waarom hij zelf koffie moest halen.

'Het spijt me dat te horen, meneer Dorfmann,' zei Fabel. Terwijl de oudere man koffie inschonk nam Fabel de kamer in zich op. Het was er schoon en opgeruimd, en Fabel had aanvankelijk gedacht dat er sinds de jaren zeventig of de vroege jaren tachtig niets meer aan was veranderd, tot hij zich realiseerde dat de kamer gewoon in dezelfde stijl opnieuw was ingericht, in hetzelfde beige en gebroken wit. Het fascineerde Fabel altijd dat oudere mensen in een bepaalde periode bleven steken, alsof die tijd bepaalde wie ze waren of dat ze vanaf dat moment niet meer merkten, dat de wereld om hen heen veranderde. De boekenplanken waren gevuld met boeken over Hamburg: plattegronden, fotostudies van de stad, geschiedkundige werken, naslagwerken over het *Hamburger Platt*, de vorm van het Laagduits die alleen in Hamburg wordt gesproken, evenals Engelse woordenboeken en naslagwerken. Op een van de planken stond een teakhouten schild met daarop een gebosseleerde koperen plaquette van het fort *Hammaburg,* dat ook op het stadswapen staat.

'U bent, meen ik, toeristengids geweest, meneer Dorfmann?'

'Ik ben twintig jaar leraar geweest. Engels. Daarna ben ik toeristengids geworden, aanvankelijk in dienst van de stad, later als freelancer. Omdat ik goed Engels spreek, leidde ik voornamelijk groepen rond uit Canada, Amerika en Groot-Brittannië, maar ook groepen Duitsers. Ik beschouwde het niet als werk. Ik hou van mijn stad en ik genoot ervan mensen te helpen bij het ontdekken ervan. Ik ben meer dan tien jaar geleden met pensioen gegaan, maar ik werk nog steeds parttime op het stadhuis, leid toeristen rond in de zalen. U wilde me iets vragen over Karl Heymann?' Meneer Dorfmann schonk koffie in. 'Ik verzeker u, dat is een naam die ik al heel lang niet meer heb gehoord.'

'Hebt u hem goed gekend?' Fabel liet hem de foto zien van twee tieners die onzeker naar de camera lachten.

'Grote goedheid.' Dorfmann glimlachte. 'Waar heb u die in hemelsnaam vandaan? Hij is genomen door de zus van Karl. Ik herinner me als de dag van gisteren dat we voor die foto poseerden. Het was een stralende, zonnige dag. De zomer van '43. Een van de warmste die ik me kan heugen.' Hij keek op. 'Ja, ik heb Karl Heymann gekend. Hij was mijn vriend. We waren buren en zaten in dezelfde klas. Karl was een intelligente knaap. Hij dacht te diep na over dingen in een tijd waarin denken niet loonde. Ik heb ook zijn zus Margot gekend; ze was een paar jaar ouder dan Karl en dribbelde altijd als een kloek om hem heen. Ze was een mooie meid en alle jongens waren verliefd op haar. Margot vereerde Karl regelrecht: na zijn verdwijning hield ze vol dat hij Duitsland was ontvlucht. Dat hij had aangemonsterd op een vrachtschip om niet in dienst te hoeven. Ik heb haar na de oorlog gesproken en ze vertelde me dat Karl naar Amerika was geëmigreerd en het heel goed maakte. Ze zei dat hij het daar vóór de oorlog voortdurend over had gehad.'

'Geloofde u haar?'

Dorfmann haalde zijn schouders op. 'Dat is wat ze me vertelde. Ik wilde het geloven. Maar we wisten allemaal dat Karl na de nacht van de vuurstorm werd vermist. Zoals zoveel mensen. En het was die nacht dat ik hem voor het laatst heb gezien. Die nacht behoorde toe aan de doden, meneer Fabel, niet aan de levenden. Later nam ik aan dat hij een van de doden was. Een zoveelste naam op een briefje aan de muur. Het waren er duizenden, ziet u. Duizenden en nog eens duizenden stukjes papier met een naam erop en soms met een foto, en de vraag of iemand hen had gezien en op de ruïne van een huis of flatgebouw, en waar ze de familie konden bereiken. Weet u dat ze dat ook deden toen die terroristen de Twin Towers in New York hadden aangevallen? Muren bezaaid met briefjes en foto's? Zo was het toen ook, maar dan tien keer meer.'

'Hebt u Karl die avond gezien? De avond van 27 juli?'

'We woonden in dezelfde straat. Hier net om de hoek. We waren goede vrienden. Geen boezemvrienden, maar goede vrienden. Karl was een stille jongen. Gevoelig. Maar goed, we hadden afgesproken dat we naar de andere kant van de Alster zouden gaan en we wilden net de tram naar de stad nemen. Maar we zijn niet gegaan.'

'Waarom niet?'

'We wilden net in de tram stappen toen Karl me opeens bij mijn mouw pakte. Hij zei dat hij dacht dat hij dicht bij huis moest blijven. Ik vroeg waarom, maar hij had geen antwoord. Meer intuïtie, denk ik. Hoe dan ook, we gingen niet. We gingen naar huis en pakten de fiets. Hij had gelijk. Het was een avond om dicht bij huis te zijn.'

'Was u bij Karl toen het bombardement begon?'

Heinz Dorfmann glimlachte bedroefd en onzeker, en voor het eerst zag Fabel de schim van de jongeman op de foto met Heymann. 'Zoals ik zei, het was een prachtige zomer. Ik weet nog hoe bruin we waren.' Hij hief zijn hoofd op als naar het fantoom van een lang geleden gedoofde zon. 'Zo stralend, zo warm. Dat wisten de Britten. Ze wisten het en ze buitten het uit. Ze wisten dat ze vuur maakten in een tondeldoos. We waren gewend geraakt aan de luchtaanvallen. De Britten hadden Bremen en Hamburg in '41 gebombardeerd, maar ze konden geen grootscheepse luchtaanvallen uitvoeren. De vliegtuigen moesten al na een paar minuten boven de stad terugkeren. Bovendien had Hamburg zich goed voorbereid; we waren aangespoord om onze kelders te veranderen en te versterken tot schuilkelders. En verder waren er de grote publieke schuilkelders. Enorm groot, er konden makkelijk vierhonderd mensen in. Ze bestonden uit twee meter dik beton en waren waarschijnlijk de meest bombestendige schuilkelders in welke Europese stad ook. Ze hebben ons misschien beschermd tegen de explosies, maar ze beschermden ons niet tegen de hitte.

In '43 konden de Britten veel grotere bomladingen meenemen en langer boven de stad blijven. We brachten steeds meer tijd in de schuilkelders door. Toen, eind juli '43, kwamen de Britten en masse. Twee nachten eerder hadden ze het centrum gebombardeerd, toen hadden ze de Nikolaikerk en de dierentuin geraakt. De nacht daarna hadden ze een licht bombardement uitgevoerd, alleen maar om iedereen zenuwachtig te maken. Maar in de nacht van de 27e en de ochtend van de 28e veranderden ze Hamburg in een hel. Ze maakten hun bedoeling duidelijk in de naam die ze aan de operatie hadden gegeven, ze konden onmogelijk volhouden dat het een ongeluk was. Ze noemden het "Operatie Gomorra". U weet natuurlijk wat er in de Bijbel met de stad Gomorra gebeurde?'

Fabel knikte.

'Het was kort voor middernacht. Om de een of andere reden waarschuwden de sirenes niet zo lang van tevoren als anders. Wij hadden in ons gebouw geen kelder en gingen daarom de straat op. Het was een mooie, heldere, warme nacht en opeens was de lucht vol "kerstbomen", zoals we ze waren gaan noemen. Ze waren prachtig... echt prachtig. Gigantische zwermen van sprankelende rode en groene lichtjes, hele wolken, die sierlijk neerdaalden op de stad. Ik bleef zelfs staan om ernaar te kijken. Het waren natuurlijk de lichtspoorkogels voor de volgende golf bommenwerpers. Ik hoorde ze aankomen. U kunt zich niet voorstellen hoe het klonk, de motoren van bijna achthonderd oorlogsvliegtuigen, gecombineerd tot één enkel, oorverdovend dreunen. Het is niet te geloven hoeveel angst een geluid kan opwekken. Op dat moment hoorden we een ander geluid. Een nog verschrikkelijker geluid. Als van een onweer, maar duizend keer harder, dat over de stad rolde. Mensen raakten in paniek. Renden. Gilden. Het was een gekkenhuis en ik verloor mijn familie in de menigte uit het gezicht. En Karl. Hem zag ik ook niet. Toen verscheen hij opeens uit het niets en pakte mijn arm. Hij was gek van angst... hij was zijn familie ook kwijt. We besloten naar de publieke schuilkelder te gaan, in de veronderstelling dat onze familie dat ook zou doen.

We wisten de publieke schuilkelder te bereiken, maar de deuren waren dicht en ik moest erop bonzen voordat een oude man met een *Luftschutz-helm* op ons binnenliet. We zochten onze familie, maar konden ze niet vinden en we vroegen of we weer naar buiten konden, maar ze wilden de deuren niet openmaken. Ik weet nog dat ik dacht dat het niets uitmaakte. Dat we toch allemaal dood zouden gaan. Ik had nooit eerder zoveel bommen horen vallen. Het klonk alsof een reus de hele stad platsloeg. Toen ebde het weg. De volgende golf was niet zo luid. Zachtere explosies, alsof ze veel lichtere bommen gebruikten. Maar dat was natuurlijk niet zo. De smeerlappen wierpen fosfor af. Ze hadden het allemaal uitgekiend: eerst de zware bommen om de gebouwen te verwoesten en daarna de fosfor om brand te veroorzaken. Ik kon niets anders doen dan daar zitten en aan mijn moeder en mijn twee zusjes ergens daarbuiten denken. Ik kon alleen maar hopen dat ze een schuilkelder hadden gevonden. Voor Karl gold hetzelfde, maar hij werd er bijna hysterisch door. Hij wilde naar buiten om zijn zus en zijn moeder te zoeken. In het begin was iedereen in de schuilkelder kalm geweest, maar onze zenuwen hadden het even zwaar te verduren gehad als de gebouwen.

Toen begon het warmer te worden. Een hitte die ik zelfs niet bij benadering kan beschrijven. Die publieke schuilkelder veranderde in een oven. Net als alle andere schuilkelders was hij luchtdicht, afgezien van de pompen die lucht van buiten aanvoerden. We gebruikten een met de hand bediende blaasbalg, maar daar moesten we mee stoppen omdat we rook en verzengend hete lucht naar binnen pompten. Ten slotte begonnen we te stikken. Wat we niet wisten, was dat datzelfde in kelders en schuilkelders in heel Hamburg gebeurde. De vuurstorm, snapt u. Als een hongerig beest dat zich voedde met de zuurstof die het uit de lucht zoog. In de hele stad werden eerst de kinderen en de bejaarden, daarna de anderen, verstikt of gebraden in de luchtloze schuilkelders. Sommigen van ons stonden erop dat de deuren werden geopend, zodat we konden zien wat er buiten gebeurde, maar de anderen zeiden nee. Ten slotte, toen het geluid van de bommen gestopt was, snakte iedereen zo naar lucht dat we besloten het erop te wagen.

Ik kan zelfs niet bij benadering beschrijven wat we zagen, meneer Fabel. Toen we die deuren openden, was het alsof we de poorten van de hel openden. Het eerste wat we zagen, was hoe de lucht uit de kelder werd gezogen en de mensen meesleurde. Alles stond in brand. Maar niet zoals je je brandende gebouwen voorstelt. Het leek één grote hoogoven. De Britten hadden uitgerekend dat ze door de gebouwen te verwoesten en daarna fosfor af te werpen opwaartse luchtstromingen konden opwekken die de temperatuur hoog genoeg zouden opjagen om spontane ontbranding te veroorzaken van de gebouwen, van de mensen die niet rechtstreeks waren getroffen. In sommige delen van de stad liep de temperatuur op tot duizend graden. Ik strompelde naar buiten en begon te hijgen en naar adem te happen alsof ik hard had gelopen. Ik kon gewoon niet genoeg lucht binnenkrijgen. Ik kon mijn ogen niet geloven. Mensen die gloeiden als fakkels. Er was een kind – ik weet niet of het een jongen of een meisje was – maar aan de lengte te zien was het een jaar of acht, negen, dat op zijn buik half in de weg was verzonken. Het asfalt was gesmolten, snapt u. En toen zag ik die gestalte door de straat lopen. Het was het gruwelijkste en tegelijkertijd het meest hypnotiserende wat ik ooit heb gezien. Het was een vrouw die iets tegen haar borst drukte. Ik denk dat het een baby was. Ze liep in een rechte lijn door de straat. Niet strompelend, niet rennend. Maar zij en de baby in haar armen waren... de enige manier waarop ik het kan beschrijven is *witgloeiend*. Het was alsof ze gevormd waren uit één enkele, felle vlam. Het was alsof je een vuurengel zag. Ik weet nog dat ik op dat moment dacht dat het niet uitmaakte of ik leefde of dood was. Dat het zien van zoiets meer was dan iemand in zijn leven zou mogen meemaken. En toen was ze weg. Zoals u weet veroorzaakte de vuurstorm luchtstromingen van stormkracht. Windstoten van tweehonderdvijftig kilometer per uur die mensen oppakten en naar de vlammen toe zogen. Zij en haar baby werden opgetild en in een brandend gebouw gesmeten alsof het vuur een hand had uitgestoken om een hapje op te pakken.'

Fabel sloeg de oudere man gade. Zijn stem bleef vast, kalm, maar zijn ogen glansden van ingehouden tranen.

'Ik weet nog dat ik God vervloekte dat hij me het leven had geschonken. Dat Hij had toegestaan dat ik uitgerekend in deze tijd, uitgerekend op deze plek was geboren. En ik dacht dat dit misschien het einde der tijden was. Ik kon me makkelijk voorstellen dat de hele wereld met deze oorlog zou eindigen. Op dat moment realiseerde ik me dat Karl niet meer bij me was. Ik zocht hem overal, maar het was als het zoeken van één enkele ziel in de chaos en de verschrikking van de hel. Ik weet nog dat mijn instinct me zei dat ik naar het water moest gaan. Ik dacht dat ik, als ik de Alster of de Elbe bereikte – de Alster was dichterbij – een grotere overlevingskans zou hebben.'

Dorfmann leek even in gedachten verzonken.

'Ik vraag me af of Karl dat ook probeerde. U vertelde aan de telefoon dat u hem bij de haven hebt gevonden. Misschien wilde hij naar de Elbe gaan. Toen ik aankwam bij de Alster, was die al vol mensen. Dood of stervend. Nog meer menselijke kaarsen. Ze waren erin gesprongen om te proberen de vlammen te doven, maar ze zaten onder de fosfor en dreven brandend op het water.'

Fabel legde het nazi-identiteitsbewijs en de foto van het gemummificeerde lichaam op de salontafel. Heinz Dorfmann zette zijn leesbril weer op. 'Dat is Karl...' Hij bekeek de foto met gefronste wenkbrauwen. 'Ziet hij er nu zo uit?' Hij schudde verbaasd zijn hoofd. 'Ongelooflijk. Hij is natuurlijk heel mager... uitgedroogd. Maar ik zou Karl onmiddellijk herkend hebben.'

'Weet u wat er met zijn zus, Margot, is gebeurd? Hebt u enig idee waar ze woont... als ze nog leeft? Ik probeer eventuele familieleden op te sporen.'

'Die zijn er niet veel, vrees ik. Ze is na de oorlog met een oudere man getrouwd. Pohle heette hij. Gerhard Pohle.'

20.30 UUR, HAMMERBROOK, HAMBURG

Fabel liep terug naar zijn auto. Het had geregend terwijl hij bij Dorfmann was en de regen na zo'n warme dag gaf de avondlucht een frisgewassen geur. Fabel keek onder het lopen naar het wegdek, naar het vochtig-donkere asfalt, en hij dacht weer aan de beschrijving die Dorfmann had gegeven van die hete, droge nacht waarin Hamburg een brandende hel op aarde was geworden. Hij kon zich er geen voorstelling van maken. Zijn Hamburg.

Hij bereikte zijn auto, opende hem met de afstandsbediening, stapte in en sloot het portier. Hij legde zijn handen even op het stuur. Geschiedenis. Hij had het gestudeerd, hij had het willen doceren. Het ironische was dat hij er tijdens dit onderzoek door werd bedolven.

Hij stopte de sleutel in het contactslot en draaide hem om. Niets.

'Shit!' vloekte Fabel. Hij was een man met een brede ontwikkeling, zijn kennis besloeg allerlei onderwerpen en hij vond het altijd leuk iets nieuws te leren, de grenzen van zijn kennis van de wereld uit te breiden. Maar die kennis had zich nooit uitgestrekt tot automechanica. Boos zocht hij in zijn zak naar zijn mobiele telefoon. Hij had hem net gevonden toen het toestel hem voor was en overging. Hij klapte het open.

'Hallo.' Hij slaagde er niet in zijn ergernis te verbergen.

'Hallo, meneer Fabel.'

Fabel wist dat het de moordenaar was. Degene die hem belde, gebruikte een of ander elektronisch filter dat zijn of haar stem vervormde. Die klonk onnatuurlijk diep en langzaam, verdraaid, kunstmatig. Onmenselijk.

'Ik ben blij dat u de sleutel niet uit het contact hebt gehaald, want dan zouden we dit gesprek niet hebben.'

'Wat wil je daarmee zeggen?' Fabels mond werd plotseling droog. Hij wist wat de moordenaar bedoelde. Een bom. Hij bukte zich en onderzocht de vloer van de auto naast zijn voeten, zocht onder de stuurkolom naar draden. 'Met wie spreek ik?'

'Daar hebben we het straks wel over, meneer Fabel. Maar voorlopig wil ik dat u weet dat ik een onnodig zwaar explosief in uw auto heb geplaatst. Als u het portier nogmaals opent, zal het ontploffen; als u de sleutel uit het contactslot haalt, zal het ontploffen, of als u uw gewicht van de bestuurdersstoel haalt... nou ja, u snapt het waarschijnlijk al. Ik vrees dat het gevolg van een van die handelingen een onevenredig zware explosie zou zijn. Die zou niet alleen in uw dood resulteren, meneer Fabel, maar ook in de dood van verscheidene inwoners van Hammerbrook en in zware schade aan gebouwen in de omgeving. O, ik moet u ook vertellen dat ik de bom ook op elk willekeurig moment op afstand kan laten exploderen.'

'Oké,' zei Fabel. 'Je hebt mijn aandacht.' Hij voelde zijn hart bonzen in zijn borstkas. Hij keek door de voorruit naar de aangename zomeravond, naar de door de regen schoongespoelde straat en naar het rood dat de laagstaande zon op de naar het westen gekeerde gevels van de gebouwen wierp. Naar mensen die zich met hun eigen zaken bezighielden. Fabel voelde zich alleen in het centrum van zijn eigen universum, de enige die zich ervan bewust was dat dood en verderf slechts een ademtocht verwijderd waren. Plotseling keerden de beelden die Dorfmann in Fabels geest had opgeroepen met nieuwe helderheid terug. Een jong stel met een peuter in een wandelwagen passeerde Fabels BMW, zomaar wat wandelend om van de zomeravond te genieten. Fabel wilde zijn raam openen en ze toeroepen dat ze moesten vluchten en dekking zoeken, maar voor hetzelfde geld waren ook de ramen van een boobytrap voorzien. Ze leken een eeuwigheid nodig te hebben om de auto te passeren.

'Ik weet zeker dat ik uw aandacht heb, meneer Fabel.' Aan de elektronisch vervormde stem ontbrak elke subtiele intonatie. 'En ik verwacht de eerstvolgende uren de aandacht te krijgen van een heleboel andere agenten van de Hamburgse politie, inclusief de explosievenopruimingsdienst. Ziet u, het komt me beter uit u te laten leven, want uw mensen zullen er een eeuwigheid voor nodig hebben om u uit deze positie te verlossen. Daar komt bij de tijd die uw technische mensen ter plekke zullen moeten spenderen. Maar wees ervan verzekerd dat, als u iets onverstandigs probeert, ik de bom tot ontploffing zal brengen. Het effect zal hetzelfde zijn.'

Fabel dacht koortsachtig na. Voor hetzelfde geld hield de persoon aan de telefoon hem op veilige afstand in de gaten. Hij liet zijn blik langs beide zijden van de straat glijden en keek in de achteruitkijkspiegel, waarbij hij zijn best deed zijn rug stevig tegen de rugleuning te houden.

'Dus nou ben je opeens explosievendeskundige?' Fabels stem was een en al minachting. 'Je wilt me wijsmaken dat je een bom in mijn auto kunt planten, in het openbaar, in de drie kwartier dat ik weg was? Ik dacht dat je je met scalperen bezighield, *Winnetoe*.'

'Heel leuk.' De diepe, verdraaide stem lachte en het klonk als iets uit een nachtmerrie. '*Winnetoe*... Maar doe maar niet alsof u mijn culturele toespelingen niet begrijpt, meneer Fabel. Ik ben geen roodhuid, geen indiaan, geen personage uit een boek van Karl May. U weet dat de traditie die ik weer tot leven heb gewekt, heel oud is en heel Europees van oorsprong. En stel mijn vaardigheden als bommenontwerper... of grappenmaker... gerust op de proef. U hoeft alleen maar uit te stappen. Als ik lieg, gebeurt er niets. Anderzijds... wat de bom betreft... die zit al een hele tijd aan uw auto. Ik heb hem alleen maar op afstand geactiveerd. O, tussen haakjes, was u blij met het cadeautje dat ik in uw appartement heb achtergelaten?'

'Gestoorde klootzak...' siste Fabel in de telefoon. 'Ik krijg je wel te pakken. Ik zweer je dat ik je zal vinden, hoe lang het ook duurt.'

'Weet u, meneer Fabel, u bent opmerkelijk agressief voor iemand die op een grote hoeveelheid explosieven zit. Als ik de goede knop zou indrukken, zou u niemand meer te pakken krijgen. Nooit. Dus hou nou maar gewoon uw mond en luister naar wat ik te zeggen heb.'

Fabel zei niets. Hij voelde een dun laagje zweet tussen zijn oor en zijn mobiele telefoon. Zijn hart bonsde en hij voelde zich misselijk. Hij geloofde de onmenselijke stem in zijn oor. Hij geloofde in de bom onder hem.

'Mooi,' zei de stem. 'Nu kunnen we praten. Allereerst: u vraagt zich misschien af waarom ik zoveel moeite heb gedaan om u in gevaar te brengen. En, nu we het daar over hebben, waarom ik de bom niet eerder tot ontploffing heb gebracht. Nou, heel eenvoudig. Zoals ik zei, is er tijd voor nodig om u uit uw benarde positie te verlossen. En terwijl dat gebeurt, zal ik opnieuw een scalp nemen. Een interessant dilemma voor u, meneer Fabel. U zult moeten beslissen hoeveel mankracht er wordt ingezet om u te redden en hoeveel om te verhinderen dat ik opnieuw een leven beëindig.'

'We hebben meer mankracht dan je bezig kunt houden,' zei Fabel met vlakke, doodse stem.

'Dat is misschien zo, maar ik moet u zeggen dat u op slechts één van meer bommen zit. De andere is op een plaats die ik nu niet zal verraden. Maar ik heb een briefje geprint met het adres en alle details.'

'Waar?'

'Dat gaat het juist om. Ik heb het adres aan de springstof in de bom in uw auto bevestigd. Dus zelfs als de explosievenopruimingsdienst een manier verzint om de drukschakelaar onder uw stoel of in het portier uit te schakelen, kunnen ze geen gecontroleerde explosie uitvoeren. Doen ze dat wel, dan vernietigen ze de enige verwijzing naar de locatie van de tweede bom. En de tweede bom zál ontploffen, geloof me, meneer Fabel.'

'Wanneer? Op welk tijdstip is de bom ingesteld?'

'Ik heb niets over een tijdschakelaar gezegd, meneer Fabel.'

'Dus nu ben je terrorist? Waar gaat dit allemaal over?'

'U bent niet dom, meneer Fabel. Dit gaat al vanaf het begin over terrorisme, zoals u het noemt. Het gaat ook over verraad. Wat me bij mijn belangrijkste punt brengt. Ik wil dat u zich terugtrekt uit deze zaak. Neem vakantie. Een paar dagen vrij. Ik heb u een excuus gegeven. De spanning van deze beproeving. Ziet u, meneer Fabel, ik zal nu meer informatie over deze zaak geven dan u zelf hebt kunnen vergaren. De mensen die ik dood, verdienen het te sterven. Ze zijn zelf moordenaars. En als ik klaar ben, zal ik nooit meer doden. Er zijn er niet veel meer, meneer Fabel. Twee nog maar. En als die dood zijn, zal ik verdwijnen en nooit meer doden. Zoals ik zei, al mijn slachtoffers zijn schuldig. In feite zou u ze zelf schuldig achten aan misdrijven tegen de staat.'

'Hauser? Griebel? Scheibe? Wil je zeggen dat ze terroristen waren?'

'U hebt gehoord wat ik zei.' De elektronisch doodgemaakte stem sprak zonder passie. 'Maar bedenk goed, meneer Fabel, de beslissing is aan u. U kunt ervoor kiezen u uit de zaak terug te trekken en me laten afmaken waar ik mee begonnen ben, of ik zal nog meer slachtoffers aan mijn lijst toevoegen. Heel specifieke slachtoffers. Niemand hoeft van dit aspect van ons gesprek te weten. U kunt ervoor kiezen weg te gaan en uw leven voort te zetten en anderen de mogelijkheid te geven het hunne voort te zetten. De mensen die ik moet executeren, betekenen uiteindelijk niets voor u. Anderen daarentegen, Fabel... Er zullen misschien andere mensen sterven die het níét verdienen, afhankelijk van de keus die u maakt. Ik ga nu ophangen. Ik stel voor dat u onmiddellijk contact opneemt met uw collega's van de explosievenopruimingsdienst. Maar voordat ik ga, stuur ik u een paar foto's op uw mobiele telefoon. Tussen haakjes... wat een mooie haren. Een prachtige tint kastanjebruin. Bijna rood.'

De verbinding werd verbroken. De telefoon trilde en het scherm vertelde Fabel dat hij een bericht met foto's had gekregen. Hij opende het en zijn maag draaide zich plotseling om.

'Vuile klootzak...' Fabel voelde tranen in zijn ogen prikken toen hij de foto's een voor een bekeek.

Hij bekeek ze nogmaals. Foto's van een meisje met lange, kastanjebruine haren. Foto's van haar op weg van huis naar school, van haar met haar vrienden, van haar terwijl ze met haar vader winkelde in Neuer Wall.

21.15 uur, Hammerbrook, Hamburg

De hele straat was veranderd in een toneeldecor. Fabel kneep zijn ogen half-dicht tegen het verblindende licht van de schijnwerpers op hoge statieven die rondom zijn auto waren opgesteld. De hele omgeving was ontruimd en Fabel maakte zich zorgen over wat men tegen meneer Dorfmann had gezegd terwijl ze hem uit zijn huis leidden. Als het maar niet was dat er een bom in de straat lag.

De eerste die Fabel sprak, was de commandant van LKA7, de explosieven-opruimingsdienst, die in zijn eentje naar de auto kwam. De commandant sprak op kalme toon, maar zo hard dat Fabel hem door het glas van het nog steeds gesloten zijraam kon verstaan, en vroeg hem zich echt álles te herinneren wat de beller over de bom had verteld, evenals alles wat hij had gezegd wat hun een aanwijzing zou kunnen geven voor de locatie van de tweede bom. Fabels mond was droog en hij had zich misselijk gevoeld, maar hij probeerde beheerst en geconcentreerd te blijven toen hij elk detail doornam.

De commandant van de explosievenopruimingsdienst luisterde, knikte, maakte aantekeningen en praatte al die tijd met vaste, kalme stem, waardoor Fabel zich alleen maar meer zorgen maakte over zijn situatie. Ook de verschijning van de leider van de explosievenopruimingsdienst droeg weinig bij tot Fabels gemoedsrust: hij was naast Fabels auto verschenen in een wijde schort van dik kevlar, verdeeld in afgebakende segmenten, over zijn zwarte overall, met een zware helm op zijn hoofd en een dik perspexvizier voor zijn gezicht. De specialist liet zich zakken en ging op zijn zij naast de auto liggen, schoof een zwarte telescoopstok met een spiegel aan het eind uit en liet hem langzaam en voorzichtig onder de auto glijden.

Een ogenblik later verscheen hij weer voor Fabels raam, kreunend van de inspanning die het hem kostte om overeind te komen. 'Oké...' zei hij grimlachend. 'Ik ben bang dat het geen geintje is, voor zover ik kan zien. Als het geen heel echt uitziende nepbom is, hebben we te maken met een grote hoeveelheid zware explosieven die aan de onderkant van uw auto is bevestigd. We krijgen u er wel uit, hoofdinspecteur. Dat kan ik u garanderen. Maar u zult het even benauwd hebben.'

Fabel glimlachte flauwtjes, legde zijn hoofd tegen de hoofdsteun en sloot zijn ogen. Hij voelde zich machteloos en hulpeloos. Hij wist dat hij bijna geobsedeerd werd door de touwtjes in handen hebben, door het elimineren van het toeval. Maar nu verkeerde hij in een situatie waar hij geen enkele zeggenschap over had. Hij probeerde niet aan de explosieven onder hem te denken, aan het feit dat zijn leven evenzeer in de handen lag van de specialisten die de bom onschadelijk zouden maken als wanneer ze chirurg zouden zijn en hij op een operatietafel lag. Het enige wat hij kon doen was hier zitten, roerloos, en wachtten tot hij bevrijd werd.

Het gaf hem in elk geval tijd om na te denken.

Hij wist dat zijn team ergens aan de rand van het geëvacueerde gebied zou zijn, wachtend. Toen hij het hoofdbureau had gebeld, had hij eerst met de explosievenopruimingsdienst gesproken en daarna om de afdeling Moordzaken gevraagd, maar de explosievenopruimingsdienst had hem gezegd geen telefoontjes meer te plegen met zijn gsm en hem uit te schakelen zodra hij ophing. Fabel had een bericht kunnen achterlaten, maar had ervan afgezien. Hij wist nog steeds niet wat hij zijn collega's moest vertellen. Het zien van de foto's van Gabi had hem geschokt.

Die man had Fabel blijkbaar gevolgd. Geschaduwd. Dat verklaarde misschien hoe hij Leonard Schüler had gevonden. Die arrogante klootzak moest op de een of andere manier al het doen en laten van het team van Moordzaken hebben gevolgd. Misschien was hij Schüler zelfs van het hoofdbureau naar huis gevolgd. Nee. Dat kon niet. Hoe kon hij van Schüler hebben geweten? Die was opgebracht door een uniformeenheid. Schüler was alleen binnen het hoofdbureau met mensen van het team van Moordzaken gezien. Er vormde zich een idee in Fabels hoofd: Leonard Schüler had niet de hele waarheid gesproken over wat hij had gezien, over alles wat hij over de moordenaar wist. Waarom had Schüler iets verzwegen? Was hij dan toch bij de moorden betrokken geweest? Had hij samengewerkt met de stem aan de telefoon? Misschien had Fabels intuïtie hem ditmaal in de steek gelaten.

De commandant van lka7 kreeg gezelschap van drie collega's. Ze brachten vier grote zwarte canvas tassen mee die ze enkele meters van de auto neerzetten. Ze haalden er instrumenten uit die ze uitspreidden op de grond. Fabel voelde zich gerustgesteld door de duidelijk methodische aanpak en de geruststellende, doelgerichte bewegingen van de teamleden. Twee agenten pakten iets wat op een overdreven grote, lompe laptop leek, plus enkele kabels, en verdwenen onder de auto uit Fabels blikveld.

Fabel zat in de bmw cabriolet die hij al zes jaar had en wachtte. Intussen deed hij zijn best om deze chaos te ontwarren.

Gabi. Fabel had zijn instinctieve opwelling onderdrukt om in paniek te raken, om tegen de explosievenopruimingsdienst te zeggen dat zijn team bescherming voor haar moest regelen. Als hij dat wel had gedaan, zou hij zich in de kaart hebben laten kijken door de moordenaar, die zou weten dat Fabel hun hele gesprek had doorverteld aan zijn superieuren. Gabi was voorlopig veilig; wat de Hamburgse Haarsnijder die avond ook te doen had, het had betrekking op een van de mensen op zijn lijst. Gabi was zijn achtergehouden troefkaart. Fabel wist dat, hoewel de moordenaar hem schijnbaar meer had verteld dan verstandig was, hij alleen die dingen had verteld waarvan hij wilde dat Fabel ze wist. Nu wist Fabel in elk geval zeker dat het alles te maken had met het verleden van de slachtoffers.

Er klonk geklop onder de auto terwijl de bomspecialisten aan het werk waren. Subtiel werk, maar voor Fabels door angst verscherpte zintuigen was het alsof elke tik door de auto en zijn lichaam trilde als een hamer die tegen een bel slaat.

Hij kon het doen. Hij kon de zaak gewoon laten vallen. Sterker nog, als hij hoofdcommissaris Van Heiden precies vertelde wat de moordenaar tegen hem gezegd had, zou zijn baas er waarschijnlijk op staan dat hij de zaak zou overgeven. Fabel dacht grimmig na over de juistheid van de logica van de moordenaar: die mensen betekenden niets voor hem, zijn dochter betekende alles. Geef de zaak op. Laat iemand anders het overnemen.

Nog meer getik, Fabels mond werd nog droger. Hij keek op zijn horloge: kwart voor twaalf. Hij had al drie uur geen portier of raam kunnen openen en had dus niet aan water kunnen komen. Misschien zou het hier eindigen. Het uitschieten van een tang, de verkeerde draad doorgeknipt en het zou allemaal voorbij zijn. Dit kon het einde zijn van de weg die hij jaren geleden had gekozen, na de moord op Hanna Dorn. De verkeerde weg.

In de smorende hitte van zijn auto, zich bewust van elk geluid en elke beweging van de bomspecialisten onder hem, besefte Fabel dat de persoon met wie hij bijna drie uur geleden via zijn mobiele telefoon had gesproken waarschijnlijk opnieuw een slachtoffer had vermoord en verminkt. Ideeën en beelden tuimelden over elkaar in een brein dat te moe was om te denken, dat al te lang bang was om voorbij deze ervaring te kijken. De foto's van zijn dochter, heimelijk genomen door een maniak, flitsten telkens weer door zijn hoofd.

Terwijl Jan Fabel daar zat, wachtend op redding of dood, nam hij een beslissing over zijn toekomst.

Het ging zo snel dat het voorbij was voordat Fabel besefte wat er gebeurde. Plotseling werd het portier opengerukt door een van de leden van de explosievenopruimingsdienst en werd hij door een ander naar buiten getrokken. De twee mannen renden met Fabel weg van de auto, uit het schijnsel van de schijnwerpers en het afgezette gebied. Van Heiden, Anna Wolff, Werner Meyer, Henk Hermann, Maria Klee, Frank Grueber en Holger Brauner dromden bijeen bij het kordon. Grueber en Brauner hadden hun forensische overall al aan, evenals de vijf agenten van de technische recherche die bij hen waren. Fabel kreeg een fles water in zijn handen gedrukt, waar hij gretig uit dronk.

De LKA7-commandant kwam naar hem toe. 'We hebben de bom onschadelijk gemaakt. We demonteren hem om de locatie van de tweede bom te vinden. Tot dusver niets. Wat is het voor iemand, meneer Fabel? Een terrorist, een afperser of gewoon een maniak?'

'Alle drie,' zei Fabel vermoeid.

'Wat zijn motief ook is, die vent weet wat-ie doet.' De leider van de explosievenopruimingsdienst wilde naar zijn pantservoertuig lopen.

Fabel legde een hand op zijn arm om hem tegen te houden. 'Hij is niet de enige die weet wat hij doet,' zei hij. 'Bedankt.'

'Graag gedaan.' De commandant van de explosievenopruimingsdienst glimlachte.

'Alles in orde, Jan?' vroeg Werner.

Fabel nam opnieuw een slok uit de waterfles. Hij veegde zijn mond af met de rug van zijn hand. 'Nee, Werner. Allesbehalve.' Hij wendde zich tot Van Heiden. 'We moeten praten, hoofdcommissaris.'

14

Het was Hugo Steinbach, de korpschef van de Hamburgse politie, in gezelschap van hoofdcommissaris Van Heiden, die een verklaring aflegde tegenover de kranten-, radio- en tv-verslaggevers die elkaar op de trap van het hoofdbureau verdrongen.

'Ik kan bevestigen dat een hooggeplaatste functionaris van de Hamburgse politie gisteren het slachtoffer is geweest van een mislukte aanslag op zijn leven. Als gevolg daarvan is hij, voor zijn eigen veiligheid en om hem in staat te stellen zich volledig van zijn beproeving te herstellen, van zijn taak ontheven.'

'Kunt u bevestigen dat deze functionaris hoofdinspecteur Fabel van de afdeling Moordzaken was?'

Een kleine, dikke, donkerharige verslaggever in een te krap leren jack had zich naar voren gedrongen. Jens Tiedemann was een goede bekende onder zijn collega-journalisten.

'We zijn in dit stadium van het onderzoek niet bereid de identiteit van de desbetreffende functionaris bekend te maken,' antwoordde Van Heiden. 'Wel kan ik bevestigen dat het een medewerker was van de afdeling Moordzaken die op dat moment dienst had.'

'Gisteravond is een deel van Hammerbrook geëvacueerd en afgezet,' drong Tiedemann aan en hij verhief zijn stem boven die van de anderen. 'Er werd gezegd dat er een bom was gevonden en men nam aan dat het een bom van Britse makelij was uit de Tweede Wereldoorlog, die door een team van de bomopruimingsdienst onschadelijk werd gemaakt. Kunt u nu bevestigen dat het in werkelijkheid een bom was die door terroristen in het voertuig van deze functionaris was geplaatst?'

Tiedemanns vraag leek een vonk die een spervuur van vragen van de overige verslaggevers tot ontsteking bracht. Toen Steinbach antwoordde, richtte hij zich tot de kleine verslaggever.

'We kunnen bevestigen dat er leden van de explosievenopruimingsdienst zijn ingezet om een explosief ter plaatse onschadelijk te maken,' zei Steinbach. 'Er is niets wat op betrokkenheid van terroristen wijst.'

'Maar het was geen bom uit de Tweede Wereldoorlog, hè?' Tiedemann beet zich er als een terriër in vast. 'Iemand heeft geprobeerd een van uw officieren op te blazen, nietwaar?'

'Zoals we reeds verklaard hebben,' zei Van Heiden, 'is er een aanslag gepleegd op het leven van een medewerker van de afdeling Moordzaken. Meer kunnen we momenteel niet zeggen, aangezien het onderzoek nog loopt.'

Enkele andere journalisten namen het hier van Tiedemann over, maar zonder de informatie waarover hij blijkbaar beschikte, waren hun vragen schoten in het donker. De kleine krantenman stond er zwijgend bij en liet het enige tijd aan de anderen over om de politiefunctionarissen te bestoken; toen bracht hij de genadeslag toe.

'Hoofdcommissaris Van Heiden...' Hij kwam niet boven de anderen uit. 'Hoofdcommissaris Van Heiden...' herhaalde hij luider en zijn collega's zwegen en lieten hem opnieuw het voortouw nemen. 'Is het waar dat de bom onder de auto van hoofdinspecteur Fabel daar was geplaatst door de Hamburgse Haarsnijder... de seriemoordenaar die voormalige leden van de radicale bewegingen in de jaren zeventig en tachtig uitmoordt? En is het ook waar dat, als gevolg van deze aanslag op het leven van meneer Fabel, hij van de zaak is gehaald?'

Van Heidens gezicht betrok en hij keek Tiedemann dreigend aan. 'De desbetreffende functionaris van de afdeling Moordzaken trekt zich uit alle lopende zaken terug en laat ze over aan anderen. De enige reden daarvoor is dat hij verlof opneemt om van zijn ervaring te bekomen. Meer steekt er niet achter. Ik verzeker u dat Hamburgse politiefunctionarissen zich niet zo makkelijk laten afschrikken...'

De kleine verslaggever zei niets meer, maar hij glimlachte en liet het geroep van zijn collega's over zich heen komen. Van Heiden en Steinbach draaiden zich om en liepen de trap op en het hoofdbureau binnen terwijl de voorlichter van de Hamburgse politie het journaille op een afstand hield.

Toen het groepje verslaggevers op de trap van het hoofdbureau zich oploste, wendde een van hen zich tot Tiedemann. 'Hoe weet je dat allemaal?'

De krantenman knikte in de richting van het hoofdbureau. 'Uit betrouwbare bron. Uit heel betrouwbare bron...'

Misschien had ze het alarm niet voor zo'n korte afwezigheid moeten inschakelen. Ingrid Fischmann kwam terug van het postkantoor een straat verderop, waar ze het pakje met foto's en informatie had verstuurd dat ze voor die politieman, Fabel, had samengesteld.

Ze vloekte toen ze het zwarte boekje met de alarmcode liet vallen. Ze bukte zich om het op te rapen, zodat een deel van de inhoud uit haar geopende schoudertas viel en ze hoorde het rinkelen van haar sleutels op de tegelvloer van de gang. Het was altijd zo'n gedoe om haar kantoor in en uit te gaan, voornamelijk omdat de code van het alarm weigerde zich in haar geheugen te nestelen. Maar Ingrid wist dat het een noodzakelijk kwaad was. Ze moest voorzichtig zijn.

De Rote Armee Fraktion had zichzelf in 1998 officieel opgeheven en door de val van de Muur waren de fundamenten onder de geloofsovertuiging van dergelijke groepen overbodig geworden. De RAF, de IRA en blijkbaar zelfs de ETA vertrouwden zichzelf toe aan de geschiedenisboeken. Europees binnenlands terrorisme leek een steeds denkbeeldiger concept, vergeleken met dat wat van buitenaf kwam. Het terrorisme was in de eenentwintigste eeuw volledig van gedaante veranderd en de ideologie was van religieuze in plaats van sociaal-politieke aard. Maar de mensen die ze in haar artikelen ontmaskerde, waren maar al te echt. En velen van hen hadden een gewelddadig verleden.

'Oké, oké...' zei ze tegen het controlepaneeltje in antwoord op het gebiedende, snelle elektronische gepiep. Ze raapte het notitieboekje op en zonder tijd te nemen om haar bril op te zetten tuurde ze er van een afstand naar om de cijfers naar het controlepaneel over te brengen, het laatste cijfer besluitvaardig met haar vinger indrukkend. Het piepen stopte. Nee, toch niet.

Het was als een echo van het geluid van de alarminstallatie, maar op een andere toonhoogte. En het kwam niet uit het controlepaneel. Het duurde even voordat ze, stokstijf en geconcentreerd haar voorhoofd fronsend, door had waar het geluid vandaan kwam. Uit haar kantoor.

Ze volgde het gepiep haar kantoor in. Het kwam van haar bureau. Ze opende de bovenste lade.

'O...' was het enige wat ze zei.

Voor meer kreeg ze niet de kans. Haar hersenen hadden net tijd genoeg om te verwerken wat haar ogen haar vertelden, om de draden, de batterijen, het knipperende led-schermpje, het grote, zandkleurige pak te analyseren.

Ingrid Fischmann was dood op het moment dat haar hersenen de elementen had gecombineerd tot één enkel woord.

Bom.

'Ik hoop dat het vruchten afwerpt,' zei Van Heiden. 'Ons werk is voor een groot deel afhankelijk van de medewerking van de media. Ze zullen niet blij zijn als ze hier lucht van krijgen.'

'Dat risico moeten we nemen,' zei Fabel. Hij zat met Maria, Werner, Anna, Henk en de twee forensisch specialisten, Holger Brauner en Frank Grueber, aan de vergadertafel. Er zat nóg iemand aan de tafel: een kleine, dikke man met een bril en een zwartleren jack.

'Ze komen er wel overheen,' zei Jens Tiedemann. 'Maar terwille van mijn krant heb ik liever dat iedereen denkt dat ik erin ben geluisd dan dat ze me als medeplichtige beschouwen, als het ware.'

Fabel knikte. 'Ik sta bij je in het krijt, Jens. Diep. De moordenaar weet hoe hij met me kan communiceren, maar het is eenrichtingsverkeer. De enige manier waarop ik hem in de waan kan brengen dat ik de zaak heb laten vallen is door het publiekelijk aan te kondigen.'

'Graag gedaan, Jan.' Tiedemann stond op om te vertrekken. 'Ik hoop alleen dat hij erin trapt.'

'Ik ook,' zei Fabel. 'Maar mijn dochter Gabi is in elk geval de stad uit en wordt beschermd. Ook Susanne wordt de klok rond bewaakt. Wat mijzelf betreft, ik zal het grootste deel van de tijd hier moeten doorbrengen, uit het gezicht, maar ik leid de show via mijn kernteam. Officieel heeft meneer Van Heiden de zaak overgenomen.' Hij stond op en gaf Tiedemann een hand. 'Je hebt een overtuigende show opgevoerd. Het geeft ons wat tijd. Zoals ik al zei: ik sta bij je in het krijt.'

'Ja... dat lijkt me ook.' Er verscheen een brede glimlach op Tiedemanns vlezige gezicht. 'En reken maar dat ik je op een dag weet te vinden.'

'Dat zal vast wel.'

Toen de verslaggever weg was verdween de glimlach van Fabels lippen. 'We moeten snel zijn. De Hamburgse Haarsnijder schijnt alles te kunnen raden wat we doen. En hij heeft blijkbaar enorme middelen ter beschikking, zowel intellectueel als materieel. Voor hetzelfde geld verwachtte hij precies de soort bekendmaking die Jens ons tijdens de persconferentie heeft "afgedwongen". In dat geval zijn we de pineut. Maar als hij er intrapt, voelt hij zich misschien minder onder druk staan omdat hij denkt dat ik het onderzoek niet meer leid. Wat ik niet begrijp is waarom hij het zo belangrijk vindt dat ik uit beeld verdwijn.'

'Je bent onze beste moordrechercheur. En met een bijzonder groot aantal veroordelingen,' zei Van Heiden.

Na de vergadering vroeg Fabel of hij Van Heiden onder vier ogen kon spreken.

'Natuurlijk, Fabel. Wat is er?'

'Dit...' Fabel overhandigde hem een dichtgeplakte envelop. 'Mijn ontslag. Ik wil het u nu geven, zodat u weet van ik van plan ben. Ik ga natuurlijk niet weg voordat deze zaak achter de rug is. Maar zodra het zover is, neem ik ontslag bij de Hamburgse politie.'

'Dat kun je niet menen, Fabel.' Van Heiden keek geschokt. Een reactie die Fabel niet had verwacht van Van Heiden, van wie hij altijd had gedacht dat Fabel hem onverschillig liet, met name vanwege Fabels schijnbare gebrek aan ontzag voor Van Heidens autoriteit. 'Ik meende wat ik zei... we kunnen het ons niet veroorloven je kwijt te raken, Fabel.'

'Ik waardeer uw gevoel, hoofdcommissaris, maar ik vrees dat mijn besluit vaststaat. Ik had het al eerder genomen, maar toen ik die foto's van Gabi op mijn mobiele telefoon zag... Trouwens, u zult vast wel een vervanger vinden. Maria Klee en Werner Meyer zijn alle twee uitstekende rechercheurs.'

'Weten ze het?'

'Nog niet,' zei Fabel. 'En als u geen bezwaar hebt, hou ik het liever onder de pet tot de zaak achter de rug is. Ze hebben voorlopig genoeg aan hun hoofd.'

Van Heiden tikte met de envelop tegen zijn geopende hand, alsof hij het gewicht van de inhoud schatte. 'Maak je geen zorgen, Fabel. Ik vertel het niet verder, tenzij ik niet anders kan. Intussen hoop ik dat je van gedachten verandert.'

Er werd op de deur van de vergaderzaal geklopt en Maria kwam binnen

'Ik weet niet hoe onopvallend je wilt zijn, chef, maar we weten waar hij de tweede bom heeft gelegd...'

10.30 UUR, SCHANZENVIERTEL, HAMBURG

Er ontstond een hiërarchie op de plaats van de explosie en Fabel voelde dat hij moeite had om aan de top te blijven.

In een poging om de schijn op te houden dat hij van de zaak was gehaald, hadden ze een passend uniform van de verkeerspolitie voor hem gevonden en hij was naar de plek gebracht achter in een van de geblindeerde Mercedesbusjes van de oproerpolitie. Een *Libelle*-helikopter van de Hamburgse politie hing boven de locatie in de lucht.

De uniformdienst had de plaats delict afgezet en de omringende gebouwen ontruimd.

Fabel stapte uit het busje en nam de verwoesting in ogenschouw. Alle ramen van het kantoor van Ingrid Fischmann waren gesprongen en staarden nu als lege oogkassen vanuit het geblakerde omhulsel uit over de straat. Het smalle trottoir, het wegdek en de daken van de geparkeerde auto's, waarvan het alarm nog steeds geschokt jankend protesteerde tegen de knal, glinsterden van glasscherven. Uit een van de ramen hingen de gerafelde en verschroeide stroken van Fischmanns verticale jaloezieën. De omgeving werd bewaakt door de speciale MIC-eenheid van de Hamburgse politie waar Fabel om had gevraagd, maar er was ook een groot aantal zwaarbewapende agenten in kogelwerend vest met de grote initialen BKA van de federale politie op de rug. En het verbaasde Fabel niet dat hij Markus Ullrich zag. Het was opeens heel politiek geworden.

Holger Brauner en zijn plaatsvervanger, Frank Grueber, waren met extra versterking uitgerukt om de plaats delict te onderzoeken, maar het federale BKA had een nog grotere forensische eenheid opgetrommeld.

Maar iedereen moest buiten blijven terwijl de brandweer en de explosievenopruimingsdienst controleerden of het veilig was om naar binnen te gaan. Fabel nam de gelegenheid waar om Markus Ullrich aan te klampen, die voor het gebouw stond, naast de deur die, doordat hij iets lager was dan het niveau van de kantoren, de explosie had overleefd.

Ullrich stond met een BKA-agent te praten, maar onderbrak zijn gesprek toen hij Fabel zag naderen. Hij lachte grimmig. 'Staat u goed,' zei hij, naar Fabels geleende uniform knikkend. 'Ik vermoed dat dit geen gasexplosie is.'

'Ik betwijfel het sterk,' zei Fabel. 'Luister, ik moet één ding zeggen. Dit is een onderzoek van de Hamburgse politie. De vrouw die dit kantoor huurt, heeft me geholpen met de achtergrond van de moord op Hauser en Griebel. Het is geen toeval dat haar kantoor is getroffen.'

'Ja, dat begrijp ik, maar ze was ook iemand die rondsnuffelde in een heel gevaarlijk gebied van het Duitse openbare leven. De kans bestaat dat ze te dicht bij iemand kwam die misschien besloot enkele oude, twee decennia geleden aangeleerde vaardigheden opnieuw toe te passen... zoals het gebruik van een ontsteker en semtex. U moet begrijpen dat er gegronde redenen zijn voor belangstelling van het BKA.' Ullrichs stem klonk alleen maar verzoenend, maar Fabel voelde zich niet gerustgesteld. 'Luister, meneer Fabel, ik wil u niet beconcurreren, ik wil samenwerken. We hebben een gemeenschappelijk belang in deze zaak. Ik heb die extra mensen alleen maar aangevraagd om ze u ter beschikking te stellen. Hetzelfde geldt voor het forensisch team: het werkt onder uw chef. Weten we of ze binnen was?'

Fabel zuchtte en ontspande zich enigszins. Hij wist dat Ullrich rechtdoorzee was.

'Nee, nog niet,' zei Fabel. 'We zijn bij haar thuis geweest en daar was ze niet, en we hebben haar mobiele telefoon geprobeerd. Niets.' Hij keek op naar het gebouw. 'Ik vermoed dat de bommenlegger doel heeft getroffen.

Hoe dan ook, meneer Ullrich, dit is in eerste instantie mijn zaak en ik wil dat u dat begrijpt.'

'Dat doe ik, maar we zullen moeten samenwerken, meneer Fabel. Of u het nou leuk vindt of niet, we hebben mogelijk te maken met iets waarvan de implicaties zich uitstrekken tot ver buiten Hamburg. U zult wellicht merken dat het nuttig is een federaal agent in uw team te hebben. U hebt alle hulp nodig die u kunt krijgen als u dit onderzoek op een afstand wilt leiden... en in vermomming. De leiding laat ik graag aan u over. Voorlopig.'

'Oké.' Fabel knikte. 'Laten we het hebben over wat u zei, dat het misschien een slapende voormalige terrorist is die zichzelf beschermt in plaats van mijn zogenaamde Hamburgse Haarsnijder. Ik vrees dat die twee elkaar niet uitsluiten.' Fabel gaf Ullrich een samenvatting van wat Ingrid Fischmann hem had verteld over haar connectie met de ontvoering van Wiedler en de bewering van Benni Hildesheim dat hij de identiteit kende van enkele leden van de Herrezenen en erop had gezinspeeld dat hij onomstotelijk bewijs had dat Bertholdt Müller-Voigt de bestuurder was geweest van het busje waarin Thorsten Wiedler was ontvoerd.

'Dat gerucht doet al heel lang de ronde, Fabel,' zei Ullrich. 'We hebben het lang en diepgaand onderzocht. Er is niets wat hem in verband brengt met die ontvoering, of zelfs maar met het lidmaatschap van de groep. Na de dood van Hildesheim kregen we gerechtelijke toestemming om al zijn spullen te doorzoeken om te zien of we het bewijs konden vinden dat hij beweerde te hebben. Niets. Dat wil niet zeggen dat ik het niet geloof. Ik denk alleen maar dat, als Müller-Voigt inderdaad heeft meegedaan aan de ontvoering van en de moord op Wiedler, we dat nooit zullen kunnen bewijzen.'

Fabel knikte naar het verwoeste gebouw met zijn graffiti en de jugendstilornamenten. 'Misschien was ze daar dichtbij.'

Zijn telefoon ging.

'Doe geen moeite om dit gesprek na te trekken,' kraste de elektronisch vervormde stem. 'Ik bel u via de mobiele telefoon van mijn meest recente slachtoffer. Tegen de tijd dat u de locatie hebt gevonden ben ik verdwenen en is de telefoon vernietigd. Ik heb het druk gehad, zoals u ziet. Dat kreng van een Fischmann heeft haar verdiende loon. Alleen jammer dat ze zo snel is gestorven. Maar gisteravond heb ik meer plezier gehad. Ik ga u niet vertellen waar u het volgende lijk kunt vinden. Ik vermoed dat haar zoon het heel binnenkort zal ontdekken.'

'Geef het op,' zei Fabel.

'U stelt me teleur, Fabel,' viel de stem Fabel in de rede. 'U hebt geprobeerd me op het verkeerde been te zetten met die schertsvertoning vanmorgen. Verkleedpartijen en rondrijden in busjes... Ik vrees dat ik u daarvoor zal moeten straffen. U zult uzelf voor de rest van uw leven vervloeken, elke dag, en uzelf de schuld geven van de verschrikkingen die uw dochter heeft moeten ondergaan voordat ze stierf.'

De verbinding werd verroken.

'Gabi!' Fabel wendde zich tot Maria. 'Geef me je autosleutels, Maria... Hij heeft het op Gabi gemunt. Ik moet naar haar toe.'

Maria pakte hem bij zijn arm. 'Wacht!' Ze ging recht voor Fabel staan en keek hem strak aan. 'Wat zei hij?'

Fabel vertelde het haar.

Intussen waren Werner, Van Heiden en Ullrich naar hen toe gerend.

'Hoe wist hij dat? Hoe is hij daar zo snel achtergekomen?' Fabel keek met gefronste wenkbrauwen naar zijn geleende uniform. 'En hoe weet hij verdomme van deze vermomming? Ik moet naar Gabi toe.'

'Wacht even,' zei Maria. 'Je zei zelf dat de kans groot was dat hij er niet in zou trappen. Er is een groot verschil tussen dat en weten waar we Gabi hebben ondergebracht. Voor hetzelfde geld houdt hij ons op dit moment in de gaten en zou je hem regelrecht naar haar toe leiden. Maar ik denk dat hij helemaal niet in Gabi geïnteresseerd is, net zoals hij er niet in geïnteresseerd was om je met die bom te doden. Het is precies hetzelfde als die avond met Vitrenko, Jan. Een afleidingsmanoeuvre. Een vertragingstactiek.' Maria's ogen keken ernstig. Alle verdedigingslinies, alle schilden waren weggevallen. 'Hij speelt met je, Jan. Hij wil je aandacht afleiden. De bom was bedoeld om je vast te pinnen terwijl hij bezig was. Dit is precies hetzelfde. Hij wil dat je naar Gabi gaat, zodat hij kan afmaken waar hij mee begonnen is.'

'Het snijdt hout, Fabel,' zei Ullrich.

Er rende een agent in uniform op Fabel af. 'Een radio-oproep voor u, hoofdinspecteur. Iemand heeft zojuist een gescalpeerd lijk gemeld. Een paar straten hiervandaan.'

Maria liet Fabels arm los. 'Jij bent aan zet, chef.'

23.00 UUR, SCHANZENVIERTEL, HAMBURG

Er was al een uniformeenheid ter plekke en het eerste wat ze gedaan hadden, was Franz Brandt weghalen uit de kamer waar hij het lichaam van zijn moeder gevonden had. Toen Fabel arriveerde, verkeerde Brandt nog steeds in shock. Hij was begin dertig, maar zag er jonger uit. Het opvallendste uiterlijke kenmerk was de grote bos lang, dik kastanjebruin-rood haar boven zijn bleke, sproetige gezicht. De kamer waar hij naartoe was gebracht, was groot, een combinatie van slaapkamer en studeerkamer. De boeken in de kasten deden Fabel aan de studeerkamer van Frank Grueber denken: het waren bijna allemaal studieboeken met betrekking tot archeologie, paleon-tologie en geschiedenis.

De boeken waren niet het enige wat Fabel herkende; aan de muur hing een grote poster van het veenlijk van Neu Versen. Rode Franz.

'Gecondoleerd met uw verlies,' zei hij. Ondanks zijn jarenlange ervaring ermee voelde Fabel zich altijd weer opgelaten in dergelijke situaties. Hij leef-de altijd oprecht mee met de familie van de slachtoffers en was zich er voort-durend van bewust dat hij een verwoest leven binnendrong. Maar hij was er ook om een taak te vervullen.

'Ik neem aan dat dit uw kamer is?' vroeg hij. 'U woont permanent bij uw moeder in?'

'Voor zover je het permanent kunt noemen. Ik ben vaak in het buiten-land, bij opgravingen. Ik reis over het algemeen veel.'

'Uw moeder had een bedrijf aan huis?' vroeg Fabel. 'Wat deed ze pre-cies?'

Franz Brandt lachte verbitterd. 'Voornamelijk newagetherapie. Gezever, eerlijk gezegd. Ik denk niet dat ze er zelf in geloofde. Het had meestal met re-incarnatie te maken.'

'Reïncarnatie?' Fabel dacht aan Gunter Griebel en zijn onderzoek naar genetisch geheugen. Kon er een verband zijn? Toen schoot het hem te bin-nen. Müller-Voigt had het gehad over een vrouw die betrokken was geweest bij het Gaia Collectief. Hij pakte zijn notitieboekje en bladerde zijn aanteke-ningen door. Daar was het. Beate Brandt. Hij keek naar de bleke jongeman tegenover hem. Hij stond op het punt van instorten. Fabel keek de slaap-studeerkamer rond en zijn blik viel opnieuw op de poster.

'Ik ken die man...' zei Fabel glimlachend. 'Hij komt uit Oost-Friesland, net als ik. Grappig dat hij de laatste tijd telkens weer in mijn leven verschijnt. Synchroniciteit of zo.'

Brandt lachte zwakjes. 'Rode Franz... Het was mijn bijnaam op de uni-versiteit. Vanwege mijn haren. En omdat iedereen wist dat hij mijn favorie-te veenlijk was, als u begrijpt wat ik bedoel. Het was Rode Franz die me in-spireerde om archeoloog te worden. Ik las voor het eerst iets over hem toen ik op school zat en ik raakte gefascineerd door het onderzoek naar het leven van onze voorouders. Achterhalen hoe ze leefden. En stierven.' Hij zweeg en draaide zijn hoofd naar de deur van de woonkamer, waar zijn moeder lag.

Fabel legde een hand op zijn schouder. 'Luister, Franz...' zei hij met zachte, troostende stem. 'Ik weet hoe moeilijk dit voor je is. En ik weet dat je op dit moment geschokt en bang bent. Maar ik moet je een paar vragen stellen over je moeder. Ik moet die maniak te pakken krijgen voordat hij iemand anders te pakken krijgt. Kun je het aan?'

Brandt staarde Fabel een ogenblik met verwilderde blik aan. 'Waarom? Waarom heeft hij mijn moeder dát aangedaan? Wat heeft dit allemaal te betekenen?'

'Ik weet het niet, Franz.'

Brandt nam een slok water en Fabel zag dat zijn hand trilde.

'Had je moeder iets met Nordenham te maken?'

Brandt schudde zijn hoofd.

'Was ze, voor zover je weet, politiek actief toen ze jong was?'

'Wat heeft dat ermee te maken?'

'Ik moet het weten, het kan verband houden met het motief van de moordenaar.'

'Ja... ja, dat was ze. De milieubeweging. En de studentenbeweging. Voornamelijk in de jaren zeventig, begin jaren tachtig. Ze was nog altijd betrokken bij milieukwesties.'

'Kende ze Hans-Joachim Hauser of Gunter Griebel? Zeggen die namen je iets?'

'Hauser wel. Mijn moeder kende hem goed. Vroeger, bedoel ik. Ze waren alle twee betrokken bij antikernwapendemonstraties en later bij de Groenen. Ik geloof niet dat ze de laatste jaren veel contact had met Hauser.'

'En Gunter Griebel?'

Brandt haalde zijn schouders op. 'Ik geloof niet dat ik die naam ooit gehoord heb. Ze heeft het in elk geval nooit over hem gehad. Maar ik kan niet met zekerheid zeggen dat ze hem niet kende.'

'Luister, Franz, ik zal volkomen eerlijk tegen je moeten zijn,' zei Fabel. 'Ik weet niet of die maniak handelt uit wraaklust of dat hij gewoon iets heeft tegen mensen van je moeders generatie en politieke overtuiging. Maar er moet iets zijn dat alle slachtoffers verbindt, inclusief je moeder. Als ik gelijk heb, heeft ze misschien het verband ontdekt tussen de dood van Hauser en die van Griebel. Heb je de laatste weken iets vreemds aan je moeder gemerkt? Met name sinds het bekend worden van de eerste moord, op Hans-Joachim Hauser?'

'Uiteraard reageerde ze daarop. Zoals ik zei, ze had vroeger met Hauser samengewerkt. Ze was geschokt toen ze las wat er met hem was gebeurd.' Brandts ogen vulden zich met pijn toen hij zich realiseerde dat hij het had over dezelfde afschuwelijke verminking als zijn moeder was aangedaan.

'En de andere moorden?' Fabel probeerde Brandts aandacht op zijn vragen gericht te houden. 'Heeft ze het daarover gehad? Of leek ze er speciaal door van streek?'

'Ik weet het niet. Ik ben een week of drie weggeweest, op een opgraving van de universiteit. Maar nu u het zegt: ze leek de laatste paar dagen inderdaad erg in zichzelf gekeerd en stil.'

Fabel keek de jongeman aandachtig aan. 'Je vond je moeder vanmorgen toen je naar beneden kwam voor het ontbijt?'

'Ja. Ik was gisteravond laat thuis en ging meteen naar bed. Ik nam aan dat mijn moeder al sliep.'

'Hoe laat?'

'Een uur of halftwaalf.'

'En je bent niet de woonkamer binnengegaan?'

'Natuurlijk niet. Dan had ik mijn moeder wel... wel zó gezien en dan had ik u meteen gebeld.'

'En waar was je gisteravond tot elf uur?'

'Op de universiteit, om aantekeningen uit te werken.'

'Heeft iemand je daar gezien? Het spijt me, Franz, maar ik moet het vragen.'

Brandt zuchtte. 'Ik heb doctor Severts gesproken, heel even. Verder niemand, geloof ik.'

Bij het horen van Severts' naam viel alles voor Fabel op zijn plaats.

'Daar hebben we elkaar eerder ontmoet. Ik vroeg het me steeds af. Jij bent degene die het gemummificeerde lichaam op de HafenCity-site hebt gevonden.'

'Dat klopt,' zei Brandt somber. Hij had andere dingen aan zijn hoofd dan waar hij de rechercheur die de brute moord op zijn moeder onderzocht eerder had ontmoet.

'Je weet niet of je moeder gisteravond bezoek verwachtte?'

'Nee. Ze zei dat ze vroeg naar bed wilde.'

Fabel zag Frank Grueber, die de kamer was binnengekomen en nu knikte ten teken dat Fabel de plaats delict kon betreden.

'Kun je vannacht ergens slapen?' vroeg Fabel aan Brandt. 'Zo niet, dan kan ik een auto voor je regelen om je naar een hotel te brengen.' Fabel dacht aan zijn eigen recente situatie, aan hoe hij door een gewelddaad uit zijn eigen huis was gerukt.

Brandt schudde zijn rode haardos. 'Niet nodig. Ik heb een vriendin bij wie ik kan logeren. Ik bel haar wel.'

'Oké. Laat het adres en telefoonnummer achter waar we je kunnen bereiken. Nogmaals gecondoleerd met je verlies, Franz.'

15

De dagen werden steeds minder scherp afgebakend, vloeiden met een naad-
loze lethargie in elkaar over. Fabel had enkele uurtjes onderbroken slaap
meegepikt op het hoofdbureau, maar het feit dat er twee moorden waren
gepleegd, op volkomen verschillende manieren uitgevoerd door dezelfde
moordenaar, betekende dat hij, ondanks alle mankracht die hij ter beschikking had, zichzelf en zijn team harder en langer opjoeg dan goed was. Ze waren allemaal moe. Als je moe bent, werk je niet op de meest efficiënte manier.
En ze maakten jacht op een hoogst efficiënte moordenaar.

Het was al ochtend voordat Fabel tijd had gevonden om naar huis te gaan
voor een paar uurtjes slaap en een douche die zijn zintuigen en zijn denkvermogen hopelijk zouden verfrissen.

Tot zijn grote frustratie begon de ochtendspits net toen hij naar huis reed
en het was acht uur toen hij de sleutel van de deur van zijn appartement
omdraaide. Terwijl hij dat deed, kwamen de beelden van Brandts huis hem
voor ogen. Hij verwachtte min of meer opnieuw een scalp in zijn appartement te vinden. Dit was zijn toevluchtsoord geweest. Zijn veilige plek, ver
van de waanzin en de gewelddadigheid van anderen. Nu niet meer. De ruiten waren grondig schoongemaakt, evenals de rest van het appartement,
maar hij had kunnen zweren dat hij een vage geur van bloed rook. De ochtendzon straalde helder in de lucht boven de Alster en stroomde door Fabels naar het oosten gekeerde ramen binnen. Maar in Fabels vermoeide
ogen leek het licht op de een of andere manier steriel en koud. Als in een
mortuarium.

Vlak voor de middag werd hij gewekt door de wekker. Hij had slecht geslapen door de stadsgeluiden om hem heen en toen hij opstond, merkte hij
tot zijn teleurstelling dat het loden gewicht van zijn vermoeidheid nog steeds
aan hem trok. Hij nam een douche en besloot iets te eten voordat hij weer
naar het hoofdbureau ging.

'Er ligt een pakje op je bureau, chef,' zei Anna toen Fabel op weg naar zijn kantoor langs de afdeling Moordzaken liep. 'Vanmorgen aangekomen toen je weg was. Gezien alles wat er gebeurd is, heeft Beveiliging het beneden achtergehouden en twee keer door de scanner gehaald. Het is veilig.'

'Bedankt.' Fabel ging zijn kantoor binnen en hing zijn jasje over de rugleuning van zijn stoel. Het was een groot, dik pak en toen hij het opende, vond hij een dik dossier in een blauwe map, bijeengehouden door twee dikke elastieken. Onder een ervan zat een cassettebandje, onder het andere een kaartje met 'Hartelijke groeten'. Hij pakte het kaartje en staarde er lange tijd naar, bijna alsof hij, hoewel het handschrift netjes en leesbaar was, niet begreep wat het betekende.

Zoals beloofd. Hoop dat u er iets aan hebt. Hartelijke groeten, Ingrid Fischmann.

Hij staarde naar het briefje geschreven door de vrouw die hij slechts twee weken geleden had gesproken. Het leek onmogelijk dat in die korte tijd de intelligentie, het wezen achter dat handschrift was vernietigd.

Hij verwijderde de cassette en de elastieken van de map. Ingrid Fischmann had nauwgezet een dossier samengesteld van alle informatie die ze had over de Herrezenen, plus achtergrondinformatie over Baader-Meinhof en andere militante en terroristische groepen. Ze had artikelen, foto's en dossiers gefotokopieerd en gescand. Er was niet één origineel bij; ze had de moeite genomen om voor Fabel kopieën te maken van alle belangrijke dossiers. Maar wat hij nu in zijn hand hield, was alles wat er van Ingrid Fischmanns werk over was, de geest van de originelen die ze zo verstandig was geweest veilig te bewaren, maar die vernietigd waren door de explosie en de daaropvolgende brand.

Het duurde even voordat hij een cassetterecorder had gevonden en nog eens een vol kwartier voordat die in zijn kantoor werd afgeleverd. Terwijl hij wachtte, bladerde hij door het andere materiaal in de map. Het was veel en hij zou veel tijd nodig hebben om het gedetailleerd door te nemen, maar hij wist dat hij wel zou moeten. Deze informatie kon het nietigste detail, de dunste draad bevatten die zou zorgen voor de samenhang waarnaar hij zo wanhopig op zoek was.

Nadat de uniformagent de cassetterecorder had afgegeven, deed Fabel de deur van zijn kantoor dicht, voor iedereen die met hem samenwerkte het signaal dat hij niet gestoord wilde worden, en schakelde zijn voicemail in. De cassette die Ingrid Fischmann hem had gestuurd, had niet de kwaliteit van de oorspronkelijke opname en toen hij de startknop indrukte, maakte het ruisen duidelijk dat het waarschijnlijk een kopie van een kopie was. Hij zette het geluid wat harder om dat te compenseren. Er klonk wat gestommel en het gesmoorde geluid van een microfoon die verplaatst werd. Toen de stem van een man.

'Mijn naam is Ralf Fischmann. Ik ben 39 en ik was vroeger chauffeur van meneer Thorsten Wiedler van de Wiedler Industriegroep. In die functie ben ik drie keer beschoten, één keer in mijn zij en twee keer in mijn rug, door de terroristen die meneer Wiedler hebben ontvoerd. Ik begrijp niet wat ik heb misdaan, dat ik het verdiende om neergeschoten te worden. Maar wat dat betreft begrijp ik evenmin wat voor verschrikkelijks meneer Wiedler heeft gedaan dat hij het verdiende om van zijn gezin te worden weggerukt.

Het is ruim twee maanden geleden dat ik werd neergeschoten. De dokters deden aanvankelijk vrolijk optimistisch en zeiden dat het net zoiets was als een wond die tijd moest krijgen om te genezen. Dat, wanneer de zwelling in mijn ruggengraat minder werd, wie weet...? Nou, de zwelling is weg en ze klinken niet zo optimistisch meer. Ik ben verlamd. Ik zal nooit meer kunnen lopen. Ik weet het, en de dokters weten het ook, maar ze willen het niet toegeven. Ik ben een eenvoudig man. Ik ben niet dom, maar ik heb nooit veel ambities gehad. Het enige wat ik wilde was hard werken, voor mijn gezin zorgen en een zo goed mogelijk mens zijn. Om de een of andere reden nam iemand aanstoot aan de manier waarop ik heb geleefd, eerlijk en bescheiden. Zoveel aanstoot dat ze het nodig vonden kogels in mijn ruggengraat te schieten.

Ik heb drie jaar voor meneer Wiedler gewerkt. Hij was een goed mens. Ik gebruik de verleden tijd omdat het me hoogst onwaarschijnlijk lijkt dat hij nog leeft. Een goed mens en een goede werkgever. Hij was afkomstig uit Keulen en was vriendelijk en nuchter... Hij behandelde al zijn werknemers als gelijken. Als je iets verkeerd deed, iets waar hij niet tevreden over was, zei hij dat. Evengoed gaf hij je een rondje in de kroeg en praatte hij met je over je gezin. Hij vroeg altijd hoe het ging met mijn dochter Ingrid en mijn zoon Horst. Hij wist dat Ingrid een slimme meid is en verzekerde me dat ze het ver zou schoppen.

Het werk dat ik voor meneer Wiedler deed, bestond voornamelijk uit chaufferen. Ik reed hem iedere dag heen en weer van huis naar kantoor en naar vergaderingen in Hamburg en de hele Bondsrepubliek. Meneer Wiedler had namelijk een hekel aan vliegen. Als we naar de andere kant van het land reden, naar Stuttgart of München bijvoorbeeld, verdreef hij de verveling van de lange rit over de snelweg door met me te praten. Soms zat hij achterin wat te schrijven, maar meestal kwam hij voorin zitten praten. Meneer Wiedler was een echte prater. Ik vond hem heel aardig en de soort man die ik, als hij niet mijn werkgever was geweest, graag mijn vriend zou hebben genoemd. Ik denk graag dat hij hetzelfde dacht over mij.

Op de ochtend van 14 november 1977 zaten we samen in de auto. Ik had meneer Wiedler zoals gewoonlijk opgehaald bij hem thuis in Blankenese. Anders dan op de meeste ochtenden, wanneer ik meneer Wiedler rechtstreeks naar zijn kantoor bracht, had ik hem wat later in de ochtend opgehaald en we reden rechtstreeks naar Bremen, waar meneer Wiedler een bespreking had met een cliënt. Dat is iets wat ik me sinds de ontvoering steeds heb afgevraagd. Ik zou het beter begrepen hebben als de hinderlaag op onze normale route naar het hoofdkantoor van Wiedler was gelegd, in noordelijke richting, maar ze wachtten ons op op de weg naar het centrum, waar we de A1 richting Bremen zouden nemen. Ik kan alleen maar concluderen dat de terroristen iemand binnen het bedrijf hadden of dat enkele bendeleden ons waren gevolgd vanaf het huis van meneer Wiedler en via walkietalkies in contact stonden met de anderen.

Het was rond halfelf in de ochtend. We wilden net de snelweg oprijden toen ik een zwart Volkswagenbusje zag; het stond stil, maar zodanig scheef dat het leek alsof het plotseling was uitgeweken. Een man in kostuum zwaaide heftig met zijn armen en midden op de weg lag iets wat een lichaam leek. Het zag eruit alsof de persoon op de weg door het busje was aangereden. Ik stopte aan de kant van de weg. Achter ons reed een andere auto en die stopte ook. Meneer Wiedler en ik renden naar de gewonde op de weg. Uit de auto achter ons stapte een jong stel dat ons volgde. Toen we bij het lichaam kwamen, zagen we dat het een blauwe overall droeg en we konden niet zien of het een man of een vrouw as. Toen sprong de persoon die op de grond lag opeens overeind en we zagen dat hij een skibril op had. Ik denk dat het een man was, maar geen bijzonder grote man. Hij had een halfautomatisch wapen. De man in kostuum en overjas haalde een handwapen tevoorschijn en richtte het op ons. We verstarden, meneer Wiedler en ik en het jonge stel. Plotseling sprongen er nog twee mensen in blauw ketelpak en skibril uit het vwbusje. Ze hadden handmitrailleurs. Ik weet nog dat ik dacht dat de terrorist die zich als zakenman voordeed de enige was die geen skibril op had en ik zorgde ervoor dat ik hem goed kon bekijken. Hij merkte het, werd kwaad en riep tegen mij en de anderen dat we moesten stoppen met kijken.

De twee gemaskerde mannen uit het vw-busje renden op ons af, pakten meneer Wiedler beet en sleurden hem mee naar het busje terwijl de twee anderen ons onder schot hielden. Ik deed een stap naar voren en de man in de overall hief zijn wapen op, dus ik bleef staan stak mijn handen in de lucht. Dat was alles. Verder deed ik niets en het was te laat om in actie te komen. Daarom begrijp ik niet waarom hij op me schoot. De man in kostuum zei dat ik weer naar hem keek en het volgende wat ik me herinner was het geluid van zijn wapen. Ik weet nog dat ik toen dacht dat ze losse flodders gebruikten, want hij had me op die afstand onmogelijk kunnen missen, maar ik voelde geen pijn, geen klap. Niets. Toen voelde ik iets nats in mijn zij en langs mijn been druipen. Ik keek omlaag en zag dat ik bloedde uit een wond net boven mijn heup. Ik draaide me om en wilde naar de auto lopen. Ik dacht niet na; het moet de schok zijn geweest. Ik weet alleen nog dat ik dacht dat ik naar de auto moest lopen en gaan zitten. Toen hoorde ik nogmaals twee schoten en ik wist dat ik in mijn rug was geraakt. Mijn benen begaven het en ik viel languit op mijn gezicht. Ik hoorde de vrouw van het jonge stel gillen, en daarna het piepen van banden toen het busje wegreed met meneer Wiedler erin. Ik zag het niet omdat ik op mijn buik lag, maar ik weet dat het dat was.

Het jonge stel rende naar me toe en toen rende de vrouw de weg af om hulp te halen terwijl de jongeman bij me bleef. Het was een raar gevoel. Ik lag daar met mijn wang tegen het wegdek gedrukt en ik weet nog dat ik dacht dat het warmer aanvoelde dan ikzelf. Ik weet ook nog dat ik dacht dat ik meneer Wiedler in de steek had gelaten. Dat ik meer had moeten doen. Ik ging toch dood, dus ik had het de moeite waard moeten maken. Toen begon ik aan mijn vrouw Helga te denken en aan de kleine Ingrid en Horst en dat ze het zonder mij zouden moeten redden. Op dat moment werd ik heel boos en ik besloot dat ik niet dood wilde. Terwijl ik wachtte op de ambulance, concentreerde ik me uit alle macht op bij bewustzijn blijven en dat deed ik door te proberen me elk detail te herinneren van het gezicht van de man die zijn gezicht niet had kunnen verbergen. Als ze hem konden pakken, dacht ik, zouden ze de rest ook kunnen pakken.

Het zijn die details die ik aan de politietekenaar heb kunnen geven. Ik liet hem de tekening steeds weer overdoen. Toen hij me vroeg of we een goede algemene gelijkenis van de terrorist hadden gemaakt, zei ik ja, maar dat zijn werk er nog niet op zat. Ik zei dat we er een exacte gelijkenis van konden maken van de man die me had neergeschoten. Dus deden we de tekening telkens weer over. Waar we mee eindigden, was geen impressie, het was een portret.

Ik zal de rest van mijn leven aan deze rolstoel gekluisterd zitten. De afgelopen twee maanden heb ik geprobeerd te begrijpen wat deze mensen met geweld denken te bereiken. Ze zeggen dat het een revolutie is, een opstand. Maar een opstand waartegen? De tijd zal komen dat ik genoegdoening zal krijgen. Misschien ben ik dan dood, maar dit bandje en het portret dat ik heb helpen maken van de terrorist die me heeft neergeschoten zijn mijn verklaring.'

Fabel zette het bandje stil. Nu begreep hij waarom Ingrid Fischmann zo gemotiveerd was geweest om de waarheid aan het licht te brengen. De stem op het bandje had Fabel het gevoel gegeven dat hij verplicht was de mensen die Thorsten Wiedler hadden ontvoerd en vermoord en die Ralf Fischmann hadden veroordeeld tot een kort en ongelukkig levenseinde in een rolstoel, te vinden; hij kon zich geen voorstelling maken van de druk die Ingrid, als Fischmanns dochter, moest hebben gevoeld.

Hij opende de map en zocht naar de politietekening die Ralf Fischmann op het bandje beschreven had. Hij vond hem. Een elektrische stroom liep door zijn huid en zette zijn nekharen overeind. Ralf Fischmann had gelijk gehad: hij had de politietekenaar tot ver voorbij de gebruikelijke grenzen gedreven van de tekeningen die ze normaliter lieten rondgaan van verdachten. Het was inderdaad een portret.

Fabel keek strak naar een heel reëel gezicht van een heel reëel persoon. En het was een gezicht dat hij herkende.

'Nu begrijp ik je, klootzak,' zei Fabel hardop tegen het gezicht vóór hem. 'Nu weet ik waarom je nooit op de foto wilde. Alle anderen hadden hun gezicht verborgen... jij was de enige die gezien werd.'

Fabel legde de tekening van een jonge Gunter Griebel op zijn bureau, stond op en gooide de deur van zijn kantoor open.

13.20 uur, Hoofdbureau van Politie, Hamburg

Werner had het hele team bijeengeroepen in de grote vergaderzaal. Fabel had hem gevraagd de vergadering te beleggen om zijn ontdekking over Gunter Griebel te kunnen meedelen. Het was nu duidelijk dat alle slachtoffers lid waren geweest van de terreurgroep van Rode Franz Mühlhaus, de Herrezenen. Het was ook meer dan waarschijnlijk dat ze allemaal betrokken waren geweest bij de ontvoering van en de moord op Thorsten Wiedler. Fabel was ervan overtuigd dat die het motief voor deze moorden vormden, maar degene die het sterkste motief had om die moorden te plegen, Ingrid Fischmann, was zelf dood. Ze had het over een broer gehad. Fabel had besloten haar broer te laten opsporen en zijn doen en laten na te trekken op het tijdstip van elk van de moorden.

Maar alle ideeën van Fabel zouden achterhaald worden.

De meesten van het team van Moordzaken hadden net als Fabel de laatste dagen veel te weinig slaap gekregen, maar hij merkte dat iets alle vermoeidheid uit hen had verdreven. Ze zaten vol verwachting rondom de kersenhouten vergadertafel en een rij dode, van hun scalp beroofde gezichten – Hauser, Griebel, Schüler en Scheibe – keek vanaf het informatiebord op hen neer. Ze hadden geen tijd gehad om een foto van het laatste slachtoffer, Beate Brandt, te zoeken, maar Werner had haar naam naast de foto's geschreven, een ruimte voor haar gereserveerd temidden van de doden, als een pas gedolven maar nog leeg graf. In het midden boven de rij slachtoffers straalde de intense blik van Rode Franz Mühlhaus vanaf de oude politiefoto door het vertrek.

'Wat hebben jullie?' Fabel ging aan het hoofd van de tafel zitten die het dichtst bij de deur stond en wreef met de muis van zijn handen door zijn ogen, alsof hij de vermoeidheid eruit wilde verdrijven.

Anna Wolff stond op.

'Nou, om te beginnen zijn we gewezen op de aangifte van een vermiste. Een zekere Cornelius Tamm is als vermist opgegeven.'

'De zanger?' vroeg Fabel.

'Die, ja. Een beetje voor mijn tijd, vrees ik. Hij kwam in beeld omdat Tamm een leeftijdgenoot is van de andere slachtoffers. Hij is drie dagen geleden verdwenen na een optreden in Altona. Ook zijn bestelwagen is niet gevonden.'

'Wie is er mee bezig?' vroeg Fabel.

'Ik heb er een team op gezet,' zei Maria Klee. Ze zag er even moe uit als Fabel zich voelde. 'Een paar van de extra agenten die we toegewezen hebben gekregen. Ik heb ze verteld dat ze waarschijnlijk naar het volgende slachtoffer zoeken.'

'Alles goed met je?' vroeg Fabel. 'Je ziet er afgetobd uit.'

'Het gaat wel... alleen hoofdpijn.'

'Wat hebben we nog meer?' Fabel richtte zich weer tot Anna.

'We hebben geprobeerd uit te zoeken wat dit allemaal te betekenen heeft.' Anna Wolff glimlachte. 'Is Rode Franz Mühlhaus, al twintig jaar dood gewaand, uit zijn graf opgestaan? Nou, misschien wel. Ik heb alle dossiers die we over Mühlhaus hebben bekeken, en alle media-aandacht uit die tijd.' Anna zweeg en bladerde door de map die voor haar op tafel lag. 'Misschien is Rode Franz teruggekeerd om wraak te nemen. In de gedaante van zijn zoon. Mühlhaus was niet alleen op dat perron in Nordenham. Zijn vaste vriendin, Michaela Schwenn, en hun zoontje van tien waren bij hem. De jongen heeft alles gezien. Heeft zijn vader en zijn moeder zien sterven.'

Fabel voelde een tinteling in zijn nek, maar hij zei: 'Dat betekent niet dat zijn zoon op wraak uit is.'

'Volgens de GSG9-agenten ter plaatse was Mühlhaus laatste woord "verraders". Deze moorden zijn geen willekeurige psychotische aanvallen, chef. Dit draait om wraak. Een bloedvete.' Anna zweeg weer. Er speelde een vage glimlach rond de hoeken van haar volle, rode lippen.

'Oké...' zei Fabel met een zucht. 'Laat maar horen. Je hebt blijkbaar een genadeslag in petto...'

Haar glimlach werd breder. Ze wees naar de zwart-witfoto van Mühlhaus op het informatiebord.

'Grappig, nietwaar, hoe sommige beelden iconen worden. Hoe we een beeld automatisch associëren met een persoon en de persoon met een tijd en een plaats, met een idee...'

Fabel keek ongeduldig en Anna ging verder.

'Ik weet nog hoe geschokt ik was toen ik een foto zag van Ulrike Meinhof voordat ze een terrorist met woeste haren en in spijkerbroek werd. Het was een foto van haar en haar man op een renbaan. Ze was gekleed als een typische, zedige *Hausfrau* uit de jaren zestig. Voordat ze radicaliseerde. Het zette me aan het denken en ik heb meer foto's van Mühlhaus gezocht. Die zijn dun gezaaid, zoals je weet. Die foto daar is de enige die we kennen, de foto die werd gebruikt voor de Opsporing Verzocht-posters in de jaren tachtig. In zwart-wit, maar zoals je ziet heeft Mühlhaus er heel, heel donkere haren op. Gitzwart. Maar toen herinnerde ik me de foto's van Andreas Baader toen hij in 1972 werd gearresteerd. Met asblond geverfde haren.'

Anna pakte een grote, glanzende foto en plakte die naast de politiefoto. Ditmaal was het een kleurenfoto, van een jongere Franz Mühlhaus zonder zijn kenmerkende sik. Maar er was één ding dat het sterkst opviel. Zijn haren. Op het Opsporing Verzocht-biljet waren Mühlhaus' haren strak achterovergekamd van zijn brede, bleke voorhoofd, maar op deze foto vielen ze over zijn voorhoofd en in dichte, verwarde krullen om zijn gezicht. En ze waren rood. Stralend rood met goudkleurige vlekken.

'Zijn bijnaam *Rode Franz* sloeg niet op zijn politieke overtuiging, maar op zijn haren.' Anna legde een vinger op de zwart-witfoto en keek Fabel strak aan. 'Zie je? Toen hij op de vlucht was, verborg hij zijn opvallende rode haren door ze zwart te verven. Het BKA kreeg te horen dat Mühlhaus zijn haar zwart had geverfd en paste de foto aan. Maar dat is niet alles. Mühlhaus' zoontje had blijkbaar dezelfde opvallende haarkleur. En toen ze samen op de vlucht waren, verfde Mühlhaus ook de haren van zijn zoon.'

Het bleef even stil toen Anna uitgepraat was. Toen verwoordde Werner wat ze allemaal dachten.

'Stik. Dat gedoe met de scalpen en de haarverf.' Hij wendde zich tot Fabel. 'Nu heb je je symboliek.'

'Weten we wat er van de zoon is geworden?' vroeg Fabel aan Anna.

'De Sociale Dienst wil het dossier niet vrijgeven voordat we een gerechtelijk bevel hebben om het in te zien. Ik ben er al mee bezig.'

Fabel staarde naar de foto van de jonge Mühlhaus. Hij moest er een jaar of twintig op zijn. Het was duidelijk een amateurfoto, buiten genomen in het zonlicht van een lang verstreken zomer. Mühlhaus glimlachte breed naar de camera en kneep zijn lichte ogen halfdicht tegen de zon. Een zorgeloze, gelukkige jeugd. Er was niets op zijn gezicht te lezen dat duidde op een toekomst vol moord en geweld. Precies zoals Anna had gezegd over de foto van Ulrike Meinhof had Fabel zulke foto's altijd fascinerend gevonden: iedereen had een verleden. Iedereen was iemand anders geweest.

Fabels aandacht richtte zich op de haren, die rood en goudblond glansden in de zomerzon. Hij had zulk haar eerder gezien. Hij had het slechts enkele uren geleden gezien.

'Anna...' Hij draaide zich om van het informatiebord.

'Chef?'

'Trek de achtergrond van Beate Brandt na, met voorrang. Ik wil weten in wat voor relatie ze eventueel stond tot Franz Mühlhaus.' Hij wendde zich tot Werner. 'En trek jij het adres na dat Franz Brandt ons heeft gegeven. Ik geloof dat we nog eens met hem moeten praten.'

Op dat moment ging Fabels mobiele telefoon over. Het was Frank Grueber, die de leiding had over het forensische team in het huis van Beate Brandt.

'Ik neem aan dat je weer een haar hebt gevonden?' zei Fabel.

'Inderdaad,' zei Grueber. 'Onze man wórdt poëtisch. Hij had hem op het kussen naast haar lichaam achtergelaten. Maar dat is nog niet alles. We hebben het hele huis doorzocht om te kijken of de moordenaar een fout heeft gemaakt toen hij het huis binnendrong.'

'En?'

'En we hebben sporen gevonden in een bureaula. In de slaap-studeerkamer van haar zoon. Het lijkt erop dat daar een hoeveelheid explosieven heeft gelegen.'

14.10 UUR, EIMSBÜTTEL, HAMBURG

Alles was voor Fabel op zijn plaats gevallen terwijl ze door Hamburg scheurden naar het adres in Eimsbüttel dat Franz Brandt aan Werner had gegeven.

Brandt was koelbloedig geweest. Heel koelbloedig. Toen Fabel hem had verhoord, had Brandt hem gevraagd waarom de moordenaar de haren rood verfde. Hij had het al geweten, maar hij had zijn quasiverdriet gebruikt om zijn bedoeling te verheimelijken terwijl hij de ondervrager ondervroeg, had geprobeerd erachter te komen hoeveel de politie wist over zijn motieven. Hij had zelfs een poster van de andere Rode Franz, het veenlijk, boven zijn hoofd aan de muur hangen en had verteld dat 'Rode Franz' zijn bijnaam was geweest op de universiteit.

Het klopte allemaal: hetzelfde haar, hetzelfde beroep, zelfs dezelfde voornaam. Ook Brandts leeftijd klopte. Fabel vermoedde dat Beate Brandt zich over de tienjarige Franz had ontfermd nadat hij er getuige van was geweest dat zijn vader en zijn biologische moeder waren omgekomen tijdens het vuurgevecht op het perron in Nordenham. Misschien had Beate zich laten leiden door schuldgevoelens. Wat voor verraad er ook precies was gepleegd, zij had eraan meegedaan en hoewel ze hem had opgevoed als haar zoon, had Franz haar op dezelfde rituele manier behandeld als hij zijn andere slachtoffers had bewerkt.

Ze stopten bij het kordon dat de MIC-eenheid aan het begin van de straat had opgetrokken. Het eerste wat Fabel had geregeld, was het inzetten van een gewapende MIC-eenheid. Fabel had zich vaak afgevraagd of er eigenlijk wel verschil was tussen een terrorist en een seriemoordenaar: beiden moordden in grote aantallen, beiden werkten volgens een abstracte agenda die voor anderen vaak onbegrijpelijk was. Brandt echter had het verschil als geen ander vervaagd. Zijn wraaknemingen werden uitgevoerd met de rituele symboliek van een zware psychose, maar tegelijkertijd legde hij geraffineerde bommen om af te rekenen met iedereen die een bedreiging vormde. En toen Brandt Fabel had gebeld op zijn mobiele telefoon om te zeggen dat hij op een bom zat, had hij stemvervormingstechiek gebruikt, voor het geval Fabel zijn stem zou herkennen van hun eerdere vluchtige ontmoeting in de opgraving in HafenCity.

Het adres dat Franz Brandt had gegeven, was dat van een vier verdiepingen tellend flatgebouw met een ingang vlak aan de straat, wat de mogelijkheid om het appartement bij verrassing te bestormen beperkte.

'Laat uw mannen de achterkant onder schot houden,' zei Fabel tegen de MIC-commandant. 'Die knaap weet niet dat we hem verdenken en ik heb een plausibele reden om hem nogmaals te ondervragen over de dood van zijn moeder. Als ze tenminste zijn biologische moeder was. Ik neem twee van mijn mensen mee naar boven.'

'Afgaand op wat u me over die man hebt verteld, lijkt het me niet verstandig,' zei de MIC-commandant. 'Zeker niet als hij inderdaad zo behendig is met explosieven als hij lijkt te zijn. Ik heb contact opgenomen met de explosievenopruimingsdienst en er is een eenheid onderweg. Ik stel voor dat we wachten tot ze er zijn en dan gaan mijn mannen naar binnen met steun van de explosievenopruimingsdienst.'

Fabel wilde protesteren, maar de MIC-commandant viel hem in de rede. 'U en uw mensen kunnen ons naar binnen volgen, maar als u het per se alleen wilt doen, zouden er wel eens doden kunnen vallen.'

De woorden van de MIC-man prikkelden Fabel. Hij had het eerder meegemaakt, een confrontatie met een gevaarlijke tegenstander in een beperkte ruimte. En het had levens gekost.

'Oké,' gaf hij toe. 'Maar ik wil hem levend hebben.'

Het gezicht van de MIC-commandant betrok. 'Dat is altijd onze doelstelling, hoofdinspecteur. Maar deze man is klaarblijkelijk een professionele terrorist. Zo gemakkelijk gaat het niet altijd.'

Fabel, Maria, Werner, Anna en Henk kregen ieder een kogelwerend vest en volgden het vier agenten sterke MIC-team en een bomspecialist langs de voorgevel van het gebouw, diep voorovergebogen rennend en zo dicht mogelijk tegen de muur gedrukt. Eenmaal binnen gaf de MIC-commandant met een gebaar te kennen dat Fabel en zijn medewerkers in de hal moesten blijven terwijl het gewapende team de trap op ging. Fabel vond het opmerkelijk dat fors gebouwde, zwaar bewapende en in kogelwerende vesten gestoken mannen zich zo geruisloos konden bewegen.

De stilte woog zwaar op het team van de afdeling Moordzaken in de lobby en werd toen tegelijk met de deur boven verbrijzeld toen het MEK-team naar binnen stormde. Fabel en de anderen konden het geroep van het MIC-team in de lobby horen. Toen stilte. Fabel beduidde zijn team hem de trap op te volgen en ze bleven op de overloop staan.

De MEK-commandant kwam weer uit het appartement. 'Niemand. Maar wacht daar terwijl de explosievenopruimingsdienst alles heeft gecheckt.'

Bij die woorden rende een tweede in blauwe overall gestoken technicus langs hen heen de trap op.

'Barst maar,' zei Fabel. 'Brandt vermoedt niets. En dit is de flat van zijn vriendin. Hij zal hier echt geen bom hebben geplaatst. Ik ga naar boven.' Hij rende met twee treden tegelijk de trap op, volgde de bomexpert de flat in en wuifde de bezwaren van de MIC-commandant weg. Werner haalde zijn schouders op en ging zijn baas achterna, gevolgd door Maria, Anna en Henk.

Het appartement was klein en de hele inrichting en de meubels wezen op een vrouwelijke bewoner. Fabel vermoedde dat Brandt hier niet vaak was. Het was duidelijk dat de jonge archeoloog ook de kamer bij zijn moeder thuis niet vaak gebruikte en Fabel bedacht dat Brandt misschien nog een ander onderkomen had, een schuilplaats waar ze niets van wisten. Het had geen nut te blijven rondhangen, de kleine flat wemelde van agenten. Fabel zag in één oogopslag dat het zinloos was de flat te doorzoeken, al zou hij wel een forensisch team moeten laten komen zodra de flat veilig werd verklaard.

Maria's mobiele telefoon ging over. Ze had moeite om de beller boven de herrie in de flat uit te verstaan en liep de hal in.

Het was zo'n moment waarop duizend gedachten, duizend mogelijkheden in onmetelijk korte tijd door iemands hoofd schieten. Het begon ermee dat een van de bomexperts, met zijn rug naar de anderen, plotseling zijn hand opstak en één enkel woord riep: 'Stil!'

Op dat moment hoorde Fabel het. Een piepend geluid. De tweede bomexpert voegde zich bij de eerste, zette zijn helm af en draaide zijn oor naar het geluid. Iedereen draaide zich op hetzelfde moment om en volgde de blik van de bomexperts.

Het stond op de cd-speler. Op het eerste gezicht leek het niet meer dan een willekeurig audioapparaat, een grijs metalen doosje met een rood lampje dat op de maat van het geluid knipperde.

Terwijl Fabel ernaar staarde, gehypnotiseerd door het rode licht dat op het ritme van het piepen knipperde, vroeg hij zich af waarom hij stokstijf bleef staan in plaats van voor zijn leven te rennen.

Op dat moment ging het piepen over in een constant geluid en het rode licht op de ontsteker hield op met knipperen en bleef branden.

Toen Maria met haar mobiele telefoon nog in de hand de flat weer binnen kwam, leken de gezichten die haar aankeken ontdaan van alle kleur en uitdrukking.

'Heb ik iets gemist?' vroeg ze.

'Dat niet,' zei Fabel. 'Ik denk dat iets óns op een haar na gemist heeft.'

De bomexpert had de grijze metalen ontsteker in zijn in een zwarte handschoen gestoken hand en de draden bungelden erbij. Toen het lampje constant rood was gaan branden, was hij naar voren gesprongen en had de ontsteker met draden en al losgerukt. 'Niets te verliezen,' legde hij later uit. Zijn collega pakte voorzichtig de cd-speler en de versterker van de planken.

'Hebbes,' zei hij terwijl hij een grijs, in plastic gewikkeld pakje van de achterkant verwijderde. 'Het is veilig.'

'Goed gedaan,' zei Fabel tegen de eerste technicus. 'Als je niet zo snel was geweest...'

De bomexpert schudde zijn hoofd. 'Ik ben bang dat het niet mijn verdienste is. Het was meer een reflex dan iets anders. Ik kon onmogelijk snel genoeg zijn om de ontsteker op tijd te los te koppelen. Het apparaat zelf heeft het laten afweten. Het is om de een of andere reden niet afgegaan. Ik vermoed dat de ontsteker defect was. Het lijkt me onwaarschijnlijk dat de bedrading heeft losgelaten; afgaande op de bom onder uw auto is deze knaap behoorlijk nauwgezet.'

De andere technicus liet het pakketje met explosieven voorzichtig in een dikwandige container zakken. 'De bom was zwaar genoeg om iedereen in de flat te doden, maar zou het gebouw niet verwoest hebben; alleen de ramen zouden tot halverwege Buxtehude zijn geblazen.'

'Ik geloof dat ik echt iets heb gemist,' zei Maria.

'Wie had je aan de lijn?' vroeg Fabel.

'O... Frank. Ik bedoel Frank Grueber. Hij is net terug van de plaats delict in het huis van de moeder van Brandt. Hij heeft wat haar meegenomen uit Brandts slaapkamer. Uit een haarborstel. Hij heeft een DNA-analyse gedaan om te zien of er een familieverband is tussen zijn haren en die oude haar.'

'En?'

'Genoeg overeenkomsten om een bloedverwantschap te suggereren. Waarschijnlijk vader en zoon. Het lijkt erop dat we de Rode Franz junior hebben gevonden.'

Er is een soort vermoeidheid die intreedt na uiterst gevaarlijke, dreigende situaties. De adrenaline die door het lichaam is gestroomd, blijft achter en slorpt het laatste beetje energie op. Spieren die niets gedaan hebben, maar gespannen hebben gestaan als vioolsnaren, beginnen pijn te doen en een nerveuze, misselijkmakende uitputting neemt beslag van je geest en je lichaam. Toen Fabel terugliep naar zijn auto was hij volkomen uitgeput. Werner liet zijn geruststellende massa op de passagiersstoel van Fabels BMW zakken. Ze bleven even zitten zonder iets te zeggen.

'Ik word te oud voor dit gedoe,' zei hij. 'Ik dacht echt dat we het gehad hadden daarbinnen. Ik ben nog nooit zo bang geweest.'

Fabel zuchtte. 'Ik helaas wel, Werner. Dat was al de derde keer dat ik aan het verkeerde eind van een bom stond en ik heb er genoeg van. Het enige wat ik wilde, was mensen beschermen. Dát was voor mij de zin van politieagent zijn: onszelf opstellen tussen de gewone man of vrouw of kind en gevaar. Jaren geleden, toen Renate en ik nog samen waren en Gabi een kind was, waren we in de Verenigde Staten op vakantie. In New York. Ik weet nog dat ik een politieauto van de NYPD zag passeren. Op de zijkant stond *To Protect and Serve*. Ik weet nog dat ik dacht dat we dat eigenlijk op alle auto's van de Hamburgse politie moesten zetten. Ik dacht: dat is wat ik doe, wat ik ben...'

'Jan,' zei Werner, 'het is een verdomd lange dag geweest. Laat mij rijden. Ik breng je wel naar huis.'

'Wat doen we hier, Werner? Een of andere gek neemt wraak op mensen die twintig jaar geleden samenzwoeren om anderen te doden. Een moordenaar die moordenaars doodt. Je moet toegeven dat er een soort natuurlijke gerechtigheid in schuilt. Ons land werd bijna verscheurd door die klootzakken. Ik heb nog steeds kogelscherven in mijn lichaam uit het wapen van een meisje van zeventien. En waarvoor? Wat heeft de dood van Franz Weber bereikt? Of wat doordat ik een jong meisje dwars door haar hoofd schoot, dat alleen maar had moeten denken aan jongens en aan wat ze zou aantrekken voor de disco? Ze zou nu achtendertig zijn geweest, Werner. Als ik haar niet gedood had. Als Svensson haar niet in zijn macht had gekregen, zou ze haar kinderen naar school hebben gebracht. En misschien zou ze af en toe hebben gedacht: was ik niet krankzinnig toen ik jong was? Wat verwachtte ik? Ze zou kinderen hebben gehad, Werner. Een hele generatie is uitgewist doordat ik een trekker overhaalde.'

'Dat is ons werk, Jan,' zei Werner. 'Als jij niet bij die bankoverval was geweest, zou er iemand anders zijn gestorven. Misschien veel meer mensen.'

'Ik wil een nieuw leven beginnen, Werner. Een leven ver van dit alles vandaan. Ik heb Van Heiden verteld dat dit mijn laatste zaak is. Het is voorbij, ik neem ontslag bij de Hamburgse politie zodra deze klootzak achter de tralies zit. Een oude schoolkameraad heeft me een baan aangeboden. Ik neem het aan.'

'Dat kun je niet menen, Jan. Het kan me niet schelen wat je zegt, maar we zouden nooit zoveel veroordelingen hebben bereikt als jij niet de leiding had gehad. En ondanks al je gepraat over de dood, elke keer dat je een moordenaar hebt opgeborgen, heb je god mag weten hoeveel levens gered.'

'Dat is misschien zo, Werner, maar het wordt tijd dat iemand anders het doet.' Fabel wierp zijn vriend een vermoeide, bedroefde glimlach toe. 'Mijn besluit staat vast. Maar goed, laten we terug naar het hoofdbureau gaan. Ik moet eerst iets afmaken.'

Fabel had de contactsleutel al omgedraaid toen hij Werners hand op zijn arm voelde. Toen Fabel zich naar hem toe keerde, keek Werner als gehypnotiseerd recht naar voren door de voorruit.

'Zeg dat ik geen spoken zie,' zei Werner met een hoofdbeweging naar het politiekordon.

Fabel volgde zijn blik. Een jong stel was in een heftige discussie gewikkeld met een uniformagent en de man wees naar het flatgebouw.

Fabel en Werner gooiden tegelijkertijd de portieren open en sprinten naar waar Franz Brandt met de politieagent stond te argumenteren.

21.30 UUR, HOOFDBUREAU VAN POLITIE, HAMBURG

Fabel had het verhoor van Franz Brandt geleid. Anna en Henk hadden zijn vriendin, Lisa Schubert, meegenomen naar een andere verhoorruimte. Franz Brandt had eerst beduusd en ongelovig, daarna bezorgd en uiteindelijk verbitterd en woedend op Fabels vragen gereageerd. Hij beweerde niets van de bom in Schuberts appartement te weten en werd steeds bozer over de suggestie dat hij op wat voor manier ook bij de dood van zijn moeder betrokken was. Nadat Fabel het verhoor had opgeschort en Brandt naar een cel was gebracht, sprak hij met Anna en Henk, die bevestigden dat Lisa Schubert op ongeveer dezelfde manier had gereageerd. Ze had zelfs tekenen van lichte shock vertoond.

Het zinde Fabel niet. Brandt was al die tijd zo slim en voorzichtig te werk gegaan. Hij scheen hen altijd een stap voor te zijn. Deze ondoordachte strategie van doorzichtige ontkenningen paste gewoon niet bij hem. Anderzijds, als hij deze misdaden had begaan, was hij natuurlijk zwaar gestoord.

Fabel keerde terug naar zijn kantoor. Hij had Maria al eerder naar huis gestuurd; ze zag er beroerd uit en haar hoofdpijn was niet gezakt. Anna en Henk waren gebleven. Het huiszoekingsbevel was gekomen en Anna had de codes en wachtwoorden om in de dossiers van de Sociale Dienst te komen. Momenteel concentreerden ze zich op het wettelijk vaststellen dat Franz Brandt de tienjarige jongen was geweest die Rode Franz Mühlhaus in het station van Nordenham had zien sterven. De jongen die gehoord had hoe zijn vader met zijn laatste woorden opriep tot wraak op degenen die hem hadden verraden. Na afloop van het verhoor zei Fabel tegen Werner dat hij naar huis kon gaan om wat uit te rusten, maar Werner had gezegd dat hij eerst dingen te doen had op kantoor.

Fabel haalde het dossier van Ingrid Fischmann uit de lade en legde het op zijn bureau. Daarbij slaakte hij de zucht van een man die bekend terrein opnieuw verkent op zoek naar antwoorden.

21.30 UUR, OSDORF, HAMBURG

Grueber had Maria twee codeïnetabletten gegeven en was zich toen gaan douchen. Ze ging naar de grote keuken voor een glas water om ze mee in te nemen.

Wat begonnen was als een vage, algemene hoofdpijn, had zich geconcentreerd tot een felle migraine die meedogenloos achter haar netvlies drukte. Ze had altijd iets tegen hoofdpijnpillen gehad, een influistering van de strenge lutheraanse in haar die zei dat het beter was de natuur haar gang te laten gaan. Maar water en Noord-Duits puritanisme waren ditmaal niet genoeg. Ze pakte een glas uit een keukenkast en schonk het vol. Toen ze zich omdraaide, gleed het glas uit haar hand en viel op de betegelde keukenvloer aan gruzelementen. Maria vloekte en keek om zich heen of ze stoffer en blik kon vinden. Ze vond ze in het gootsteenkastje, waar Grueber blijkbaar schoonmaakspullen bewaarde.

Er was iets met een flacon, achter in de kast en achterstevoren gezet, wat Maria's aandacht trok. Ze had het gevoel dat hij opzettelijk uit het zicht was gezet, buiten bereik. Dat was de reden waarom ze op de tegelvloer knielde en haar hand in de kast stak om de flacon naar voren te trekken.

Haarverf.

Het was een krankzinnige conclusie die slechts een fractie van een seconde in haar hoofd brandde. Haar hersenen projecteerden een diavertoning van de plaatsen delict, met de in rode verf gedrenkte scalpen. En Grueber in zijn forensische overall met de haarverf in zijn hand. Toen was het verdwenen. Het was een idiote gedachte; wat kon Frank nou met de slachtoffers te maken hebben? Ze keek opnieuw naar de plastic flacon. Het was donkerbruin, niet rood. Ze zuchtte en wilde hem terugzetten, weifelde en bekeek hem toen nogmaals. Het was Gruebers haarkleur. Diep donkerbruin. Bijna zwart. Verfde Frank zijn haren?

Maria zette de flacon weer achter in de kast, met het etiket naar de muur, zoals ze hem had aangetroffen, en zette de dingen terug die hem grotendeels aan het zicht hadden onttrokken. Ze veroorloofde zich een glimlach om de ijdelheid van haar vriend. Waarom verfde hij zijn haren? Omdat hij vroeg grijs werd? Maria had de foto's van zijn ouders gezien, die dezelfde donkere haren hadden als Grueber, maar voor zover ze het had kunnen zien niet voortijdig grijs waren geworden. Tenzij ook zij hun haren verfden natuurlijk. Ze staarde een ogenblik naar de haarverf onder de gootsteen. Ze begreep niet waarom zo'n nietig raadsel haar diep van binnen zo'n onbehaaglijk gevoel gaf. De flacon was verstopt. Misschien was hij van een ex-vriendin geweest. Maar waarom had Frank hem dan daar neergezet in plaats van hem weg te gooien?

Maria stond op en trapte met haar hak op een glasscherf. Toen ze zich omdraaide stond hij daar. Vlakbij. Te vlakbij. Hij stond waar in haar dromen Vitrenko stond. Zijn ogen hadden een heel andere kleur en vorm, maar Maria zag voor het eerst dat er dezelfde gevoelloze, hardvochtige wreedheid in lag.

Ze wist het. Ze glimlachte en zei luchtig: 'Ik had je niet gezien. Je laat me schrikken.' Maar ze wist het.

Frank Grueber schonk haar een kille, steriele weerspiegeling van haar eigen glimlach. Hij stak zijn hand uit en streelde een korte blonde lok van Maria's voorhoofd naar achter. 'Weet je nog de eerste keer dat we elkaar ontmoetten?' vroeg hij.

Maria knikte. 'Je onderzocht dat lichaam in het Sternschanzen Park. Fabel was weg en ik had de leiding over het onderzoek...' Ze glimlachte opnieuw. Ze probeerde ontspannen te lijken. Haar wapen lag in de gang, op de antieke gangtafel. Zoveel antiek in dit huis. Alles had met het verleden te maken.

'Inderdaad.' Grueber bleef haar haren strelen, haar wang, zijn blik was leeg en op iets anders in een andere tijd gericht. 'Ik weet nog de eerste keer dat ik je zag. Binnen een seconde zat alles vast in mijn hoofd, elke trek, elk gebaar. Het was alsof ik je herkende. Alsof we elkaar vroeger hadden gekend, maar niet meer wisten waar en wanneer. Voelde jij het ook zo?'

Maria overwoog te liegen, maar haalde haar schouders op. Ze probeerde de afstand naar de keukendeur te schatten, daarna naar het gangtafeltje, vervolgens de tijd om haar wapen uit de holster te halen en de veiligheidspal over te halen. Als ze hem hard genoeg raakte...

Grueber glimlachte. Hij bracht zijn andere hand van achter zijn rug naar voren en hief Maria's wapen op, drukte het zachtjes in het zachte vlees onder haar kaakbeen.

'Ik hou van je, Maria. Ik wil je geen pijn doen, maar als het moet, moet het. Dan zullen we tot ons volgende leven moeten wachten om elkaar terug te zien.'

Maria trok haar hoofd terug, maar Grueber handhaafde de druk van de loop, legde zijn andere hand in haar nek en om haar achterhoofd. 'Doe geen domme dingen, Maria. Ik zou niet aarzelen ons allebei te doden. Dwing me alsjeblieft niet. We zijn al eens eerder samen gestorven. Op een perron, lang, heel lang gelden. Maar dit is niet ons moment. Nog niet.'

'Waarom, Frank? Waarom heb je al die mensen vermoord?'

Grueber glimlachte. 'Kom, Maria. Je hebt nog niet alles in dit huis gezien.'

21.45 UUR, HOOFDBUREAU VAN POLITIE, HAMBURG

Anna Wolff boog haar rug en wreef in haar ogen. Ze moest even weg achter het computerscherm. Ze had het afgelopen uur de dossiers van de Sociale Dienst doorgenomen om uit te zoeken waar en wanneer Beate Brandt Franz had geadopteerd. Er was niets te vinden. Ze liep naar de gang en haalde een beker koffie uit de automaat. Er kwamen enkele andere agenten van de afdeling Moordzaken langs en ze praatte even met ze om niet meteen te hoeven terugkeren naar het computerscherm en de eindeloze reeks namen in de dossiers.

Ze liep net terug naar haar kantoor toen Henk binnenkwam.

'Hoe gaat het?' vroeg hij.

Anna trok een gezicht. 'Niet. Ik kan geen enkel dossier vinden over Brandts opname in een kindertehuis of zijn adoptie door Beate Brandt.'

'Dat komt, denk ik, doordat we er al die tijd verkeerd tegenaan hebben gekeken.' Hij ging op de rand van Anna's bureau zitten en glimlachte vaag triomfantelijk. 'Ik denk dat we maar eens naar Fabel toe moesten gaan.'

21.55 UUR, OSDORF, HAMBURG

Maria's hersenen verwerkten alle beschikbare gegevens met de hoogst mogelijke snelheid. Ze probeerde een gordijn te trekken voor de paniek die bonkte om binnen te komen en taxeerde haar situatie. Grueber had haar bevolen haar handen achter haar rug te leggen, waarschijnlijk om haar te kunnen boeien. Dan zou ze machteloos zijn. Maar ze had goede redenen om te geloven dat hij, ondanks zijn krankzinnigheid en ondanks de extreme gewelddadigheid en ritualistische verminking van zijn slachtoffers, haar niet wilde vermoorden. Ze maakte geen deel uit van de reeks. Was geen slachtoffer op zijn lijst. Maar er waren anderen geweest die hem voor de voeten hadden gelopen: Ingrid Fischmann en Leonard Schüler. Hoewel ze niet op zijn lijst stonden, had hij hen vermoord. Hij had Schüler zelfs gescalpeerd om zijn scalp op Fabels raam te kunnen plakken.

Maria herinnerde zich het gesprek met Grueber via haar mobiele telefoon toen ze in het appartement van de vriendin van Franz Brandt was. Hij had het gedaan om haar uit de flat te lokken terwijl hij de bom binnen op afstand tot ontploffing bracht.

Ze deed wat Grueber vroeg en legde haar handen op haar rug. Hij boeide haar polsen met een stuk touw en ze besefte dat hij het wapen moest hebben weggelegd, op het aanrecht. Gedurende een fractie van een seconde schatte ze haar kans om hem uit zijn evenwicht te brengen en het wapen te pakken, maar toen voelde ze het snijden van het touw dat werd strakgetrokken.

Grueber pakte Maria bij de arm, niet ruw, en voerde haar de keuken uit en door de gang naar de trap die vanaf de vestibule naar boven leidde. Onder de trap was een lage, halfronde deur waarvan Grueber eerder had gezegd dat daarachter een kelder vol voorraadkisten was. Hij beduidde Maria met een gebaar van zijn wapen achteruit te stappen terwijl hij de sleutel uit zijn zak haalde. Hij opende de deur, stak zijn hand naar binnen en deed een lamp aan voordat hij Maria wenkte hem voor te gaan naar de kelder.

Toen ze dat deed, begon ze er bittere spijt van te krijgen dat ze het er niet op had gewaagd voordat hij haar handen had geboeid.

22.00 UUR, HOOFDBUREAU VAN POLITIE, HAMBURG

Fabel zat aan zijn bureau naar een foto te kijken en probeerde de betekenis ervan te doorgronden toen zijn telefoon overging. Het was Susanne, die vanuit haar flat belde, en Fabel was heel even de kluts kwijt.

'Alles goed?' vroeg ze. 'Je stem klinkt zo vreemd.'

'Gaat wel,' zei hij, nog steeds naar de foto op zijn bureau kijkend. 'Alleen moe.'

'Hoe laat ben je thuis?'

'Ik weet het niet,' zei Fabel. 'Ik zit tot over mijn oren in het werk. Ik vrees dat het tamelijk laat zal worden. Je hoeft niet voor me op te blijven. Het is waarschijnlijk zelfs beter als ik vannacht thuis slaap. Dan stoor ik je niet als ik binnenkom.'

'Oké,' zei ze met enigszins onzekere stem. 'Dan zie ik je morgen. Is echt alles goed?'

'Echt. Maak je geen zorgen over mij. Ik heb alleen wat slaap nodig. Luister, ik moet verder... Tot morgen.'

Fabel hing op en liet zijn hand op het toestel liggen. Hij herinnerde zich de vele soortgelijke telefoongesprekken met zijn vrouw, Renate, 's avonds laat vanaf de afdeling Moordzaken, een plaats delict of een mortuarium.

Hij had te veel van die gesprekken gevoerd en ze hadden zijn huwelijk en de trouw van zijn vrouw gestaag ondermijnd.

Ditmaal echter was hij tegenover Susanne niet helemaal eerlijk geweest over zijn beweegredenen om niet te komen. Vannacht wilde hij alleen zijn, wilde hij baas zijn over zijn eigen tijd en ruimte om te kunnen nadenken. Hij ging gebukt onder een ondraaglijke last die niet met één enkele, gigantische krachtsinspanning kon worden afgelegd. Het was als puin waar hij zich onder vandaan moest graven, steen voor steen.

En een van de stenen lag voor hem op het bureau.

Iedereen heeft een verleden. Iedereen is iemand anders geweest. Dat was de gedachte die in hem was opgekomen bij het zien van de gezinsfoto van de jonge, pre-terroristische Franz Mühlhaus en toen Anna de foto van de pasgetrouwde Ulrike Meinhof had beschreven. Een leven vóór het leven dat we kennen.

Fabel had de afgelopen twee uur het dossier doorgenomen dat Ingrid Fischmann hem vlak voor haar dood had gestuurd, en had het op zijn bureau voor zich uitgespreid. Krantenknipsels, interviews, een tijdbalk van de ontwikkeling en versnippering van protest-, actie- en terreurgroepen, fotokopieën van boeken over het binnenlandse Duitse terrorisme.

En foto's.

Deze foto op zichzelf had niets te maken met de zaak die hij onderzocht. En niets te maken met wat hem twintig jaar geleden was overkomen. Hij had te maken met iets heel anders, heel iemand anders.

Hij had de foto, met op de achterkant een sticker, achter in Fischmanns dossier gevonden. Hij dateerde uit 1990, toen de vastberadenheid en de bestaansreden van het linkse activisme snel taanden. De Muur was net gevallen en de twee voormalige Duitslanden omarmden elkaar nog vol enthousiasme en hoop. Het was een tijd waarin de wereld miljoenen mensen in heel Oost-Europa in opstand zag komen tegen communistische dictaturen. De oude leuzen van de linkse activisten begonnen hol te klinken, gênant zelfs.

De tekst achter op de foto luidde: 'Christian Wohlmut, anarchist, woonachtig in München, gezocht op verdenking van aanslagen op Amerikaanse overheids- en commerciële belangen in de Bondsrepubliek. Gefotografeerd met onbekende vrouw.'

Onbekende vrouw. De foto was wazig en zo te zien van grote afstand genomen. Het meisje, van ongeveer de juiste leeftijd om student te zijn, stond links en enigszins achter Wohlmut. Ze was lang en slank, en had lange, donkere haren, maar haar gezicht was niet scherp. Maar wel herkenbaar. Voor iemand die haar kende.

Fabel las het dossier over Wohlmut. Het waren de laatste stuiptrekkingen geweest van een op sterven na dode beweging. Hij had een groep gevormd die uiteindelijk als een nachtkaars was uitgegaan, maar niet voordat ze enkele primitieve bommen hadden gelegd in Amerikaanse doelwitten. Een bombrief had een negentien jaar oude secretariaatsmedewerker in het kantoor van een Amerikaanse oliemaatschappij de vingers van zijn rechterhand gekost. Wohlmut was gepakt en had drie jaar in de gevangenis doorgebracht.

Fabel keek opnieuw naar het lange meisje met de lange, donkere haren. Wohlmut zei iets tegen iemand buiten het blikveld van de camera en het meisje naast hem luisterde aandachtig, met scheefgehouden hoofd. Een houding van concentratie.

Iedereen heeft een verleden. Iedereen was ooit iemand anders geweest. Er werd op de deur geklopt en hij stopte de foto terug achter in het dossier.

Anna en Henk kwamen binnen.

22.00 uur, Osdorf, Hamburg

Er stonden geen voorraadkisten in Gruebers kelder. Het was er geen chaos.

De kelder was groot, buitenproportioneel groot ten opzichte van het deurtje onder de trap, en Maria liet haar blik langs de muren glijden, zoekend naar een raam of een deuropening die rechtstreeks op de buitenwereld uitkwam. Maar ze wist dat ze te diep onder de grond waren. Ze stelde zich voor hoe de ondergaande zon door de struiken en planten in Gruebers tuin vlekken wierp op het gazon. Ze werd zich opeens bewust van de massaliteit van het huis boven haar, van de donkere aarde die koud en drukkend achter de keldermuren lag die haar insloten.

De kelder was verrassend hoog, bijna twee meter, schatte ze, en was door Grueber ingericht als werkruimte. Er stonden werkbanken en apparaten tegen de muren, boekenplanken en metalen gereedschapskasten. Ze hoorde een onafgebroken metalig snorren en zag een grote kast van geborsteld staal die aan een van de muren was bevestigd, met een draaiende ventilator achter een gaaskorf. Maria vermoedde dat Grueber een systeem had geïnstalleerd om de temperatuur en de vochtigheid te regelen. De kelderruimte werd onderbroken door een reeks dikke, vierkante pijlers die de muren erboven ondersteunden. In het midden van de kelder fungeerden vier pijlers als de hoeken van een stuk dat was afgezet als een soort geïmproviseerde steriele kamer, met halfdoorschijnende, dikke stukken plastic bij wijze van wanden. Maria voelde dat haar angst enkele centimeters werd opgekrikt: het was duidelijk dat die ruimte een speciale functie had en ze kreeg het misselijkmakende gevoel dat die functie wel eens iets te maken kon hebben met haar nabije toekomst.

Grueber scheen haar angst te voelen. Hij fronste zijn wenkbrauwen en op zijn gezicht verscheen een uitdrukking van zowel boosheid als bedroefdheid. Hij stak zijn hand uit en streelde haar wang.

'Ik doe je niets, Maria,' zei hij. 'Ik zou je nooit, nóóit iets doen. Ik ben geen psychopaat. Ik dood niet zomaar. Dat zou je inmiddels moeten weten. Ik heb de gave om door de sluiers heen te kijken die elk leven, elk bestaan scheiden. En daarom hecht ik méér waarde aan het leven, niet minder. Degenen die gestorven zijn... ze verdienden het. Maar jij niet. En Fabel niet. Dat is de reden waarom ik de bom die ik onder zijn auto had geplaatst, niet heb laten ontploffen. Zie je, we zijn allemaal met elkaar verbonden. In elk leven komen we allemaal weer bijeen om de onafgemaakte dingen uit onze vorige incarnatie af te maken. Jij, ik, Fabel... we hebben allemaal al eens eerder geleefd en zullen opnieuw leven. Niet bang zijn, Maria. Ik doe je niets. Ik kan alleen niet toestaan dat je verhindert wat er vannacht moet gebeuren. Vannacht zal mijn wraak compleet zijn.'

'Frank,' zei Maria. 'Geen doden meer. Laat het hier eindigen. Ik zal voor je zorgen. Ik zal je helpen.'

Hij glimlachte opnieuw naar haar. 'Lieve Maria, je begrijpt het niet, hè? Alles wat ik in dit leven heb geleerd, alle vaardigheden die ik heb verworven, zijn bedoeld om af te maken wat ik vannacht moet afmaken.' Hij nam haar bij de arm en leidde haar naar de dikke, halfdoorschijnende stukken plastic.

'Laat me je een voorbeeld geven van wat ik bedoel. Je hebt mijn reconstructies gezien. Waarbij ik de doden opnieuw opbouw, laag voor laag, ze vlees en substantie en huid geef. Hun identiteit herstel. Nou, datzelfde kan ik ook in omgekeerde volgorde doen... de lagen van de levenden afpellen. Hun identiteit vernietigen...'

Grueber schoof het dikke plastic gordijn opzij. Maria hoorde een schril geluid, dat de kelder vulde, en realiseerde zich dat het haar eigen kreet was.

22.03 UUR, HOOFDBUREAU VAN POLITIE, HAMBURG

'Henk heeft iets ontdekt,' zei Anna.

'Oké,' zei Fabel en hij leunde achterover. 'Laat maar eens horen...'

'We hebben, zoals je vroeg, Brandts verleden en dat van zijn moeder, Beate, nagepluisd. Frank Grueber van de technische recherche heeft zoals je weet Franz Brandts afkomst bevestigd. Hij is beslist de zoon van Franz Mühlhaus.'

'Vertel me eens iets nieuws,' zei Fabel vermoeid.

'Franz Mühlhaus mag dan zijn vader zijn, maar hij is niet geadopteerd door Beate Brandt.' Henk legde een fotokopie op Fabels bureau. 'Geboorteakte van Franz Karl Brandt. Vader onbekend. Moeder Beate Brandt, toentertijd woonachtig op Hubertusstrasse tweeëntwintig, Niendorf, Hamburg. Ze heeft hem niet geadopteerd. Het klopt wat hij zei, ze is zijn biologische moeder. Misschien weet hij niet eens dat Rode Franz Mühlhaus zijn vader is. Er bestaat geen enkel verband tussen Beate Brandt en Rode Franz Mühlhaus of een aanwijzing dat ze in de jaren zeventig of tachtig lid was van een radicale beweging. Maar uit het DNA blijkt dat ze een kind van hem had. Het komt erop neer dat Franz Brandt een zoon van Mühlhaus is. Maar níét van Michaela Schwenn. Wat op zijn beurt betekent dat hij niet het jongetje met de zwart geverfde haren op het perron in Nordenham was.'

'Een broer?'

'We weten dat Mühlhaus seksuele betrekkingen had met een heleboel van zijn vrouwelijke volgelingen, én met andere vrouwen die geen lid waren van zijn beweging. Het is mogelijk dat onze moordenaar een halfbroer is van Brandt, die waarschijnlijk niet eens van zijn bestaan weet,' zei Anna.

'Maar wacht eens even,' zei Fabel. 'Je vergeet dat Brandt een bom in het appartement van zijn vriendin had gelegd om ons allemaal op te blazen.'

'Waarna hij en zijn vriendin recht op ons af komen,' zei Henk. 'Je zei zelf dat het vreemd leek. Ik denk dat hij niets van die bom wist.'

'Shit,' zei Fabel. 'Dat betekent dat de moordenaar nog rondloopt. We moeten uitzoeken wat er van dat kind op het perron geworden is.'

'Dat bedoelde ik toen ik zei dat we het vanuit de verkeerde richting benaderden,' zei Henk. 'We probeerden te bewijzen dat Brandt de zoon was die we zochten. We zochten de connectie in omgekeerde richting. We moeten de adoptiedossiers opnieuw bekijken. En ditmaal naar de achternaam Schwenn zoeken.'

'Ik heb de toegangscodes.' Anna zwaaide met haar notitieboekje. 'Mag ik je computer gebruiken?'

Fabel schoof het dossier van Ingrid Fischmann opzij, stond op en liet Anna plaatsnemen op zijn stoel. Ze logde in op de database en voerde haar zoekcriteria in: de naam 'Schwenn' en de periode van 1985 tot 1988.

'Hebbes!' zei ze. 'Ik heb vier namen. Twee adopties in 1986. Het moet een van deze zijn...' Anna klikte op het eerste bestand. 'Noppes... dit is een meisje van vier.' Ze klikte op het volgende. 'Dit zou kunnen... nee... de leeftijd klopt niet.' Ze klikte op het derde bestand.

Fabel schrok van Anna's gezicht. Hij had haar gebruikelijke grijns van schaamteloze voldoening verwacht bij het vinden van een cruciaal stukje bewijs. Maar ze stond plotseling op en Fabel zag dat ze lijkbleek was geworden.

'Wat is er, Anna?' vroeg hij.

'Maria...' Het was alsof elke spier in Anna's gezicht strak stond. 'Waar is Maria?'

'Ik heb haar naar huis gestuurd. Ze had migraine,' zei Fabel. 'Morgenochtend is ze er weer.'

'We moeten haar vinden, chef. We moeten haar meteen vinden.'

'Fascinerend, hè?'

Maria hoorde Gruebers vraag niet. Haar oren tuitten, elke zenuw leek te branden toen ze naar het lichaam van een man keek die op de metalen schragentafel lag. Hij was naakt. Niet alleen ontdaan van zijn kleren, maar ook van zijn huid. Een sculptuur van blootliggende, rode pezen. Het aluminium blad van de tafel waarop hij lag, was bezaaid met kleine, ronde druppels bloed.

'Ik heb veel geïnvesteerd om deze werkruimte te perfectioneren.' Grueber raaskalde of tierde niet. Zijn beheerste conversatietoon maakte Maria duidelijk hoe gestoord hij was. 'Ik heb kapitalen uitgegeven om deze kelder geluiddicht te maken. Ik heb de aannemer verteld dat ik hier beneden met lawaaiige apparatuur zou werken. Daarom heb ik een luchtpomp en een temperatuurregeling moeten installeren. Als de deur dicht is, is deze ruimte volkomen lucht- en geluiddicht. En maar goed ook, want hij...' Grueber wees naar de gestalte op de tafel, ontdaan van zijn huid, zijn menselijkheid, '...hij gilde als een meisje.'

Maria's hart ging tekeer en ze was misselijk.

'O, sorry... dit is Cornelius Tamm.' Grueber verontschuldigde zich alsof hij vergeten was iemand voor te stellen tijdens een cocktailparty. 'Je weet wel, de zanger.'

'Waarom?' Maria vond het woord ergens.

'Waarom? Waarom ik dit gedaan heb? Omdat hij me verraden had. Allemaal. Ze gooiden het op een akkoordje met de fascistische autoriteiten en verkwanselden me. Mijn leven. Piet van Hoogstraat was de enige andere die bij de politie bekend was, dus stuurden ze hem om me te identificeren. Maar Paul Scheibe was degene die alles op touw had gezet, op een veilige afstand. De anderen gingen erin mee. Zelfs Cornelius. Mijn vriend.' Hij draaide zich om naar Maria. Er glinsterden tranen in zijn ogen. 'Ik stierf, Maria. Ik stierf.' Hij legde een hand op zijn borst. 'Ik voel nog waar de kogels me troffen. Ik heb jou zien sterven en toen stierf ik zelf, op mijn knieën op dat perron.'

'Waar heb je het over? Wat bedoel je dat je stierf? Wie denk je dat je bent, Frank?'

Hij rechtte zijn rug. 'Ik ben Rode Franz. Ik ben eeuwig. Ik leef al bijna tweeduizend jaar. En waarschijnlijk al langer, maar dat kan ik me nog niet herinneren. Ik was een krijger die zijn leven gaf voor zijn volk, opdat de aarde zich kon vernieuwen. Twee keer. De eerste keer meer dan vijftienhonderd jaar geleden, de tweede keer als Rode Franz Mühlhaus.'

'Rode Franz Mühlhaus?' zei Maria ongelovig. 'Zelfs afgezien van dat hele reïncarnatiegedoe klopt de tijdrekening niet. Je bent geboren lang voordat Mühlhaus stierf.'

'Je snapt het niet,' glimlachte hij minzaam. 'Ik ben de vader én de zoon. Mijn levens overlappen elkaar. Ik heb mijn eigen dood vanuit twee invalshoeken gezien. Ik ben mijn eigen vader.'

'O. Juist. Sorry, Frank.' Nu begreep Maria alles. 'Rode Franz Mühlhaus was je vader?'

'We waren altijd op de vlucht. Altijd. We moesten onze haren verven. Zwart.' Grueber streek door zijn dichte, te donkere haren. 'Anders zou iedereen onze rode haren gezien hebben. En toen werden we verraden. Mijn vader en mijn moeder werden vermoord door GSG9-troepen. Een door die verraders georganiseerd offer. Ik heb mijn vader zien sterven. Ik hoorde hem "verraders" zeggen. Daarna namen ze me mee. De Gruebers adopteerden me. Ze hadden geen kinderen. Ze konden geen kinderen krijgen. Maar ze voedden me op alsof de eerste tien jaar van mijn leven er niet geweest waren. Alsof ik hun eigen kind was en altijd was geweest. Na een tijdje kreeg ik zelfs het gevoel dat alles wat daarvoor was gebeurd, niet meer dan een nachtmerrie was. Ik merkte dat ik me dingen niet kon herinneren. Het was alsof dat leven was uitgeveegd. Gewist.'

'Wat gebeurde er, Frank? Wat gebeurde er waardoor je veranderde?'

'Ik studeerde archeologie. Ik ging naar het Landesmuseum in Hannover. Daar zag ik hem. Rode Franz. Hij lag in een vitrine, zijn gezicht was bijna helemaal weggerot, maar die prachtige rode haardos was nog helemaal ongeschonden. Op dat moment wist ik gewoon dat ik keek naar de resten van een lichaam waarin ik ooit had gewoond. Ik realiseerde me dat we onszelf kunnen zien zoals we vroeger waren. Zoals we vroeger leefden. Toen kwam het allemaal terug. Ik herinnerde me dat mijn vader vertelde dat hij een kistje verstopt had in een oude archeologische opgraving. Hij zei dat, als hem ooit iets zou overkomen, ik het kistje moest zoeken en dan zou ik de waarheid kennen.'

Grueber liet het dikke plastic vallen om de verschrikking van Tamms gevilde lichaam te verbergen. Hij liep naar een van de kasten die tegen de keldermuur stonden. Toen hij met zijn rug naar haar toe stond, probeerde Maria verwoed om haar handen van de boeien te bevrijden, maar het touw zat te stevig vast. Grueber pakte een roestig metalen kistje uit de kast.

'Mijn vaders geheime dagboek en gegevens over zijn groep. Ik herinnerde me waar hij zei dat het verstopt was. Precies. Ik groef het op en het vertelde me het hele verhaal. En het gaf me de namen van alle verraders.' Grueber zweeg even. 'Maar het was niet alleen de herinnering aan mijn jeugd die terugkeerde die dag toen ik naar Rode Franz keek. Het was mijn hele herinnering. Mijn herinnering aan alles wat vóór dit leven was gebeurd. Ik wist dat het lichaam dat ik zag ooit het mijne was geweest. Dat ik er meer dan anderhalfduizend jaar geleden in had gewoond. Ik wist ook dat ik in mijn vaders lichaam had gewoond. Dat de vader en de zoon één waren. Dezelfde.'

'Frank...' Maria keek naar het bleke, jongensachtige gezicht. Ze herinnerde zich dat ze hem bij hun eerste ontmoeting de bijnaam Harry Potter had gegeven. Dat ze hem altijd als een goed mens had beschouwd. Een aardig mens. 'Je bent ziek. Je lijdt aan waanvoorstellingen. We leven maar één keer, Frank. Je hebt alles door elkaar gegooid in je hoofd. Ik begrijp het. Echt waar. Je ouders zo gedood te zien worden. Luister, Frank, ik wil je helpen. Ik kán je helpen. Maar maak me los.'

Grueber glimlachte. Hij leidde Maria naar een stoel en liet haar plaatsnemen. 'Ik weet dat je het goed bedoelt,' zei hij. 'En ik weet dat het waar is als je zegt dat je me wilt helpen, en niet een of andere list. Maar vannacht, Maria, zal de grootste verrader van allemaal sterven. Hij was mijn beste vriend, mijn plaatsvervanger in de Herrezenen. Hij plande de ontvoering van Wiedler. Híj haalde de trekker over waardoor Wiedler werd gedood. Iets wat hij heeft geprobeerd te begraven, samen met mij. Hij zag me als een struikelblok voor zijn politieke ambities. Ambities die hij nog steeds heeft. Maar vannacht zullen die ambities, en zijn leven, beëindigd worden. Ik kan je niet laten verhinderen wat ik vannacht moet doen, Maria. Het spijt me, maar ik kan het niet...'

Grueber pakte een rol dik plakband en wikkelde het om Maria's bovenlichaam en de rugleuning van de stoel. Bond haar stevig vast. 'Ik kan echt niet toestaan dat je me tegenhoudt...' zei hij terwijl hij het fluwelen etui pakte.

22.30 UUR, OSDORF, HAMBURG

Fabel en Werner stopten voor Gruebers huis. De twee blauw-met-zilverkleurige auto's van de Hamburgse politie achter hen hadden hun zwaailichten op de hoek gedoofd en kwamen achter Fabel tot stilstand. Er stapten vier uniformagenten uit.

Werners mobiele telefoon ging over toen ze zich op het trottoir verzamelden. Na een kort gesprek van eenlettergrepige antwoorden hing Werner op en wendde zich tot Fabel.

'Dat was Anna. Zij en Henk hebben Maria niet op haar mobiele of haar vaste telefoon kunnen bereiken. Ze hebben haar appartement gecheckt. Niemand thuis. Ze zijn op weg hierheen.' Werner keek op naar de enorme villa van Grueber. 'Als Maria ergens is, is ze daarbinnen...'

'Oké.' Fabel richtte zich tot de uniformagenten. 'Twee van jullie nemen de achterkant. Jullie twee gaan met ons mee.'

De voordeur van Gruebers huis was van eikenhout en had de vorm en de degelijkheid van een kerkdeur. Het was duidelijk dat hij niet zomaar zou bezwijken voor een stormram en Fabel gaf de uniformagenten opdracht een van de grote, rechthoekige ramen in te slaan. Hij herinnerde zich in grote trekken de indeling van zijn korte verblijf als Gruebers gast en ging de anderen voor naar Gruebers werkkamer.

'Als we het raam inslaan, moeten we zo snel mogelijk naar binnen en Maria zien te vinden.'

Op een teken van Fabel zwaaiden de twee uniformagenten de stormram hard en snel naar het midden van het venster en verbrijzelden het raam en de houten sponningen die de ruiten op hun plaats hielden. Het gat was nog niet groot genoeg om door naar binnen te kunnen en ze zwaaiden nog twee keer met de stormram. Fabel trok zijn automatische dienstwapen en klom door het kapotte raam, klauterde over Gruebers bureau en gooide daarbij het gereconstrueerde hoofd van het tweeënhalf duizend jaar oude meisje op de grond. Werner en de twee uniformagenten kwamen achter hem aan.

Tien minuten later stonden ze in de gang, onder aan de trap. Ze hadden elke kamer, elke kast doorzocht. Niets. Fabel riep zelfs Maria's naam in de leegte van een huis waarvan hij wist dat het verlaten was.

Er werd op de voordeur geklopt, Fabel deed open en liet de twee andere uniformagenten binnen.

'We hebben de tuinen en de garage doorzocht. Niemand te bekennen, hoofdinspecteur.'

Er stopte een auto en Anna en Henk renden de gang in.

'Niets...' zei Fabel grimmig. 'Hij heeft haar blijkbaar meegenomen.'

'Hoofdinspecteur...' riep een van de uniformagenten achter de gebeeldhouwde trap. 'Er is hier een deur. Het zou een kelder kunnen zijn...'

22.40 uur

Frank Grueber had zijn hele leven op kennis gedijd. Formeel had hij archeologie en geschiedenis gestudeerd, maar hij had een groot deel van zijn vrije tijd besteed aan het leren van een heleboel verschillende vaardigheden. Zijn rijke ouders hadden hem de middelen gegeven om zijn hele leven te veranderen in een onafgebroken opleiding, een eindeloze voorbereiding op zijn levenstaak.

Nu hij voor het huis van zijn ultieme doelwit stond, was het gevoel van samenkomen op zijn sterkst. Overweldigend. Grueber stond op de oprit van het huis, het etui in zijn ene hand, Maria's dienstpistool in de andere. Hij sloot zijn ogen en haalde lang en diep adem. Hij liet alle emoties uit zijn lichaam verdwijnen. Hij liet de grote kalmte over zich neerdalen, de kalmte die hem in staat zou stellen met volmaakte precisie en dodelijke efficiëntie te handelen.

Zanshin.

22.40 uur, Osdorf, Hamburg

De kleine, afgesloten deur was van hetzelfde zware eikenhout als de voordeur en bezweek niet onder de trappen van de politieagenten. Pas na enkele harde klappen met de stormram begaf hij het.

Maria!' riep Fabel terwijl hij zich door de deur wrong en de kelder in rende.

'Hierheen!'

Fabel volgde het geluid van de stem en rende de grote kelder door. Hij vond haar vastgebonden op een stoel, vlak bij het met plastic gordijnen afgeschermde gedeelte.

'Grueber...' zei ze. 'Het is Frank. Hij is gek. Hij denkt dat hij de reïncarnatie van Franz Mühlhaus is... Misschien is hij echt Mühlhaus' zoon.'

'Dat is zo,' zei Fabel terwijl hij haar, worstelend met het plakband, probeerde te bevrijden. Hij knikte naar het met plastic afgezette stuk.

'Cornelius Tamm,' zei ze. Fabel gebruikte een zakmes om het plakband door te snijden. Ze stond op. 'Geloof me, Jan, het is geen prettig gezicht. Maar je zult het even zo moeten laten... Hij is naar zijn laatste slachtoffer toe gegaan.'

'Wie?'

'Bertholdt Müller-Voigt. Frank zei dat hij naar het op Mühlhaus na belangrijkste lid van de groep zou gaan. Hij zei ook dat het een politicus was. Kijk daar eens. Dat kistje. Mühlhaus had het begraven en tegen Frank gezegd waar hij het na zijn dood kon vinden. Alle namen zitten erin.'

Fabel opende het kistje. Het bevatte enkele notitieboekjes, een dagboek, een plastic zakje, een foto en een dossiermap, allemaal gebonden in bruin leer dat verkleurd was doordat het in vochtige aarde had gelegen. Fabel bekeek de foto. Een familiekiekje: een vrouw met lange, ivoorkleurige haren van wie Fabel aannam dat het Michaela Schwenn was, en een jongen van een jaar of negen, onmiskenbaar Grueber. Maar het was de vrouw die Fabels aandacht trok.

'Shit, Maria,' zei hij terwijl hij haar de foto gaf. 'Michaela Schwenn... jij zou het kunnen zijn, de gelijkenis is verbluffend!'

Maria staarde naar de foto.

Fabel doorzocht de rest van de inhoud. Hij haalde er het plastic zakje uit en zag dat er een dikke haarlok in zat. Rood haar. Grueber had er op elke plaats delict één achtergelaten en toen het forensisch team de eerste haar in Hausers badkamer had gemist, had Grueber hem gevonden. Fabel bladerde de notitieboekjes door, liet zijn blik zo snel mogelijk over de bladzijden glijden om de informatie te vinden die hij nodig had. Toen vond hij het.

'Kom, we gaan...' Hij liep naar de kelderdeur en gaf twee uniformagenten opdracht te blijven om de plaats delict te bewaken. 'Je hebt de verkeerde politicus voor, Maria... en ik denk dat ik weet waar hij hem naartoe brengt.'

Maria staarde nog even naar de foto van een vrouw die precies op haar leek. Toen liet ze hem in het kistje vallen en volgde Fabel de kelder uit.

16

Fabel had zijn auto, schuin geparkeerd en met de koplampen nog aan, achtergelaten en was met Werner naar de zuidkant van het stationsgebouw gerend. Op bevel van Fabel reden Anna, Maria en Henk om naar de noordkant. Tot Fabels grote ergernis hadden de uniformeenheden van Nordenham hun komst al van kilometers ver aangekondigd, met zwaailichten en loeiende sirenes in de koele nacht. Drie eenheden omsingelden de zijkanten en de achterkant van het gebouw, drie andere kwamen slippend tot stilstand aan de overkant van de spoorbaan, met hun koplampen op het perron en het stationsgebouw gericht.

Na de sirenes, na het rennen, na de geschreeuwde bevelen werd het opeens doodstil. Fabel stond op het perron en werd zich scherp bewust van zijn snelle ademhaling; hij kon haar horen in de plotselinge stilte, kon haar als grijze wolken zien opbloeien in de stille, dunne, koude lucht. Hij had een gevoel van intens onbehagen. Het had iets onvermijdelijks, iets surrealistisch vertrouwds dat deze groep mensen op dit moment op deze plek bijeenkwam. Een gevoel van lotsbestemming.

Maar het was een andere groep die de matrijs voor dit lot had gegoten. Het was allemaal zo knap georganiseerd. Niemand zou lang naar een diepere betekenis zoeken achter de dood van een moordenaar en terrorist. Na de dood van Franz Mühlhaus zou men denken dat het hoofd, het brein en het hart van de Herrezenen geamputeerd waren. Zijn dood betekende de dood van een organisatie. De deal die Paul Scheibe anoniem met de veiligheidsdiensten had gesloten, hield in dat er geen verder onderzoek meer zou worden gedaan naar de Herrezenen. En natuurlijk de garantie dat de Herrezenen simpelweg zouden verdwijnen.

De koplampen van de politieauto's uit Nordenham aan de overkant van de sporen verlichtten de gestalten op het perron als acteurs op een podium, wierpen uitvergrote schaduwen op de gevel van het station.

Fabel trok zijn automatische dienstwapen terwijl hij naar hen toe rende.
'Ik zou daar blijven staan als ik jou was,' riep Frank Grueber hem toe. Het
mes in zijn handen glinsterde koud en scherp in de nacht. Grueber had de
man voor hem op zijn knieën gedwongen. 'Denk je dat het me iets kan schelen als ik hier sterf, Fabel? Ik ben eeuwig. Er bestaat niet zoiets als de dood.
Er is alleen vergeten... vergeten wie je vroeger was.'

De duizend mogelijke manieren waarop dit kon eindigen flitsten door Fabels hoofd. Wat hij ook zou zeggen, wat hij ook zou doen, het zou consequenties hebben, zou een reeks gebeurtenissen in beweging zetten. En een maar al
te goed denkbare consequentie zou de dood van meer dan één persoon zijn.

Zijn hoofd deed pijn van het gewicht van die gedachten. De nachtlucht die
zijn adem veranderde in grijze wolkjes, deed ijl en steriel aan in zijn mond,
alsof die door op dit moment samen te komen een grote hoogte hadden bereikt. Het was alsof de lucht te ijl was om andere geluiden te dragen dan de
wanhopige, half snikkende ademhaling van de knielende man. Fabel keek
naar zijn agenten die met bleke gezichten in het schelle licht stonden en aanlegden in de strakke, gespannen houding van mensen die op het punt staan
iemand te doden. Het was Maria op wie hij het scherpst lette. Haar gezicht
was wit weggetrokken, haar ogen glinsterden ijsblauw en de botten en pezen van haar handen spanden zich tegen de strakke huid terwijl ze haar Sig-
Sauer omklemde.

Fabel maakte een nauwelijks merkbare hoofdbeweging, in de hoop dat ze
zijn teken om zich in te houden zou begrijpen.

Hij staarde strak naar de man die in het middelpunt van het verblindende licht stond. Fabel en zijn team hadden maandenlang geworsteld om de
moordenaar op wie ze jacht maakten een naam, een identiteit te geven. Hij
bleek een man met vele namen te zijn. De naam die hij zichzelf in zijn verwrongen kruisvaardersideeën had gegeven was *Rode Franz*. De media, in
hun enthousiaste vastbeslotenheid om zoveel mogelijk angst en onrust te
zaaien, hadden hem de *Hamburgse Haarsnijder* gedoopt. Maar nu kende Fabel zijn werkelijke naam. Frank Grueber.

Grueber staarde naar de koplampen met ogen die leken te schitteren met
een nog fellere, nog schrillere, nog killere gloed. Hij hield de knielende man
vast aan een vuist vol grijs haar en trok zijn hoofd achterover, zodat zijn bleke hals bloot lag. Boven de keel, boven het van angst verwrongen gezicht,
was zijn voorhoofd over de volle breedte opengesneden in een strakke lijn,
net onder de haargrens, en de wond gaapte enigszins doordat Grueber het
hoofd aan de haren achterover trok. Een stroom bloed gutste over het gezicht van de geknielde man en hij slaakte een hoge, dierlijke kreet.

'In godsnaam, Fabel.' De stem van de geknielde man klonk gespannen en
schril van doodsangst. 'Help me... Alsjeblieft... Help me, Fabel.'

Fabel negeerde de smeekbede en hield zijn blik als een zoeklicht gericht op Grueber. Hij stak zijn hand op, alsof hij het verkeer tegenhield. 'Rustig... kalm aan. Ik doe hier niet aan mee. Niemand hier. We zijn niet van plan de rol te spelen die je ons hebt toebedeeld. De geschiedenis zal zich vannacht niet herhalen.'

Grueber lachte verbitterd. De hand die het mes vasthield bewoog en opnieuw flonkerde het lemmet helder en schril. 'Je denkt toch niet echt dat ik wegga? Deze smeerlap...' Hij gaf opnieuw een ruk aan de haren en de geknielde man jankte weer door een gordijn van zijn eigen bloed heen. 'Deze smeerlap heeft mij en alles waarvoor we stonden verraden. Hij dacht dat hij met mijn dood een nieuw leven kon kopen. Net als de anderen.'

'Dit is pure fantasie,' zei Fabel. 'Het was niet jouw dood.'

'O nee? Hoe kwam het dan dat je begon te twijfelen terwijl je naar me zocht? Er bestaat niet zoiets als de dood, er is alleen herinnering. Het enige verschil tussen mij en alle anderen is dat ik het me mocht herinneren, alsof ik door een glazen zaal keek. Ik herinner me álles.' Hij zweeg even en de korte stilte werd slechts verbroken door het geluid van een auto die in de verte door het nachtelijke Nordenham reed, achter het station en een universum verwijderd. 'Natuurlijk zal de geschiedenis zich herhalen. Dat doet geschiedenis nu eenmaal. Ze heeft míj herhaald... Je bent er trots op dat je ooit geschiedenis hebt gestudeerd, maar heb je het ooit echt begrepen? We zijn allemaal slechts variaties op hetzelfde thema... wij allemaal. Wat was, zal opnieuw zijn. Hij die was, zal opnieuw zijn. Telkens weer. Geschiedenis gaat over beginnen. Geschiedenis wordt gemaakt, niet ongedaan gemaakt.'

'Maak dan je eigen geschiedenis,' zei Fabel. 'Verander dingen. Geef het op, man. Vanavond zal de geschiedenis zich níét herhalen. Vannacht zal er niemand sterven.'

Grueber glimlachte. Een glimlach die even snijdend en kil was als het mes in zijn hand. 'O nee? Dat zullen we wel eens zien, hoofdinspecteur.' Het mes flitste naar de keel van de geknielde man.

Er klonk een kreet. En het geluid van schoten.

Fabel draaide zich net op tijd in de richting van het schot om te zien dat Maria opnieuw vuurde. Haar eerste schot had Grueber in zijn dij geraakt en hij wankelde. Het tweede trof hem in zijn schouder en hij verloor zijn greep op de knielende man. Werner schoot naar voren, pakte Gruebers gevangene beet en trok hem weg.

Maria kwam naar voren, haar wapen op Grueber gericht, die op zijn knieën was gevallen. Haar gezicht was nat van tranen. 'Nee, Frank,' zei ze. 'Er sterft niemand vannacht. Dat laat ik je niet doen. Laat het mes vallen. Er is niemand meer om te verwonden.'

Grueber keek naar de zich terugtrekkende gestalten van Werner en van de man die hij had willen doden. Het laatste offer. Hij keek op naar Maria en glimlachte. De verdrietige glimlach van een jongetje. Toen haalde hij lang en diep adem. Ze zagen een flitsende lichtboog toen hij het mes met beide handen naar boven zwaaide en met al zijn kracht in zijn borst stootte.

'Frank!' riep Maria en ze stormde naar voren.

Gruebers hoofd viel langzaam voorover. Terwijl hij stierf sprak hij één enkel woord in de nacht. 'Verraders...'

01.40 UUR, WESERMARSCH-KLINIK, NORDENHAM

Toen Fabel en Werner de kamer op de derde verdieping van de Wesermarsch-Klinik binnenkwamen, stond commissaris Van Heiden al naast het bed van het hoofd van de Hamburgse regering, burgemeester Hans Schreiber. De verpleegster bij de receptie had Fabel verteld dat Schreiber een zwakke pijnstiller had gekregen, maar verder klaarwakker was.

Er zat een dik verband om Schreibers voorhoofd, maar Fabel zag dat de rand boven zijn wenkbrauwen opgezet en verkleurd was in reactie op wat er met zijn scalp was gebeurd. De rest van zijn gezicht was pafferig en Fabel zou hem bijna niet herkend hebben. Schreiber keerde zich in Fabels richting, maar hij had duidelijk niet de kracht om zich in zittende positie te hijsen. Hij glimlachte slapjes.

'Ik ben blij dat u er bent, Fabel,' zei de burgemeester. 'Ik ben u dank verschuldigd.' Hij zweeg en corrigeerde zichzelf. 'Ik ben u mijn leven verschuldigd. Als u er niet geweest was... Als mevrouw Klee niet geschoten zou hebben...' Hij liet de gedachte zweven om het onuitsprekelijke alternatief te benadrukken.

Fabel knikte. 'Ik deed gewoon mijn werk.'

Schreiber wees naar zijn verbonden hoofd. 'Ze hebben me verteld dat ik plastische chirurgie zal moeten ondergaan. Er zijn ook nogal wat zenuwen beschadigd.'

Er kwamen twee uniformagenten binnen. Fabel gaf hen opdracht de wacht te betrekken op de gang. 'Er mag niemand anders binnen dan het medisch personeel dat rechtstreeks betrokken is bij de verzorging van meneer Schreiber,' zei Fabel terwijl de agenten de kamer verlieten.

'Mijn vrouw komt straks,' zei Schreiber.

'Niemand,' herhaalde Fabel.

'Dat is toch zeker niet nodig, meneer Fabel,' protesteerde Schreiber. 'Het gevaar is geweken. Grueber is dood en hij handelde onmiskenbaar in zijn eentje, volgens zijn eigen krankzinnige plan.'

'Waarom koos hij u dan uit?' vroeg Fabel. 'Alle andere slachtoffers hadden rechtstreeks te maken met Rode Franz Mühlhaus en de Herrezenen. Waarom pikte hij u er uit?'

'God mag het weten.' Schreibers gezwollen gezicht kon niets meer uitdrukken, maar zijn stem klonk geërgerd.

Fabel verwachtte min of meer dat Van Heiden zou protesteren tegen zijn verhoor van de burgemeester, maar de hoofdcommissaris zei niets.

'Luister, Fabel,' ging Schreiber verder. 'Ik heb te veel pijn en ben te moe en van streek om een psychoanalyse te kunnen maken van een krankzinnige die me zojuist heeft willen vermoorden of om naar zijn motieven te raden. Hij was gek. Hij gedroeg zich als een terrorist. Ik ben het hoofd van de regering van de stadstaat Hamburg. Zoek het zelf maar uit. Daar betaal ik u tenslotte voor.'

'O, maar dat heb ik al gedaan, burgemeester.' Fabel wendde zich tot Werner en stak zijn hand uit. Werner overhandigde hem een doorzichtig plastic zakje met daarin een dik notitieboekje waarvan de leren band vocht- en ouderdomsvlekken vertoonde. 'Rode Franz Mühlhaus wist dat zijn dagen geteld waren. Hij wist dat de autoriteiten hem zouden opsporen. Maar hij had zich vast voorgenomen dat ze hem niet levend te pakken zouden krijgen. Bovendien twijfelde hij ernstig aan de loyaliteit van zijn volgelingen. Vooral aan die van zijn plaatsvervanger, van wie Ingrid Fischmann ontdekte dat het Bertholdt Müller-Voigt was. Mühlhaus' plaatsvervanger was ook degene die het busje had bestuurd waarin de industrieel Wiedler acht jaar eerder was ontvoerd. De rest van de groep was na de ontvoering van Wiedler ondergedoken, maar Rode Franz en de Nederlander, Piet van Hoogstraat, waren de enigen die bij de autoriteiten bekend waren en ze waren genoodzaakt als voortvluchtigen te leven, op kosten van hun voormalige medebendeleden.'

'Fabel...' Schreiber zuchtte en draaide zijn hoofd gepijnigd in de richting van Van Heiden. 'Kunnen we dit een andere keer bespreken?'

'Dit is wat er die dag in 1985 op het perron in Nordenham gebeurde,' ging Fabel verder alsof Schreiber niets had gezegd. 'De Nederlander, Van Hoogstraat, had niet de revolutionaire ijver van Mühlhaus. Hij was uitgeput na bijna tien jaar op de vlucht te zijn geweest. Hij zocht een uitweg zonder het grootste deel van de rest van zijn leven achter de tralies te moeten zitten. Dus werd er een deal gesloten. Een deal om te zorgen dat Van Hoogstraat strafvermindering zou krijgen. Een deal die werd bedacht door Mühlhaus' plaatsvervanger en anoniem werd gesloten door de strateeg van de groep, Paul Scheibe. Ze wisten dat Mühlhaus zich niet levend zou laten vangen en dat zijn dood het einde zou betekenen van de dreiging van ontmaskering en arrestatie. Ze hadden het stilzwijgen van de Nederlander al gekocht met de deal die ze met de autoriteiten hadden gesloten, maar het was een meevaller voor ze dat ook Van Hoogstraat op dat perron stierf. De stilte was totaal. De Herrezenen zouden niet herrijzen.'

Fabel zweeg even en keek naar het zakje met het notitieboekje in zijn hand.

'Grappig,' zei hij met een bedroefde, vage glimlach. 'Het was Frank Grueber die eens tegen me zei dat "de waarheid de schuld is die we de doden verschuldigd zijn".' Hij ging dichter bij Schreibers bed staan. 'De vraag is: hoe kwam Grueber achter de identiteit van de voormalige leden van de Herrezenen? De enigen die het wisten, waren de leden zelf. Als Brandt de moordenaar was geweest, zou het gekund hebben: zijn moeder, die zelf lid was geweest, had haar zoon misschien in vertrouwen genomen. Maar het geheim was zo groot, werd zo angstvallig bewaard, dat ze Franz Brandt zelfs niet vertelde dat Mühlhaus zijn vader was. Dus hoe kwam Frank Grueber achter hun identiteit? Hij was tenslotte geadopteerd toen hij elf was en was opgegroeid in een andere wereld, bij rijke adoptieouders in Blankenese. Zijn vroege jeugd, voortdurend op de vlucht, met geen andere opleiding dan de politieke hersenspoeling door zijn ouders, moet een vage nachtmerrie hebben geleken. Maar één ding herinnerde hij zich. Zoals ik zei vertrouwde Mühlhaus geen van zijn voormalige medewerkers, maar er was één persoon die hij wel vertrouwde. Zijn zoon. Franz Mühlhaus was archeoloog en hij moet de jonge Frank verteld hebben hoe de aarde de waarheid over het verleden bewaart voor toekomstige generaties. Mühlhaus vertelde zijn zoon dat hij de waarheid in de aarde had begraven, zorgvuldig verpakt en beschermd en verborgen voor de wereld. Hij moet de jonge Franz de locatie hebben ingeprent zodat, als Mühlhaus zou worden verraden, de anderen niet ongestraft verder zouden kunnen leven.'

Hans Schreiber lag stil en zei niets, staarde van onder zijn gezwollen voorhoofd en dikke oogleden naar het plafond.

'Rode Franz Mühlhaus begroef zijn aantekenboekje plus enkele documenten met een gedetailleerd verslag van alles wat er gedurende het actieve bestaan van de Herrezenen was gebeurd. Het bevatte ook minutieuze gegevens over elk lid van de groep en hun speciale taken. Er is ook een dagboek, dat op ditzelfde moment wordt bekeken. Ik weet zeker dat we een heleboel zullen ontdekken.

'Het grappige is... de enige naam die ik op die lijst verwachtte, staat er niet bij. Bertholdt Müller-Voigt. Hij was niet de plaatsvervanger van Mühlhaus. Hij was niet eens lid van de groep. Ik denk dat hij zelfs geen actieve of geheime aanhanger was. Ziet u, terreurorganisaties zoals de Herrezenen zijn een soort zwarte gaten. Ze zijn klein, maar hun massa, hun invloed op alles in hun omgeving, is enorm. De zwaartekracht die ze opwekken zuigt alles op wat binnen hun bereik is. Neem bijvoorbeeld een jonge advocaat en radicale journalist die begint als sympathisant en later lid wordt. En nog later twee-de man. Niet Müller-Voigt. Zijn enige connectie met de Herrezenen was dat hij, net als Mühlhaus, een verhouding had met Beate Brandt. Iets wat u en Paul Scheibe hem niet vergaven, omdat jullie ook verliefd op haar waren geweest. Daarom kon u, twintig jaar later, niet de verleiding weerstaan om Ingrid Fischmann bewijzen toe te spelen die belastend voor hem waren. Maar niet genoeg om opnieuw belangstelling te wekken voor de Herrezenen. Het was een gevaarlijk spel, vooral toen uw vrouw het vuur nog wat verder aanwakkerde. Maar het feit is dat Müller-Voigt nooit over de grens is gegaan. Hij was hartstochtelijk begaan met het milieu en met sociale rechtvaardigheid, maar zijn principes strekten zich ook uit tot het sparen van mensenlevens. Ingrid Fischmann had de verkeerde politicus voor, nietwaar, burgemeester?'

'Mijn god, Fabel,' zei Van Heiden. 'Weet je dit zeker?'

'Geen twijfel mogelijk. Het staat allemaal hierin.' Fabel hield het notitieboekje op. 'En Mühlhaus had bijkomend bewijs begraven. We hebben alles gevonden in Gruebers kelder. Daardoor wist ik dat hij achter Schreiber aan zat. Hij bewaarde het beste voor het laatst.'

Werner stapte naar voren.

'Hans Schreiber, ik arresteer u wegens de ontvoering van en de moord op Thorsten Wiedler, op of omstreeks 14 november 1977. Als jurist kent u vast uw rechten ingevolge de grondwet van de Bondsrepubliek Duitsland.'

EPILOOG

17

Februari 2006. Zes maanden na de eerste moord
Barmbek, Hamburg

Hamburg leek onwerkelijk, als het beeld van een stad in het hoofd van een romantische schilder. De sneeuwval had de autoriteiten verrast en ze hadden er even voor nodig om de grote wegen en de trottoirs sneeuwvrij te maken. Toen was het sneeuwen opgehouden en de wolken waren weggetrokken, maar nu was de temperatuur flink gedaald en de dekens van sneeuw die de daken, de parken en de stoepranden bedekten, waren hardbevroren en glinsterden onder een stralend blauwe lucht.

Het verzorgingshuis waar mevrouw Pohle woonde, was in Barmbek, aan de andere kant van de stad. Fabel had de directeur, mevrouw Amberg, gebeld om een ontmoeting te regelen.

'Mevrouw Pohle is een beetje verward, meneer Fabel. Ze herinnert zich nauwelijks iets van gisteren, maar heeft een scherp beeld van dingen die tientallen jaren geleden gebeurd zijn. Dat is, vrees ik, kenmerkend voor het eerste stadium van dementie waar mevrouw Pohle aan lijdt. En ze raakt snel van streek. Ik maak me zorgen dat uw bezoek haar zal schokken.'

Fabel had uitgelegd dat hij dingen had gevonden die van de lang geleden vermiste broer van mevrouw Pohle waren geweest. Mevrouw Amberg had haar aarzelingen overwonnen en een tijd met hem afgesproken.

Fabel nam de bus naar Barmbek, deels vanwege het weer, maar ook omdat hij de laatste tijd smoesjes leek te bedenken om zijn auto niet te hoeven gebruiken. Hij had zijn BMW cabriolet al zes jaar en de auto had goede diensten bewezen. Maar sinds de avond dat hij drie uur lang op zijn stoel gekluisterd had gezeten terwijl de explosievenopruimingsdienst de bom onschadelijk maakte die Grueber eronder had gehangen, voelde hij zich er niet lekker in.

Terwijl hij in de bus zat en het schilderachtige Hamburg langs zag glijden, dacht hij na over zijn missie. Hij wist niet waarom het zo belangrijk voor hem was geworden om de zus van Karl Heymann te vinden en haar te vertellen dat het lichaam van haar broer gevonden was. Hij had zich altijd voorgesteld dat ze verdriet had gehad omdat haar broer nooit was begraven en dat ze misschien troost zou ontlenen aan het feit dat er een plaats was die ze kon bezoeken om over haar verlies van zestig jaar geleden te rouwen. In één opzicht had Frank Grueber gelijk gehad: de waarheid is de schuld die we de doden verschuldigd zijn.

Mevrouw Amberg ontving Fabel en ging hem voor naar een lichte recreatieruimte met grote ramen die uitkeken over een grote tuin met een fontein in het midden. De tuin en de fontein waren niet meer dan silhouetten onder de dikke, knisperende laag sneeuw.

Mevrouw Pohle zat in een stoel met een hoge rugleuning bij het raam. Fabel vond het triest te zien hoe jong ze leek voor haar achtentachtig jaar; hij had het idee dat ze bedrogen was door haar geestelijke aftakeling.

'Goededag, mevrouw. Ik ben Jan Fabel. Ik ben hier om met u over uw broer te praten, Karl.' Fabel stak zijn hand uit om die van mevrouw Pohle te schudden. Ze pakte hem met beide handen beet.

'O, bedankt voor uw komst, meneer...' Fabels naam was haar al ontschoten. 'Ik ben zo blij dat u gekomen bent. U zult wel moe zijn, na zo'n lange reis. Ik heb zo lang op nieuws over Karl gewacht. Hoe is het met hem?' Ze lachte. 'Ik wed dat hij inmiddels een afschuwelijk Amerikaans accent heeft. Als u hem ziet, zeg dan maar dat ik heel boos ben. Het is ik weet niet hoe lang geleden dat ik van hem heb gehoord. Alstublieft... ga zitten en vertel me alles over Karls leven ginds.'

Er kwam een verzorgster met thee en koekjes en mevrouw Pohle vertelde dat Karl het er altijd over had gehad om uit Duitsland te vertrekken en naar Amerika te gaan voordat de nazi's hem voor het leger zouden kunnen oproepen. Ze had altijd wel geweten dat hij van de verwarring na het bombardement had geprofiteerd om te verdwijnen, te vluchten. Kwam Fabel uit Amerika en maakte Karl het goed?

Ondanks de diepe bedroefdheid die hij voelde, glimlachte Fabel terwijl hij luisterde naar de fantasieën van de bejaarde vrouw over het leven en het welzijn van haar broer in een ver land. Fantasieën die mevrouw Pohle zestig jaar tot steun waren geweest en die nu, in haar wegkwijnende geest, waarheid waren geworden.

Vijftien minuten lang zat Fabel tegen de oude vrouw te liegen. Hij verzon een leven en een gezin die hadden moeten bestaan, maar nooit bestaan hadden. Toen hij opstond om te vertrekken, zag hij tranen in de ogen van mevrouw Pohle en hij wist dat ze van bittere vreugde waren.

'Goodbye, mrs. Pohle,' zei hij toen hij haar achterliet bij het raam dat uitzicht bood op de besneeuwde tuin.

Soms is de waarheid niet de schuld die we de doden verschuldigd zijn.

Dankbetuiging

Ik ben vele mensen dank verschuldigd voor hun tijd, deskundigheid en advies.

Allereerst mijn vrouw, Wendy, door wier opmerkingen en suggesties dit een beter boek is geworden. Ook mijn uitmuntende agent, Carol Blake, en iedereen bij Blake Friedman Literary, Film and TV Agency. Bijzonder dankbaar ben ik eveneens dr. Bernd Rullkötter, mijn Duitse vertaler en vriend, die zoals altijd nauw met me heeft samengewerkt aan zowel de Engelse als de Duitse versie van *De kleur van verraad.*

Mijn speciale dank gaat ook uit naar mijn Nederlandse uitgever, De Fontein, vooral naar Toine Akveld en Saskia van Schip.

Tijdens het schrijven van deze reeks heb ik de onbeperkte en enthousiaste steun genoten van een van de beste politiekorpsen ter wereld, de Polizei Hamburg. Ik kan niet sterk genoeg benadrukken hoe openhartig en behulpzaam de Hamburgse politie is geweest. Speciale dank ben ik verschuldigd aan hoofdcommissaris Ulrike Sweden, die veel van haar vrije tijd heeft opgeofferd om mijn manuscript te lezen en te corrigeren, aan commissaris Werner Jantosch voor zijn enthousiasme over en lovende woorden voor mijn werk, aan commissaris Bernd Spöntjes, het hoofd van de Waterpolitie, aan commissaris van de recherche Ralf Meyer en aan iedereen van de afdeling Pers en Publiciteit, en aan alle anderen van de Hamburgse politie die me steun, advies en hulp hebben geboden bij het schrijven van de Jan Fabel-reeks: Dirk Brandenburg, Birte Hell, Peter Baustian, Robert Golz, Jörg Ley, Wolfgang Weidemann, Ullrich Frost, Michael Krohn, Boris Manzella, Andre Schönhardt en Rene Schönhardt.

Dankbaar ben ik ook Anja Sieg en Anna Bestenbostel, die mijn manuscript hebben gelezen om te zorgen dat de regionale details over Oost-Friesland en Norderstedt klopten. Bijzonder dankbaar ben ik Katrin Frahm, mijn leraar Duits, Udo Röbel, voormalig hoofdredacteur van BILD en nu zelf misdaadauteur, voor zijn enthousiasme en vriendschap, en Menso Heyl, hoofdredacteur van het *Hamburger Abendblatt*. En persoonlijke dank aan Holger en Lotte Unger.

En uiteraard wil ik mijn erkentelijkheid en dank uitspreken aan een van de prachtigste steden ter wereld, dat ze me heeft geïnspireerd tot de Fabel-reeks. *Hamburg, ich bedanke mich nochmal.*

Het e-mailbericht was gericht aan hoofdinspecteur Fabel.
'Tijd is een vreemd begrip, vindt u niet? Ik schrijf dit en u leest dit en we delen hetzelfde moment. Toch, als ik dit schrijf, hoofdinspecteur, slaapt u en leeft mijn volgende slachtoffer nog, en als u dit leest, is ze allang dood. Zo duurt onze dans voort.'
Bij het eerste slachtoffer waren de longen eruit gerukt. Wanneer dezelfde gruwelijke, rituele methode ook gebruikt wordt bij de tweede moord, is het duidelijk dat er een seriemoordenaar aan het werk is. Maar er is geen enkel direct en overtuigend bewijs dat de twee moordzaken met elkaar verbindt. Behalve de uitdagende e-mailtjes aan hoofdinspecteur Jan Fabel.

ADELAARSBLOED IS DE EERSTE VAN EEN REEKS SPANNENDE EN ORIGINELE THRILLERS MET JAN FABEL IN DE HOOFDROL.

Fabel doet wanhopige pogingen om de zaak op te lossen voordat er meer slachtoffers vallen. Maar hij ontdekt tijdens het onderzoek eerder tegenstrijdigheden dan verbanden, en hoe dieper hij graaft, hoe meer vragen dat oproept.
Hoe kan hij een moordenaar opsporen die geen enkel spoor achterlaat, wiens slachtoffers bijna opzettelijk willekeurig uitgekozen lijken te zijn en wiens motieven teruggrijpen naar de diepste en donkerste kanten van de menselijke ziel?

ISBN 978 90 261 2196 8
Paperback, 304 blz.

BROEDER GRIMM

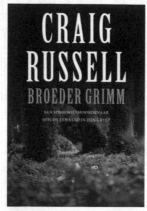

'Gedurfd, authentiek en huiveringwekkend.' *Mo Hayder*

Hamburg wordt opgeschrikt door een moordenaar die de sprookjes van de gebroeders Grimm op een wel heel lugubere manier interpreteert. Op verschillende plaatsen in de stad worden lijken gevonden, waarbij de plaats delict een scène is uit een sprookje en de slachtoffers teksten of verwijzingen uit het sprookje in hun handen hebben.
Tegelijkertijd ontstaat in de literaire pers de nodige beroering. Een jonge Duitse schrijver heeft een roman gepubliceerd in de vorm van een dagboek van de gebroeders Grimm. Hij suggereert daarin dat een van de broers een kindermoordenaar was. Na de derde 'sprookjesmoord' stort ook de sensatiepers zich op de moorden van Broeder Grimm, zoals de moordenaar intussen wordt genoemd.
Terwijl hoofdinspecteur Fabel en zijn mensen naarstig op zoek naar aanknopingspunten, worden ze langzaam meegezogen in de geheimzinnige wereld van legenden en volksverhalen, die echter geenszins een sprookjesachtig einde kennen...

'De superspannende opvolger van *Adelaarsbloed*... Volop genieten (...) van de knappe spanningsopbouw naar een verbluffende climax. Aanrader! *****
Crimezone

ISBN 978 90 261 2197 5
Paperback, 334 blz.